The Secret Agent

1907

〔英〕约瑟夫·康拉德 ◎ 著
王燕珍　项泽华 ◎ 译

间　谍

北京理工大学出版社

阅读·时光
READING TIME

别看那个,让我们谈谈书吧。①

---

① 康拉德对来访的安德烈·纪德所说。

所有的理想都会把生活变得很可悲。美化生活就等同于是剥离生活的复杂性，无异于是把生活破坏掉了。

作者序

《间谍》这个故事的来源、主题、情节处理、艺术目的及其他一切促使一位作家拿起笔来创作的因素，我相信都与我当时的情感和精神状态息息相关。

事实上，我写这本书完全是临时起意，创作过程却是一气呵成。等到时机成熟，这个故事得以出现在公众视野，却受到了部分人的谴责，谴责我为什么要创作这样一个故事。有些谴责义正词严，有些则透露着一丝伤感。这些谴责具体是怎么说的，我已经无法一字一句地复述，但仍清楚地记得争论的焦点，虽然并不是什么复杂的问题，但是对于争论的本质，却让我大为吃惊。这听起来都是些陈年往事了，可事实上，事情并没有过去太久。需要指出的是，1907年那会儿，我还保留着自己最初的那份纯真。不过现在想来，即便当时的我还依然天真朴实，也应该能够预料到，故事所呈现出的肮脏背景和卑劣道德，势必会招来一些抨击。

这虽然是很严肃的抨击，但好在公众对此并不是全盘否定。平心而论，谴责声并不是主流，大部分声音还是诚恳的赞美之词。我相信，读者看到这篇作者序时，也不会不假思索地就断定我是虚荣心受到了伤害，或者给我贴上忘恩负义的标签。我想，任何一个心胸宽厚的读者都会认为，我写这样一篇序言，定然是出于我天生的谦逊。当然，我之所以从对本故事的评论中挑选出那些谴责之声，并不完全是出于谦逊。是的，并不是出于谦逊。我无法肯定地说自己是个谦逊之人，但是所有读过我作品的读者都应该知道，我是正直体面、机智圆滑之人，断不会借别人对我的赞美之词来自我吹捧、洋洋自得。断然不会！我这么做另有原因，背后真正的动机是希望借此为我的行为正名，这是我骨子里的东西。

这不是自我辩解，而是正名。我并不是要固执地去声明自己的行为的正义，只是单纯地想要给大家一个解释：促使我创作这个故事的动机，并不涉及任何不堪的意图，也不包含任何意欲嘲讽人类自然情感的阴险目的。

我的这种性格是一种致命的弱点，因为它会招致世人对我的厌烦。要知道，多数世人对行为背后的动机都不感兴趣，他们关心的是行为所带来的后果。人类喜欢面带微笑、笑意盈盈，但却不是爱探索的动物。他们喜欢显而易见的事物，讨厌滔滔不绝的解释。尽管如此，我还是得继续我的解释。很显然，我真是没必要去写这样一本书。我没有义务去处理这样一个主题，这里的"主题"不仅是指小说主题，更是指更大意义上的人类生活主题。这一点，我完全承认。但是创作这本书，我绝没有存心要通过展现人性丑陋来震惊世人，或者通过全新的故事背景来让读者大吃一惊的想法。我希望我在这里所做的声明能够让大家信服，不仅仅是因为我本身正直的性格，更多的是因为我对小说的处理，虽然整个故事的背景散发着肮脏和污秽，但是从我在小说中所表现出的愤慨、怜悯和蔑视，相信大家也能了解，我本人绝非肮脏、污秽之人。

我决定创作《间谍》的时候，刚刚结束了为期两年的《诺斯特罗莫》(Nostromo)和《大海如镜》(The Mirror of the Sea)的紧张写作。《诺斯特罗莫》是极具异域风情的拉美背景的一本书，我为此投入了大量的心血和精力，我相信这本书会成为我所有作品中最宏伟的一部。《大海如镜》是一本自传体回忆录，描述的是我与大海的亲密之情，以及海洋对我个人产生的深远影响。在创作这两本书的那段时间，我一直处于一种紧张且强烈的想象和情感状态，对事情真相的感知虽然看似贴合事实，但是一旦创作工作结束，我仿佛就遭到了遗弃，迷失在一个低等价值的感觉世界里。

我不知道当时自己是否真的想要作出改变，改变我的想象力，改变我的视野，改变我当时的精神状态。不管怎样，我的心境确实在不知不觉中发生了根本性变化。我并不记得有什么特殊的事情发生。《大海如镜》完成的时候，我内心很明白，不管是对自己，还是对读者，我都做到了真诚对待、问心无愧。这本书完成后，我暂时休息了一段时间，称不上愉快，但也算平静。然后，就在那期间，在跟朋友的一次交谈中，他很随意地谈起了无政府主义者，或者更确切地说，谈到了无政府主义活动。我已记不得这个话题是怎么谈起的，但是就是朋友的那几个字，让我产生了创作"间谍"这个主题——我是说这个小说——的想法。那段时间，我的大脑处于静止的状态，根本没有要刻意去寻找什么丑陋的主题来创作。

然而，我记得当时曾对朋友说，这场犯罪无论从教义、行动还是心理上，都是毫无意义的。可耻的是，在这半疯狂的状态中，如同一个无耻的骗子利用人类辛酸的苦难和轻信的弱点，这样的暴行也总是极度渴望走向自我毁灭的。正因为如此，我更加无法原谅其披着哲学外衣的狡辩。我们之后还说到近期发生的一些事，还有已经过去很久的格林尼治天文台爆炸事件，这次血腥事件简直愚昧的让人匪夷所思,任何理性和非理性的理由都无法解释其原因。须知道，即使是反常的非理性，都有其自身的逻辑性。这场事故中一个人毫无缘由地被炸得粉身碎骨，和无政府主义或者其他别的主义，根本搭不上半点边，而天文台的外墙上连个裂缝都没留下，这样的愤怒真是让人无法理解。

我把我的这些想法都告诉了那位朋友，他略微沉默一会儿，然后用他一贯无所不知的口吻随口告诉我:"哦，那家伙是个半傻。他姐姐后来也自杀了。"这是朋友当时的原话，这个意料之外的信息让我很是震惊，整个人都呆住了。朋友却已经转向其他话题了，后面我也忘记问他是如何得知这一信息的了。我相信，那个人这辈子最多也就看到过某个无政府主义者的背影，除此之外，他不会跟这帮生活在黑暗中的人有任何联系。不过，我的这位朋友却是个喜欢跟各行各业的人打交道的，这个信息多半也是他辗转听别人提起，对方有可能是个清洁工，也有可能是个退休的警察，也或许是从他俱乐部中某个不相熟的人那里听来的，甚至有可能是在某个公共或私人招待会上从某个国务大臣嘴里听到的。

有一点是毫无疑问的，这件事给了我启发：仿佛一个人从森林里走到了一片平原上，草原上没有什么可看的，但却有足够的光线。确实没有什么可看的，坦率地说，那之后相当长的一段时间，我都没刻意要去捕捉任何东西。那只是给我留下了一个抹不去的鲜明印象。这个印象令人颇为满意，但却没有什么积极的意义。然后，大约过了一个星期，我找到了一本书，这本书据我所知，一直未能得到公众的关注。书里有一段一位警务处副局长的回忆录，这位副局长受任于伦敦暴乱频发的八十年代，其能力很出众，也有严肃的宗教信仰。这本书很有趣，语言上也是掷字酌句，虽然书的内容我现在已经忘得差不多了。书中并没有太多启示性的东西，内容也只是流于表面，整本书都是如此。我当时莫名地被里面的一小段话所吸引，大概有七行字。作者（我想他的名字应该是安德森）在此呈现了这位副局长与一位内政大臣在下议院大厅的对话，当时刚刚爆发了一起无政府主义者暴行。当时的内政大臣好像是威廉·哈科特爵士。他当时非常恼火，副局长则在一旁不住地道歉。对话中让我印象最为深刻的是威廉·哈科特爵士的那几句带着怒气的俏皮话："这些都很不错。但是你的保密政策好像做得太过了，就连内政大臣也要瞒着啊！"威廉·哈科特爵士本就是脾气火爆之人，这句话显然已经很克制了。整件事似乎营造出了一种特殊的气氛，使我突然灵感迸发，我当时就想，要是一位化学系的学生，肯定知道如何通过在含有透明液体的试管里添加一小滴什么催化剂，就能加速液体结晶的过程。

　　起初对我来说，这只是一种心理变化，扰乱了我原本已经平静下来的想象。它就像一块形状奇特的水晶，轮廓尖锐清晰，让人无法参透其内在，却又反反复复地出现在我地脑海里。在它面前，我便又陷入了沉思，甚至开始回想以往故事里的那些背景：阳光四溢却充满野蛮革命的南美洲，以及广阔无边的大海，海面仿佛一面镜子，映射着上天的愁容和笑颜，发射出世界之光。之后，我的脑海中就出现了一个城镇的影像：一个人口稠密的庞然大镇，在这里，人力操控着一切，对于上天的忧伤或欢笑都漠不关心，所有的光明在这里都被吞噬。这里空间巨大，可以放置任何故事；这里深不见底，可以承载一切情感；这里错综复杂，可以设置任何背景；这里黑暗无边，足以将五百万人口都深埋其中。

这个城镇自然就成了我随后展开联想的故事背景，无数个场景朝着各个不同的方向铺展开来。要找到那条正确的故事线路似乎得花费几年的时间！这对我来说似乎也像是过了漫长的几年！……慢慢地，弗洛克夫人的母性特征也逐渐明朗起来，整个背景让其沾染了一丝神秘的色彩，同时又彰显着她独有的忧郁色调。最终，从她的童年一直到她生命的最后，温妮·弗洛克这条故事线变得完整而清晰。虽然故事还只是初具模型，尚待裁剪，但已经可以执笔润色了。整个故事的构想不过也就花费了大约三天的时间。

这本书讲述的正是那个故事，情节经过了裁剪处理，整个故事的发展都围绕着格林尼治公园爆炸事件展开。创作过程遇到了重重困难，其中有一件最为艰难。这件事是必须要完成的，我不得不去做。围绕在弗洛克夫人身边的故事人物，还有与她那"任何事情都经不起推敲"的生活观直接或间接相关的所有事情，其源头都可以追溯到这件事上。我个人从未质疑过弗洛克夫人这个故事的真实性，但是由于她所置身的那个城镇太过于不真实，所以要让她从那里脱离出来，让她具有真实性。我指的不是她灵魂的真实性，而是她所处环境的真实性；不是她内心世界的真实性，而是她人性的真实性。我并不缺少对周围环境的了解，正相反，我早年曾在伦敦独自生活，常常一个人在夜间漫步街头，所以我需要时刻保持警惕，与这些回忆保持适当的距离，防止它们一下子都涌上来，扰乱我创作时严肃的情感和思绪，占据过多的篇幅。从这方面来讲，我认为《间谍》这本书是相当真实的。从其艺术目的上来看，这本书被选择采用讽刺的手法，这也是我经过深思熟虑之后决定的，因为我认为要处理这样的主题，只有讽刺的手法才能让我表达出所有的蔑视和怜悯。能够从头到尾地把讽刺手法运用到整个故事的创作，对我整个创作生涯来说也算是一项小小的成就。至于在以伦敦为背景的小说中的主要人物的塑造方面，比如关键人物弗洛克夫人，我也获得了小小的满足。因为在小说人物的创造方面，很容易会招致公众的质疑。一位在间谍活动方面颇有经验的人物对此书评论说："康拉德肯定与这个领域有着密切联系，不然就是具备敏锐的直觉。"因为在这本小说中，拿弗洛克先生来说（拿他来举例应该是比较公允的），他"不仅在细节上描写得很真实，而且在重要事件上处理得也很得当"。然后一位来自美国的访客告诉我，在纽约的那些革命难民一定也都会觉得，这本书的作者对他们了解颇深。这对我来说可是相当高的赞誉，毕竟我与起初给了我这个创作灵感的那位交友广泛的朋友不同，我与他们这类人的接触可谓少之又少。不过有一点毫无疑问，我在创作这本书的过程中，自己曾经一度也变成了一位极端的革命者。我不敢妄言自己的信仰比他们更坚定，但至少我那时的目标是专一的，比他们一生都致力于的事业都更加专一。这么说并不是为了自我夸耀。我只不过是专注于自己所做的事情罢了。我在创作任何一本书的时候，都会专注于手头的工作，专注到忘我的程度。这句话当然也不是为了炫耀。我只能这么做。虚伪造作之事我是做不来的。

故事中的人物，有遵章守法的，也有无法无天的，他们的创作灵感有的来自这里，有的来自那里，来源并不统一，相信有些读者也看出来了。好在他们并不晦涩难懂。我在这里并非要论证故事中某些人物的合法化，也不是为故事中罪犯和警察之间的行为进行道德上的辩解，我只是想向大家指出，故事里的一切起码都是有据可证的。

距离这本书首次出版已经过去十二年了，我的想法一直未曾改变。我不后悔创作这个故事。近期发生了一些事，虽然跟这篇序言没有任何关系，但却促使我重新审视这本书，剥离掉故事的文学外衣，抛开多年前我煞费苦心倾注进去的讽刺手法，被迫去直视它的赤裸裸的本质。不得不承认，深藏其下的骨架奇丑无比。尽管如此，我还是要声明，虽然温妮·弗洛克这个关于无政府主义活动的故事的结尾让人疯狂且绝望，但是这样的故事设置，我在前面已经说过，其目的并不是要无端羞辱人类的情感。

约瑟夫·康拉德

一九二〇年

间 谍

新 聞

第一章

弗洛克先生早上离开的时候把店铺留给他的小舅子照看了。这当然是没什么问题的,因为店里本来就生意不多,可以说在傍晚之前,店里几乎是没什么生意的。他对这个表面生意也不甚在意。再说,他的小舅子还有弗洛克先生的妻子盯着呢。

家里的房子本就不大,店面就显得尤其狭小。像他家的这种污迹斑斑的砖瓦房,在伦敦大规模重建之前随处可见。店铺不过方寸之地,店面用小块的玻璃窗装饰。白日里,店门是一直关着的,到了晚上,才疑神疑鬼地半开出一条缝来。

店铺的窗户上贴满了半脱未裸的舞女的照片。店里出售的包裹都裹得像药包一样,看上去奇奇怪怪的,还有封了口的黄色纸信封,薄薄的,看上去一碰就会碎,却被用又粗又黑的字体标出了售价:两先令六便士。店里有几册古旧的法国漫画书悬挂在一根细绳上,像是专门拿出来晾晒的。另有一只脏兮兮的蓝色青瓷碗、一个黑檀木小盒子、几瓶打印墨水和几个橡皮图章,还有几本书,书名却都不怎么正经。几份老旧的报纸,印刷都很粗糙,报纸的名字却很能让人热血沸腾,像是《火炬报》啊、《铜锣报》啊之类的。玻璃窗内有两盏煤气灯，不过灯焰总是挑得很小，如果不是为了省钱，那必是心系顾客而为之了。

店里的顾客分为两种，一种很年轻，这类顾客一般都会在窗外徘徊很久，然后突然溜进来。还有一种是年纪稍大些的，但是看起来却都不怎么有钱。有些年纪稍大的顾客，他们喜欢把大衣的领口立起来，遮住嘴巴，裤腿上还有星星点点的泥巴，一看就知道是穿了很久，也不值什么钱。按照经验，穿这种裤子的人，多半也不是什么大人物。他们把双手插进大衣口袋，一耸肩就快速闪进店来，似乎担心会碰响店里的铃铛。

铃铛是用一根弯弯曲曲的铁丝挂在门上的，让来客很难避开。铃铛虽然已经裂痕累累，但是到了晚上，只要被顾客稍一碰到，它就会恶狠狠地响起来。

门口的破铃铛一响，弗洛克先生就立马从后面的客厅奔出来，穿过一扇满是灰尘的玻璃门，来到刷着油漆的柜台边。弗洛克的眼神本就沉重，给人的印象就像是穿着衣服在凌乱的床上打了一天滚儿。这在别人看来，绝对是有损形象的。要知道，在零售行业里，一笔生意能否达成，很大程度上取决于店家的热情和人格魅力。但是弗洛克知道自己的本职工作是什么，所以不管别人对他的形象如何指指点点，他都无动于衷。他眼神坚定而傲慢，似乎可以震慑住一切恶意的威胁。他在柜台出售的东西，看起来都绝对物非所值，比如一看就知道里面什么东西都没有的小纸盒，或者一个脆弱的黄色封口信封，又或者一本书名显眼的破纸皮书。窗上贴着的泛黄的舞女照片时不时地也会被某个业余爱好者买去，好像照片上的妙龄少女都鲜活起来了。

有时候听到铃铛响，出来的却是弗洛克太太。温妮·弗洛克年龄不大，穿着紧身上衣，胸脯丰满，臀部肥硕，头发也梳得整整齐齐。和她丈夫一样，温妮的眼神也很坚定。她往柜台后一站，浑身散发的就是一副高深莫测、岿然不动的神情。年纪稍小点的顾客看到店家是这样一位少妇，不免就有些惊慌，头脑一发热就向店家要了一瓶通常零售价只有六便士的打印墨水（在弗洛克的店铺里却是标价一先令六便士）。当然，等顾客出店来，一准就把买来的东西偷偷丢进臭水沟里。

不过晚上来的通常是衣领竖立、软帽压得很低的年纪稍大点的顾客，他们一般会热络地朝弗洛克太太点点头，低声打个招呼，然后径直掀起柜台一端的台板，走到后面的客厅去。客厅连接着一条走廊，然后是一段陡峭的步梯。在弗洛克先生经营的这家只出售破旧商品的小店铺里，店门是通向里间的唯一入口。弗洛克就在这间小店铺的掩护下，履行着他保护社会的职责，呵护着他一心为国为家的美德。说到这里，不得不提一句，弗洛克可是一位不折不扣的宅男。不管是在精神上，还是在心理上，抑或是在身体上，他都极喜欢宅在家里。待在家里能让他身体舒适、思绪宁静，且不说还有弗洛克太太的贴心照顾，就连弗洛克太太的母亲也对他毕恭毕敬。

温妮的母亲脸盘很大，是个矮胖子，她总是气喘吁吁的。她戴着一头黑色假发，上面扣一顶白帽子。她双腿浮肿，行动迟缓。她自认自己是有法国血统的，这倒也不是没有可能。可惜后来嫁给了一个有卖酒许可证的普通的旅店老板为妻，俩人共同生活了很多年。丈夫去世后，她便向沃克苏尔桥大街一带的单身男青年出租公寓。她所在的那个广场一度十分辉煌，不过现在仍隶属于伦敦上流住宅区的贝尔格莱维亚区。这个地理位置对她对外出租房屋很有利,但是这位有法国血统的寡妇的租客却并不都是上流社会的人。尽管如此,女儿温妮还是得帮忙照顾房客们。很显然,母亲自诩拥有的法国血统也遗传给了女儿温妮。看她那精心打理、梳栉整齐的一头秀发就知道了。当然,温妮还有很多其他迷人之处:年轻、丰满、面容秀气。温妮平时沉默少语,让人捉摸不透,这虽不至于吓到房客们,但足以让他们不敢和她说话。相反,这反而刺激着他们来和她搭讪,而她也会亲切回应。弗洛克先生必然是对她着了迷的。弗洛克不是一位长住的房客,他一般从欧洲大陆来到伦敦,来去也都没有什么很明确的缘由,说来就来,说走就走,就跟流行感冒似的,只不过不会被媒体所报道罢了。尽管如此,他的到访却总是很郑重。他每天都在床上解决早饭,吃完早饭就继续心满意足地赖在床上,一直到中午,甚至过了中午才起来。而他一旦出门,似乎都要颇费一番周折才能再次摸索着回到贝尔格莱维亚广场的临时住处。而且他每次出门都很晚,回来却很早,凌晨三四点钟就回来了,睡到十点,再让温妮送早餐过来,和她插科打诨,还得努力维持着自己的端庄之态。他说话抑扬顿挫,声音沙哑,像是已经陈词激昂地连续演说了好几小时。他那双耷拉着眼皮的大眼睛总是死死地瞄向一边,色眯眯地看着温妮。他把被子拉上来,一直拉到下巴的位置,光滑的黑胡子遮住了他那双会说甜言蜜语的厚嘴唇。

在温妮的母亲看来,弗洛克先生是位很不错的绅士。根据自己在各种店铺观察得来的毕生经验,她在临退休时已经认定:那种常常光顾高级沙龙酒馆的人才是她理想中的绅士。弗洛克先生大致就符合她的理想。事实上,他已经达到她理想绅士的要求了。

"当然，我们会把您的家具带走的，母亲。"温妮对她的母亲说。

他们已经决定放弃房屋出租的生意，因为现在看来已经不能再继续做下去了。这会给弗洛克先生带来很多麻烦，会影响到他的其他生意。至于其他的生意是什么，他没有明说。不过和温妮订婚后，他倒是挣扎着在中午前从床上爬起来了，然后下到一楼来，试图给一动不动地坐在早餐室的温妮的母亲留下一个好印象。他在楼下逗了会儿猫，拨了会儿炉火，然后在那里用了午餐。房间里有些闷热，但是很舒适，弗洛克离开的时候明显很不情愿，但是他晚上必须得出门，这事没什么好纠结的。他从未带温妮去过剧院，虽然一般的绅士都应该这么做。他晚上是有安排的。他从事的是政治性工作，他有次警告温妮，让她对待他的政治朋友一定要友好。温妮用她一贯高深莫测的眼神直直地看了他一眼说，她会的，当然会。

至于弗洛克还跟温妮讲了多少关于他职业的事情，温妮的母亲就无从得知了。这对新婚夫妇把她和她的家具都接了过来。不过弗洛克店铺的破败倒是让她有些吃惊。从贝尔格莱维亚广场搬到狭小的索和区街道，这给她的双腿造成了严重的不便，现在浮肿得更严重了。不过另一方面，她现在已经没有物质生活上的担忧了。女婿的善良给予了她极大的安全感。女儿的未来有保障了，就连儿子史蒂维，她都不用太过担心了。可怜的史蒂维是她的一大累赘，关于这一点，她无法自欺。但是考虑到温妮对这个柔弱的弟弟的喜爱，以及弗洛克先生友善慷慨的性情，她觉得尽管世道艰辛，那个可怜的孩子还是可以免受伤害。对于弗洛克夫妇没有孩子的这个事实，她的内心深处是有点窃喜的。而且弗洛克先生对于有没有孩子似乎一点也不在意，至于温妮，她也可以在弟弟身上寄托她的母爱情怀。

这对可怜的史蒂维来说也算是幸事一件。

　　史蒂维这孩子是他们摆脱不了的责任。他很柔弱，而且又生得好看，就更加显得脆弱不堪了，只不过下耷的嘴唇让他看上去有些木然。虽然嘴唇生得有些不足，但得益于国家的义务教育，他也好歹是学会了读写。但如果是有事让他去跑跑腿儿，他是决计做不好的。他老是忘记要传达的信息，半道上就被流浪的小猫小狗引去了，追着它们在窄巷里七拐八拐就不知走到哪个臭气熏天的院子里去了。街上要是有什么热闹，他也停下来目瞪口呆地看，把让他送信儿的主顾完全抛之脑后。看戏的时候，如果戏里有马匹摔倒，激烈的场景会引得他在人群里失声尖叫，而其他观众都想安静地欣赏这全国著名的表演，自然不想被他刺耳的惊叫声所打扰。如果被警察板着脸带走，他那会儿肯定已经记不得自己住在哪里了，至少当时那一会儿肯定是想不起家庭住址了。警察一旦厉声质问，他铁定就口吃结巴，近乎窒息。如果被什么费解的事吓到，他眼睛立马就斜向一边，惊恐异常。尽管如此，他倒是从来没有真正发作起来过（这真是让人庆幸）。他小时候，父亲时不时就发火，他就跑到穿着小短裙的姐姐温妮的后面寻求庇护。另一方面，人们也不免怀疑他的调皮捣蛋是骨子里就如此。他那过世的父亲有位好友，是一家外国保鲜奶乳公司的代理，他在史蒂维十四岁的时候给他提供了一份办公室的差事。但是在一个雾蒙蒙的下午，史蒂维的主管都不在，他竟在楼梯里放起了烟火。他一连串儿点燃了各种烟火，有四处乱窜的旋转烟火，还有声音震天的爆竹，最后差点闹得不可收拾。整个大楼里一片惊恐。惊慌的办事员从满是烟雾的走廊里咳嗽着冲出来，戴着丝绸帽的老商人直接从楼梯上滚下来。对于他的所作所为，史蒂维本人似乎并没有什么特别的满足感。对于他此举的动机，人们自然无从知晓。温妮也是在后来才从他嘴里模模糊糊地知道了事情的大概。好像是当时另外两个也同在办公室里听差的伙计，给他讲了一些让人愤慨和不平的故事，才激得他情绪失控的。不过他父亲的朋友最后还是让他走人了，毕竟他差点毁了人家的生意。在那次受人鼓动的冒失行为后，他就被安排在地下室的厨房刷盘洗碗了，又或者是给贝尔格莱维亚公寓的房客们擦擦皮鞋。这类工作无疑是没什么出路可言的。虽然主顾们时不时也会打赏一个先令给他，而弗洛克先生就是其中最慷慨的一位。但是话又说回来，不管是从收益上，还是从未来发展上，打赏这种事对他来说都起不到太大作用。所以在温妮宣布和弗洛克先生订婚后，他母亲才会忍不住叹着气朝厨房洗涤室瞥一眼：可怜的史蒂维以后要怎么办啊！

但弗洛克却是准备把史蒂维连同妻子的母亲及家里的家具一同接手过来的，而家具显然是他们家所拥有的全部财产。他用他宽阔且有担当的胸膛，把温妮家所有的一切都接管过来了。家具摆满了各个房间，也算是物尽其用。弗洛克太太的母亲被安排在了一楼后面的两间房子里，其中还有一间留给可怜的史蒂维作卧室。这时候，史蒂维那棱角分明的小下巴上已经长出了一层薄薄的绒毛，像是给下巴蒙上了一层金色的薄雾。对于自己的姐姐，他的爱盲目而温顺，他帮着她打理家里的各种事务。弗洛克先生觉得手头有些事做对史蒂维来说是有好处的。空闲的时候，史蒂维就在纸上用圆规和铅笔画圆圈。他胳膊肘撑开，身子伏在餐桌上，画得异常投入。温妮在后面的客厅里，透过开着的玻璃门，时不时瞟上他一眼，眼里满是母性的警觉。

第二章

弗洛克先生的店铺、家庭和生意情况就是如此。早上十点半，弗洛克就出门了，出了门便沿路朝西走。这个点出门对他来说是太早了。他现在整个人看起来就如晨露般清爽，身上穿着蓝色的棉布大衣，敞着怀，靴子擦得锃亮，脸上的胡子刚刚刮过，看上去光彩四溢，就连那双眼睑下耷的双眼，也在一夜好眠后变得熠熠生辉，投射出警觉的目光。透过公园的栅栏，他看到男男女女在罗登马道上骑马而过，一对对夫妇在并行慢跑，三五成群的人们在闲适漫步，独行的骑兵一脸严肃，单行的女士身后则远远地跟着一位男仆，男仆的帽子上带有徽章，紧身大衣外面还扎根皮腰带。四轮马车咕隆隆地驶过，多是两匹马拉着的有篷马车，时不时地还能看见一两辆维多利亚敞篷马车，马车里铺着兽皮，收起来的车篷上面露出妇女的脸庞和女帽。天上的太阳静静地照耀着这一切，对于伦敦特有的太阳，也唯有"血红"一词能够形容它了。太阳此时不高不低地悬在海德公园一角的上空，高调彰显着它的准时，同时还透露着一股温良的警觉。在漫射的晨光里，弗洛克先生脚下的人行道散发着淡淡的古金色，在这普照万物的日光下，不管是墙、树，还是人，都找不到一丝阴影。他就在这古金色的晨光下，穿过没有一丝阴影的小镇，一路向西走去。房顶上、墙角上、车篷上，都泛着微红的古铜色的光芒，就连他宽阔的大衣后背上也散发着微红的古铜色，只是他身上还另有一种行将生锈的沉闷气息。不过弗洛克本人可一点也不觉得自己将要生锈了。此刻他正透过公园的栅栏，带着赞许的目光搜寻小镇一切富足和奢华的证据。所有这些人都需要有人来保护的。保护是富足和奢华的第一所需。这些人需要保护，他们的马，他们的马车，他们的仆人，也都需要保护。而他们财富的根源还需要在城市和国家的根本上得到保护才行。维护他们健康安逸生活的社会秩序也需要得到保护，保护其不受不良劳工出于嫉妒心的破坏。这样的社会秩序必须要得到保护。弗洛克要不是天生就是那种不乐于行动的人，他真要拍手称好了。他的惰性是不健康的，但是他本人却是怡然自得的（但这种惰性在他身上却一点儿也不违和）。他所追求的是一种惰性的狂热，或者说是一种狂热的惰性。他的父母一生勤勤恳恳，这让他在骨子里追求懒惰，他的这种追求，就如同一个男人在万千女人中偏偏就爱上了那一个，这种情感是深沉的、专横的，也是不可言说的。他是那么的懒惰，以至于就连单纯的煽动者、工人演说家，或者工人领袖，他都懒得去做。那太麻烦了。他需要一种绝对的安逸，又或者说他是受到了那种怀疑一切人类努力的哲学思想的毒害。要达到他这种境界的懒惰，是需要透露出一定的智慧的。弗洛克先生当然不是全无智慧可言的：他知道就连眨眼睛也是很费劲儿的，不然在想到万恶的社会秩序时，他一定是会把眼睛眨上一眨的。他那双凸出的大眼睛真的是不适合眨眼睛。这双眼睛更适合庄严地陷入沉睡。

弗洛克既没有拍手称好，也没有在他怀疑的想法上浪费精力眨眼睛，他像一头肥猪一样含蓄而坦然地继续走着他的路。他脚上蹬着擦得锃亮的皮靴，重重地走在路上，从外表看来，就像一位独立经营的富裕技工。在人们眼里，他或许是相框装潢工或者修锁工，也可能是经营小生意的雇主。但是他身上有种不可名状的神情，这是任何技工都无法获取的，不管他在做工过程中如何耍滑头。他的这种神情，是只有那些陋习累累、与罪恶为伍，或者终日生活在恐惧之中的人才具有的。他道德的虚无主义也只有那些开赌场和妓院的人才会有，又或者是私家侦探、酒店老板、电动理疗产品兜售员和专利药品研发员这些人身上才会有。不过要说明的一点是，最后提到的这一类人是否也符合这类特征，我不是很确定，毕竟我的调查还没有那么细致深入。据我了解的是，最后这一类人，他们的表情一般都很凶狠。对于这一点，我一点也不奇怪。我想再次申明的是，弗洛克先生的表情跟他们不一样，是绝不凶狠的。

快到骑士桥的时候，他突然向左拐了弯，离开了车水马龙的喧嚣大道。他头上的礼帽微微向前翘起，礼帽下的头发梳得毕恭毕敬、油光发亮。毕竟这次要和他打交道的是一家大使馆。弗洛克坚定得像块磐石，当然是柔软的磐石，此刻他正朝着一条僻静的街道挺进。这条街道宽广、空寂、幽深，彰显着永恒不灭的无生命事物的庄严。而唯一让人想起人生短暂的，就是路边孤零零地停靠着的那辆医生乘坐的带篷马车。精心擦拭过的门环明晃晃的闪眼，洁净的玻璃散发着幽暗的光泽。周围的一切都是寂静的。只有远处一辆送奶车嘎达嘎达地驶过，驾车的是屠夫的小学徒，他坐在高高的红色车轮之上，浑身散发着奥林匹克运动场上战车御者的无畏和勇敢，驾着车飞速地在街道转角处驶过去。一只鬼鬼祟祟的猫儿从石板街道下钻出来，在他面前一阵乱窜，然后又钻到另一个地下室里去了。一个身材健壮的警察，一动不动地，仿佛他自己也已经融入到了周围寂静的一切，从一个明显是灯杆的地方冒出来，对弗洛克这个大活人完全视而不见。弗洛克先生随后又向左转进一条窄巷，巷子一侧泛黄的墙壁上，不知出于什么目的，写着"切舍瓦广场一号"几个黑字。切舍瓦广场离这儿至少还有六十码远呢，弗洛克先生可是个去过世界各地的人，自然不会被伦敦莫名的地名所迷惑，但他也没有表现出丝毫的惊讶或愤怒，继续坚定地往前走去。他终于一本正经地坚持走到切瓦舍广场了，然后直接找到十号门牌。十号门牌的大门高大宽敞，马车可轻松通过，大门两边干净的墙面分别连接着两座房屋，一座门牌为九号，另一座的门牌为三十七号。不过三十七号房屋是属于波特希尔街的，这是附近比较有名气的一条街。当地某个办事高效的政府机构是负责追踪伦敦归属混乱的房屋的，他们就在一楼的窗户上挂出一个通告，三十七号房就被划归到波特希尔街的名下了。至于议会为什么不通过行使其权力（只需颁布一个小法令即可），让这些建筑重回本应属于它们的地方，这就是市局行政管理的秘密了。当然弗洛克先生并没有费心去思考这个问题，他的使命是保护社会秩序，而不是去完善抑或对其进行评判。

　　这个点到访显然是太早了，大使馆的守门衣服都还没有穿好就急急地从住处赶出来，一边还忙着把左胳膊塞进制服里。守门套了件红色的背心，下身穿一条长到膝盖的短裤，整个人看起来慌里慌张的。弗洛克先生知道守门出来得急，于是自觉地拿出一个印有大使馆徽章的信封给他看了看，径直走了进去。到了门口，他又把他的"通行证"拿出来给男仆看，男仆看后开了门，然后退后一步请弗洛克进了大厅。

大厅里，高高的壁炉里火烧得很旺。一位老者穿着晚礼服，脖子上戴着项链，背朝炉火站着。他从铺在两手间的报纸上抬起头看过来，神情平和而严肃。老者没有动，却有一位身穿褐色长裤和镶着金丝边的燕尾服的男仆，朝弗洛克先生走来。男仆听他低声报了自己的名字，然后静静地转过身来给他带路，之后就再没回头看他一眼。弗洛克先生跟着男仆走过一楼的走廊，来到左侧铺着地毯的宽大的楼梯口，然后突然转弯，走进一个小房间。房间里摆着一张厚重的写字台和几把椅子。男仆随后就把弗洛克先生一个人留在了房间里，自己带上门出去了。弗洛克没有坐下，他一只手拿着帽子和手杖，另一只胖乎乎的手拂过梳得整整齐齐的头发，眼睛环顾着四周。

另一扇门被静静地推开了，弗洛克先生的目光直直地朝门口看去。首先映入眼帘的只有黑色的衣服，然后是一个光秃的头顶、垂下来的两缕花白胡须和一双布满皱纹的手。来人步履柔和，手里举着一叠报纸在眼前，翻着报纸慢慢踱到了写字台前。大使馆参事兼顾问沃姆特的眼睛近视得相当厉害。这位饱受赞扬的使馆顾问把报纸放在写字台上，才终于露出了一张忧郁而丑陋的苍白面孔，他的眉毛又黑又密，脸上满是长长的络腮胡。他把一副黑框夹鼻眼镜架在扁平的鼻梁上，看到房间里的弗洛克，似乎被他吓了一跳。浓密的眉毛下，那双近视眼在镜片后面可怜兮兮地眨巴着。

沃姆特没有要打招呼的意思。而弗洛克先生尽管很清楚自己的地位,也不想主动打招呼。不过在他宽大的大衣下,弗洛克的肩膀和后背却已经发生了很微妙的变化。他不着痕迹地压弯了身体,就是为了低调地显示他对使馆顾问的尊重。

"我这里有你的几份报告。"顾问官开口说道,声音出奇地柔和,透露着疲惫,说话的时候指尖死死地摁在报告上。他说完顿了一下。弗洛克早已认出自己的笔迹了,此时正屏住呼吸等待他的下文。"这里警察的态度让我们很不满意。"顾问官继续说道,神情里满是疲惫。

弗洛克先生的肩膀虽然没有移动,但也微微耸了耸。从离开家到现在,他的双唇一直紧闭着,此时终于开口说话了。

"每个国家都得有警察。"他颇具哲理地说。看到使馆顾问一直瞪着他不放,他不得不补充道,"请允许我说明,我没有权力对这里的警察采取任何行动。"

"现在缺少的,"顾问回答说,"就是能激发出他们警觉性的事件。这应该在你的职责范围之内吧。难道不是吗?"

弗洛克没有回答,却忍不住叹息一声,随即又努力挤出一个愉悦的表情来。顾问怀疑似地眨着眼,好像是对房间里昏暗的灯光很不满意。他含糊地强调道:"警察的警觉性,还有地方法官的严肃性。这里司法程序太过仁慈,完全没有一点镇压性措施,这对欧洲来说就是一大耻辱。我们现在所希望的,就是要激起骚乱,骚乱现在无疑正在发酵……"

"不错,不错。现在正在发酵的骚乱十分危险。这点我在过去十二个月的报告里说得很清楚了。"弗洛克先生抢着说道。他此时的声音低沉又不失敬意,就像是一位雄辩的演说家,与他之前的声音完全不同,这不免让顾问大为吃惊。

"你过去十二个月的报告,我看过了。"沃姆特顾问继续用他温和而平静的声音说,"但我没弄明白你为什么要写这样的报告。"

一时间房间里陷入了令人忧伤的沉寂。弗洛克先生欲言又止,而使馆顾问则目不转睛地盯着写字台上的报告看,最后轻轻把报告一推。

"你报告中所说的事件,本就该存在,那本就是我们雇用你的目的。我们当下需要的,不是让你写报告,而是把一个意义重大的鲜明事实,或者说一个惊人的事实,摆到明面上来。"

"这不用说,我所有的努力都是以此为目标的。"弗洛克沙哑的声音表示赞同。但是一想到那闪烁镜片后的双眼正警觉地看着他,他便有些慌乱了。于是他用一个表示忠诚的手势截住了自己下面要说的话,但是看这位勤奋却又默默无闻的使馆顾问的神情,倒像是他脑子里又冒出别的新念头了。

"你很胖。"沃姆特顾问说道。

这句话在本质上反映了说话人的心理。加之又是一个只知道舞文弄墨而不熟悉世俗世界的人,在经过审慎的思考后说出来的,这句针对自己的个人评判,让弗洛克先生颇为受伤。他退后一步。

"什么?你想说什么?"他带着愤恨大声质问。

这位受命进行本次面谈的使馆顾问此时似乎觉得自己有点无力招架了。

"我想,"他说,"你最好见一见弗拉基米尔先生。嗯,你是应该去见一见弗拉基米尔的。你最好在这里等一等。"说完,他就迈着小碎步离开了。

弗洛克先生立刻伸手拂了拂头发。此时他额头微微出汗。弗洛克的嘴唇微微隆起,轻轻呼出口气来,那动作就和我们在向勺子里的热汤呼气一样。但是当穿着褐色长裤的男仆再次默默地出现在门口时,弗洛克先生还是原地站在刚才和使馆顾问谈话的地方,没有挪动一寸。他一动不动地站着,仿佛觉得自己已经被陷阱所包围了。

他走过一条走廊,走廊里只点着一盏孤零零的煤气灯,然后爬上一段弯弯曲曲的楼梯,穿过二楼一段光滑明亮的走廊。男仆猛地推开一扇房门,然后退到一旁。弗洛克先生走进去,脚踩在厚厚的地毯上。房间很大,有三扇窗户。另有一张宽大的红木写字台,写字台后面有一把宽敞的扶手椅。一个年轻人此时正坐在扶手椅上,他的脸盘很大,脸也刚刚刮过。使馆顾问手里拿着报告,此时正往外走。扶手椅上的年轻人用法语对顾问说了句:"你说的一点儿没错,Mon Cher①。他很胖,这个畜生。"

一等秘书弗拉基米尔先生在上流社会中素来以性格和蔼、招人待见而闻名,可以称得上是社交场上的宠儿。他很机智,尤其能够从毫不相干的想法中神奇地找到关联。在强调他的观点时,弗拉基米尔先生会身体前倾,把左手举起,似乎要把他那诙谐的想法捏在拇指和食指之间展示给人们,刮得干干净净的圆脸上流露着既愉悦又困惑的神情。

但是他看弗洛克先生的时候,脸上丝毫不见任何愉悦或困惑。他向后躺在宽大的扶手椅里,双肘自然打开,一条腿搭在另一条大粗腿上。他脸庞光滑而红润,仿若一个正在茁壮成长的婴儿,不允许别人有半点放肆。

---

① 法语,亲爱的。

"你应该懂法语吧？"他问道。

弗洛克先生哑着声音说他会，整个肥胖的身躯都向前倾着。他站在房间中央的地毯上，一只手攥着帽子和手杖，另一只手无力地垂在身体一侧。他从嗓子眼儿低声说了句自己曾在法国炮兵团服过兵役。弗拉基米尔先生听他说完这话，似乎很是鄙夷和不屑，立马改说地道的英语，丝毫听不出一点外国腔调来。

"啊！是的，没错。我想想，你搞到他们改善后的野战炮炮栓设计图，得了多少好处啊？"

"在一座堡垒里被关了整整五年。"弗洛克先生回答得让人有些出乎意料，而且没有一丝情感波动。

"算你走运。"弗拉基米尔先生接着说道，"不管怎么说，被逮到就算你活该。话又说回来，你是怎么想着去干这种事的——啊？"

弗洛克先生沙哑着声音开始诉说他年轻时候的事，诉说他一度十分迷恋的一个不怎么样的女人……

"啊！Cherchez la femme！[①]"弗拉基米尔先生屈尊接话道，态度一点也不和蔼，而且他的屈尊还透露出一丝不近人情的味道来。"你在大使馆任职多久了？"他问。

"从已故的斯托特·瓦腾海姆男爵在任时就开始了。"弗洛克先生放缓了声音，伤心地噘起了嘴唇，以此表示对已故外交官的缅怀。一等秘书定定地看着他脸上的变化。

"啊！从那时开始啊。很好！你有什么要为自己辩解的吗？"他厉声问道。

---

① 法语，为了女人。

弗洛克先生很惊讶地回答说，他不觉得有什么要为自己辩解的。

他是被一封信传唤过来的啊……他急忙把手伸进大衣口袋里一阵摸索，但看到弗拉基米尔先生那冷嘲热讽的眼神，还是决定不把那封信拿出来了。

"呸！"弗拉基米尔先生嗤道，"你把身体弄成这样，究竟什么意思？你看你这身形，都还没有达到现在这个职位的要求呢。你，你是饥寒交迫的无产阶级吗？绝对不是！还是说你是一个走投无路的社会主义者，抑或是无政府主义者？你到底属于哪一派呢？"

"无政府主义者。"弗洛克先生无力地答道。

"胡扯！"弗拉基米尔先生抬高了声音道，"你吓到老沃姆特了。傻子都不会相信你说的话。你们都是一路货色，你却更加不可理喻。且说你是从偷取法国野战炮设计图开始跟我们接触的。然后你被他们逮到了。对我们的政府来说，这可真是让人糟心。你看起来也不怎么聪明嘛。"

弗洛克先生沙哑着声音试图为自己辩解。

"我刚才说过，我曾经一度痴迷于一个不怎么样的……"

弗拉基米尔先生举起白胖的大手打断他："啊，对。你年轻时，一场悲惨的爱恋。她拿到了钱，然后把你出卖给了警察，是吧？"

弗洛克先生整个人忽然就泄了气，他身体散发出来的哀伤，恰恰承认了弗拉基米尔所说的话。弗拉基米尔先生一只手握住翘起来的那条腿的脚踝。他穿了一双深蓝色的丝绸袜。

"看吧，你当时真是太蠢了。可能是因为你太容易受别人影响了。"

弗洛克先生低声念叨了一句他已经不是年轻小伙儿了。

"噢！这毛病可不是靠年龄增长就能治好的。"弗拉基米尔先生阴险地说，这对他来说似乎已经是司空见惯了。"不对！你太胖了。你如果是容易受别人影响，一定不会像现在这么胖。让我告诉你，你的问题是什么吧：你太懒了。你从大使馆这里领了多久薪水了？"

"十一年。"弗洛克先生郁闷地静默了一会儿，回答说，"斯托特·瓦腾海姆男爵阁下还在巴黎的时候，我被派到伦敦执行过几次任务。后来遵照男爵阁下的吩咐，我才在伦敦稳定下来。我是英国人。"

"你真是英国人！难道不是吗？嗯？"

"土生土长的英国人。"弗洛克先生面无表情地回答，"但是我父亲是法国人，所以……"

"不用解释，"弗拉基米尔把他打断，"我猜在法律上，你可以成为法国军队的元帅，也能成为英国议会的一员。那这么看来，你对我们大使馆来说还真是有点作用的。"

听完他这自顾自的想法，弗洛克先生脸上不禁微微露出一丝笑意。当然弗拉基米尔先生还是一脸的严肃。

"但是，我刚说了，你太懒了，不知道利用给你的机会。斯托特·瓦腾海姆男爵在任的时候，我们大使馆有很多蠢笨的人主事。在间谍经费的使用上，给你们造成了完全错误的理解。我的责任就是要告诉你们间谍的工作不是这样的，我有责任纠正你们现在的误解。我们不是什么慈善机构。我特意把你叫来这里，就是要告诉你这些的。"

弗拉基米尔先生看着弗洛克脸上假意表现出来的困惑，讽刺地笑了。"我能看出来，我的话你已经听懂了。我想你的智慧是足够胜任你现在的工作的。我们现在想要的就是行动，是行动。"

弗拉基米尔先生把他雪白的长手指放在写字台边上，重复着最后一个词。弗洛克此时说话一点也不沙哑了，大衣绒领外露出的脖颈变得猩红。他还未开口，嘴唇就已经在颤抖了。

"我希望您能去看一看我的记录，"他沉声吼道，"我三个月前才刚刚发出一份警示，就在罗穆亚尔德大公访问巴黎之前，我从这里打电报给法国警察，并且……"

"啧啧！"弗拉基米尔先生皱着眉打断说，"对于你的警示，法国警察是根本不会采取任何行动的。别在这儿吼。你到底想干什么？"

弗洛克先生谦卑地对自己刚才的失礼表示了歉意，语气里还带着一丝得意。他的声音，多年来在露天集会和大型工人集会上一直被人们所熟知，正是这声音，为他在一群值得信赖的革命同志中赢得了良好的声誉。而这也正是他价值的一部分。所以借由他所提出的信念，总会激发起人们的信心。"在关键时刻，领袖们总是让我去演说。"弗洛克颇为满意地指出。然后补充说，不管是多么混乱的场面，他总能平息众人。突然，他给弗拉基米尔做了一次亲身示范。

"失礼了。"他说，然后低着头，快速而笨拙地从房间中央走到落地窗前。似乎是受到了某种莫名情绪的牵引，他把落地窗微微打开了一条缝。陷在宽敞的扶手椅里的弗拉基米尔先生似乎颇为吃惊。他从扶手椅里跳起来，扭头向外看。楼下大使馆院子对面，在离使馆大门很远的地方，有一个背影宽阔的警察，此时正懒洋洋地看着一个富人家的婴儿躺在奢华的摇篮车里，被人推着穿越广场。

"巡警！"弗洛克说这话的时候仿佛是在低语，而那警察却像是被什么尖锐的利器刺了一下，快速地转过身来。弗拉基米尔见此不禁失口大笑。弗洛克静静地关上窗户，然后又回到了房间中央。

"我就是因为拥有这样的声音，"他接着用沙哑的声音说，"所以人们才会很自然地信任我。而且我也知道该说什么。"

弗拉基米尔先生调整着他的领结,隔着壁炉从眼镜片里看着他。

"我想,你已经把社会革命口号熟记于心了吧。"他轻蔑地说,"Vox-et[①]……你没学过拉丁语吧,学过吗?"

"没有。"弗洛克吼道,"你也知道我并不懂。我就是一名普通民众,怎么会懂拉丁语呢?只有那极少数生活无法自理的低能者才会懂吧。"

弗拉基米尔在镜子里审视着他身后这个浑身肉乎乎的家伙,看了足足半分钟。在审视弗洛克的同时,他顺便也在镜子里欣赏了一下自己的面容:胡子刮得干干净净,圆圆的脸庞微微泛着红光,薄薄的嘴唇能说会道,并最终让他成为上流社会的宠儿。然后他转身,坚定地朝房间中央走来,步伐快速而火爆,就连那老式的领结都散发出不容抗拒的威严。弗洛克先生偷偷扫了他一眼,内心不免开始打怵了。

"啊哈!你竟敢如此放肆!"弗拉基米尔突然爆发,声音无比深沉,说话的声调完全不像是英语,也丝毫不像是欧洲的任何一种语言,把去过世界各地的弗洛克都吓着了。"你好大胆子!那好,我就直截了当地用英语告诉你。声音一点儿用没有。我们根本不需要你的声音。我们什么声音都不需要。我们要的是事实,发人深省的事实啊!你这个该死的家伙!"弗拉基米尔冲着弗洛克怒气冲冲地说,但话语里又不失谨慎。

"你这北方佬儿,休想吓到我。"弗洛克目光看着地板,沙哑着声音为自己辩解。听他说完,连领结都带着威严的那人讽刺地笑了笑,然后把谈话切换成了法语。

---

① 拉丁语,声音。

"你自诩为一名间谍。间谍的工作就是要挑拨煽动。从对你的记录来看,你过去三年只知道领薪水,却什么作为也没有。"

"什么作为也没有?"弗洛克大声喊道。他身体一动未动,就连眼皮都没抬一下,不过从说话的声音里却能看出他情绪激动,"有好几次,我都阻止了可能发生的……"

"英国有句俗语:预防要胜过治疗。"弗拉基米尔倒进扶手椅里再次打断他,"这话真是够愚蠢的。预防总是没完没了的。这个国家就是这德行,他们总是拖三拉四。你可不要学他们。尤其在这件事上,不要犯傻。现在问题已经出现了。我们不想要预防,我们想要治疗。"

他停下来,转向写字台,随手翻着上面的报告。"你应该知道在米兰召开的国际会议吧?"他说这话的时候,语气又变得客观而平静,而且看都没看弗洛克一眼。

弗洛克哑着声告诉一等秘书说他每天都会读报纸。这话当然也暗指他完全可以理解报纸上的内容,以此回应对方话中有话的问题。弗拉基米尔先生一页页地翻着写字台上的文件,轻笑着低声回了句:"只要不是拉丁文写的就行,是吧?"

"或者是中文。"弗洛克先生冷冷地加了句。

"哼!你那些革命朋友写的东西,跟中文也没什么两样,让人完全不知所云。"弗拉基米尔轻蔑地抛下一张灰色的印刷传单。"这些传单,标题写着F.P.,还有锤子、钢笔和火炬相交叉的图案,这都是些什么?这个F.P.,又代表什么意思?"

弗洛克走到宽大的写字台前。"无产阶级之未来。这是一种社会形态,"他僵硬地站在扶手椅一旁,解释说,"原则上与无政府主义不同,欢迎持各种革命观点的人加入。"

"你是其中一员吗?"

"我是其中的一位副主席。"弗洛克重重地呼出一口气回答道。一等秘书听完,抬头看着他。

"那你真该为自己脸红。"他尖锐地说道,"你们的社会,除了在这种肮脏的纸上,粗劣地印刷些对未来不靠谱的想法,就不会干些别的了吗?啊?你们为什么不做些什么?看这里。现在事情归我管了,我明确告诉你,要拿薪水,你就得去做事。老好人斯托特·瓦腾海姆的时代已经过去了。不干活儿,就别想拿钱。"

弗洛克感觉自己粗胖的大腿一阵绵软。他退后一步,呼吸沉重。

不得不说,他是真的被吓到了。伦敦上空那轮生锈了似的太阳,此时已经透过伦敦的大雾,在一等秘书的房间里洒下淡淡的光亮。静默中,弗洛克先生听到一只苍蝇轻轻地扑打着窗户。这是今年见到的第一只苍蝇,预示着春天到来了。在这方面,苍蝇要比燕子可信多了。苍蝇无助又激烈地撞击着窗户,这让被人耻笑自己懒惰的身材肥大的弗洛克尤其烦躁。

在俩人都沉默的这期间,弗拉基米尔的脑海里想出了各种讽刺弗洛克先生的脸庞和身材的话来:没想到这家伙竟然这么庸俗,而且人又胖,不仅无知,还很放肆。他看起来像极了一位熟练的水管工,此刻过来就是给他送账单的。这位一等秘书偶尔还会展现出点儿美国幽默来,此刻便给水管工这类人贴上了欺骗、懒惰和无能的标签。

这就是那位声名赫赫、备受信赖的间谍了。他的身份是如此隐秘,就连在与斯托特·瓦腾海姆的通信中,不管是正式的、非正式的,还是机密的通信,提到他的时候,都是用符号"△"表示,从来没被指名道姓地提起过。这位大名鼎鼎的间谍△,他发出的警告足以改变皇室和公爵的出行活动和日期，有时会让他们把行程彻底取消！就是这个家伙！弗拉基米尔忽然觉得一阵可笑，一方面是觉得自己的惊讶太过幼稚，但主要还是为那位世人都为之叹息的斯托特·瓦腾海姆男爵。这位已经去世的阁下，当时因为特别受宠于皇帝，尽管有多位外交使臣反对，但还是被任命为大使。他虽然看似聪明，却太过轻信他人，这也是世人公认的事实。斯托特·瓦腾海姆男爵热衷于社会革命。他幻想着自己是受派于天命的外交官，来到世间就是为了见证外交，甚至整个世界，最终都在混乱的民主骚动中灭亡。他曾经发送过几封预言未来悲剧的急件，这在外交部至今还是一个笑柄。据说，他曾在临终之时疾呼（他的皇帝好友和主人曾去拜访他）："悲哉，欧洲！汝必将泯灭于子孙之疯癫！"如果有无赖的骗子去找他，他一准会上当受骗。弗拉基米尔先生心里想着，朝弗洛克先生淡淡地笑了。

"你应该很怀念斯托特·瓦腾海姆男爵吧。"他突然大声说了句。

弗洛克耷拉着的身子，透露出一丝忧郁和恼怒。

"请允许我说明，"他说，"我是被一封信强行召唤到这里来的。在过去的十一年，我只来过这里两次，而且从来都是在中午十一点之后。就这样把我叫过来是很不明智的。我有可能会暴露。这对我来说可绝非儿戏。"

弗拉基米尔耸了耸肩。

"这会让我失去作用的。"弗洛克又怒气冲冲地补充一句。

"那是你的事。"弗拉基米尔低声说道，带着无理的蛮横，"如果你没用了，那就要被解雇掉。是的，立马解雇。断绝与你的联系。你会……"弗拉基米尔皱着眉停了下来，努力想找出一个恰当的表述,然后他神情一亮,微微一笑,露出洁白的牙齿,"你会被抛弃。"他恶狠狠地说出这个词来。

弗洛克不得不再次拼尽全力来支撑瞬间无力的双腿,曾经有个同病相怜的人对这种无力感做出很恰当的描述:"我的心落到靴子里去了。"他在感知到这种无力感之后,勇敢地抬起了头。

弗拉基米尔带着深深的探究,极其平静地看着他。

"我们想要做的,就是给米兰的国际会议加剂猛料。"他轻快地说,"他们想要通过国家行动来镇压政治犯罪,这根本行不通。英国会拖后腿的。这个国家对个人自由的追崇太过荒谬。我简直不敢想象,你那些朋友都聚到这里来……"

"真要是这样,我会好好看住他们的。"弗洛克哑着声音打断道。

"倒还不至于把他们都锁起来。但我们要让英国人统一战线。这个国家的中产阶级真是愚蠢,竟然同那些一心要把他们赶出家门、让他们饿死街头的人同流合污。不过他们还是有点儿政治力量的,真希望他们能够稍微理智一点儿,把这力量用在维护自己的利益上。中产阶级很愚蠢,这点你同意吧?"

"他们是很愚蠢。"弗洛克哑着声音表示同意。

"他们没有一点想象力。盲目、愚蠢、虚荣。他们现在需要的,就是一场结结实实的恐慌。在他们感到恐慌的瞬间,你的那些朋友才能够发挥出作用来。我把你叫来,就是为了给你传递这个思想的。"

弗拉基米尔是以一种高高在上的姿态传递这个思想的,带着轻蔑和傲慢,与此同时,他表现出来的却是对革命世界的真正目标、思想和方法的极度无知,这让一直处于沉默中的弗洛克先生内心惊愕不已。弗拉基米尔对因果的混淆简直有点不可理喻,还把杰出的宣传者同一冲动就扔炸弹的人混为一谈。假想出来的组织，在本质上就不可能存在。说到社会革命党，一会儿说他们是纪律严明的军队，对领导言听计从；一会儿又说他们是走投无路的草莽山贼，纪律松散，占山霸岭。弗洛克每次想要出口反驳，都被一只举起的白皙的巨大手掌给遏制住了。很快，他就被惊吓得不敢反驳了。他怀着恐惧沉默地听着，仿佛正在全神贯注地倾听着什么，一动也不动。

"一系列的暴行，"弗拉基米尔继续平静地说，"就在这个国家执行的暴行。仅仅是在这里策划是不够的，这样行不通，只在这里策划是不会让人们上心的。你的朋友可以让欧洲大陆一半的地区引火烧身，而不会给这里普遍支持镇压政策的民众造成一点儿影响。不能让他们安然无恙地看着后院起火。"

弗洛克清了清嗓子，却没能鼓起勇气，最终还是没有开口。

"这些暴行不一定非得弄得血流成河，"弗拉基米尔继续说道，仿佛在进行一场科学演讲，"但一定要足够惊人，要让人印象深刻。比如说，可以把建筑作为攻击目标。资产阶级当下崇拜的是什么，嗯，弗洛克先生？"

弗洛克摊开双手，微微耸了耸肩。

"你真是连脑筋都懒得动。"弗拉基米尔见此便继续说，"那就听我说。当下人们崇拜的无非就是皇权或者宗教。所以不要去动皇室的宫殿和教堂。你懂我的意思吧，弗洛克先生？"

弗洛克心中既惊恐又轻蔑，不免调侃道："非常好。那么大使馆怎么样？对各国大使馆展开一系列攻击……"看到一等秘书那冰冷的目光，他便说不下去了。

"没想到，你还会开玩笑。"一等秘书漫不经心地说，"这很好。

这可以在社会主义的集会上，让你的演说更加活泼。但是别在我这里开玩笑。对你来说，按照我所说的去小心行事才是更保险的。叫你过来，是让你提供现实情报，不是来讲些无稽之谈的。我费尽口舌跟你说的这些，你最好照着去做。人们现在极度崇拜的是科学。为什么不叫你的朋友去攻击那个自命不凡的官僚机构呢？要实现无产阶级之未来（F.P.），这些机构不是你们要扫除的吗？"

弗洛克没有说话。他怕一开口，就免不了会抱怨。

"这才是你应该尝试去做的。虽然攻击皇室人员或国家总统也会造成一定的轰动，但这种袭击的威慑力相比以前已经大大减弱了。所有国家的领导人物对此都已经有所防范了。鉴于已经有那么多的总统被暗杀，这种袭击自然就已经司空见惯。但是如果我们去攻击，比如说教堂，乍一看也很吓人，但是却不能给一般人造成足够的震慑。不管这种攻击带有多么强烈的革命色彩或者无政府主义色彩，总会有些愚蠢的人把它当作是极端宗教主义行为。如此一来，就达不到我们希望取得的震慑效果了。在餐馆或者剧院里采取谋杀行动也一样，会被人们赋予非政治因素导致的极端情绪色彩，被认为是某个饿到走投无路的人所采取的社会报复行为。所有这些方法都被人尝试过了，对无政府主义的革命，这些方法都没有什么参考价值了。对于报道这类事件，各家报纸都已经轻车熟路了。我只是从我的观点给你讲一讲扔炸弹的哲学，这也是过去十一年里你自以为是所坚信的哲学。我不会给你讲得太深奥。你的攻击所针对的那群人，他们很快就会变得麻木。财产对他们来说，似乎是无坚不摧的。他们的同情或恐惧是持续不了多久的。要想通过爆炸事件对公众产生影响，就不应该以报复或恐怖袭击为目的。行动必须具有十足的毁灭性。

必须是这样，也只有这样才行，其目的必须十分明确，不能让人产生丝毫怀疑。你们无政府主义者一定要态度坚定，要对整个社会进行一次大清洗。但是要怎么把这骇人听闻的荒唐想法灌输给中产阶级，才能不让他们犯傻呢？这才是问题的所在。答案就是要把目标瞄向人类基本情感之外的事物。比如说，艺术。在英国伦敦国家美术馆扔一颗炸弹应该会引起他们的骚动。但这骚动又不够严肃。他们从来没有崇拜过艺术。去攻击美术馆，不过就是砸坏后窗上的几块玻璃，要想让房子里的人惊慌而起，你至少得掀了他们的屋顶才行。这当然也会引起某些人的惊叫，是谁呢？就是那些艺术家和艺术评论家之类的人，他们都是无足轻重的，没人会在意他们说什么。但是除了艺术之外，还有让人增长学识的科学啊。但凡有点收入的人都相信科学。他搞不清楚为什么，但就是相信科学很重要。科学是他们神圣的崇拜。那些让人讨厌的教授，他们在骨子里都是激进派。得让他们知道知道，他们所崇拜的伟大领袖也是要被清除掉的，也要为无产阶级之未来让路。来自这些愚蠢的知识分子的怒号，定会对各国在米兰会议上所做的努力起到一定的推动作用的。各家报纸会纷纷报道。人们不会对他们的愤怒产生丝毫怀疑，而且也不会有任何物质利益受到威胁。这会对中产阶级所有自私自利的人产生警示，给他们以极大的触动。不知为什么，他们总相信科学是他们获得物质财富的根源。他们真的这么认为。如果对他们所崇拜的科学进行一次残忍的示威，对他们的影响绝对是巨大的，这远比碾杀整条街道或整个剧院的他们的同类的效果更明显。对于粗暴的碾杀行为，他们会说："哦！那不过是阶级仇恨。"但是对于那种让人无法理解、无法想象，甚至近乎疯狂的残忍的毁灭性行为，他们又能说什么呢？疯狂本身就是让人畏惧的，是任何威胁、劝说，或者贿赂都安抚不了的。而且，我可是个文明人。我是坚决不会指示你去上演一场粗暴的屠杀行为的，即使我认为屠杀会带来最好的效果。话又说回来，我并不认为屠杀可以带来我们想要的结果。我们身边总有人在搞谋杀，对此我们都快习以为常了。我们的示威必须要针对科学。但也不是随便哪一门科学都可以的。攻击必须是对科学无情的亵渎，要把他们震惊到目瞪口呆。既然你选择了以炸弹作为攻击手段，你要是能把一枚炸弹扔进数学这门科学里去，那才让人叫好呢。当然这是不可能做到的。我从始至终都在教育你，从哲学的高度给你解释了你的作用，还给你提供了一些有参考价值的建议。对于我讲述的实际应用，你表现出了极大的兴趣。但是从我刚一开始跟你面谈，我就在思考这个问题的具体实施。你觉得，我们以天文学作为目标怎么样？"

很长一段时间，弗洛克都一动不动地站在扶手椅旁边，像是陷入了昏迷状态，偶尔还伴随着毫无知觉的抽搐，就像是卧在炉边地毯上的家狗，不知做了什么噩梦，身体会猛地抽搐一下。

"天文学。"他的声音也仿佛一条不安的狗在咆哮。

此刻他还处于困惑之中，对于弗拉基米尔长篇大论的深刻见解，他拼尽了全力想要去理解，但遗憾的是，这已经超出他的理解范围了。这让他很愤怒，愤怒中还夹杂着怀疑。然后，他突然明白过来了，这一切不过是场煞费苦心的笑话。弗拉基米尔的脸上展现出的笑容，露出的雪白牙齿，肥胖的圆脸上印着两个酒窝，领结微微翘起，脸上满是得意的神情。这位上流社会中聪明女人的宠儿，带着他在休息室时的随意，轻巧地说出了那一长串的俏皮话。他坐在扶手椅中，身体前倾，白皙的手高高举起，似乎就把他提出的精明建议捏在了拇指和食指之间。

"这是最好的选择了。这样的愤怒行为不仅体现了对人性的极大尊重，而且还以极具警示作用的方式展现了人类的愚蠢。我敢打赌，不管记者用多么巧妙的语言来报道，人们都不会相信会有哪个无产阶级人士对天文学抱有什么私人恩怨的。人们也不会把饥饿牵扯进来，不是吗？而且还有其他好处呢。整个文明世界的人都知道格林尼治。就连查令十字街车站的擦鞋童也多少听说过一点儿。你明白吧？"

上流社会的人对弗拉基米尔都不陌生，对他的诙谐幽默和彬彬有礼更是熟悉。而他此刻脸上露出讥讽的冷笑，一副自鸣得意的模样，要是让上流社会那些被他的机智和儒雅折服的聪明女人们看到，不禁要大跌眼镜了。

"是的，"他继续说，带着轻蔑的微笑，"在第一子午线上扔上一颗炸弹，一定会引起一场轩然大波的。"

"这很难办啊。"弗洛克小声嘟囔了一句，觉得除此之外，说什么都不安全。

"有什么问题吗？你手下不是有一群人听命于你吗？随便挑一个不就行了？那个老恐怖分子尤特也在这里。我几乎每天都能看到他戴着那顶绿色的军帽在皮卡迪利大街上转悠。还有米凯利斯，刚刚被假释的传道者。你不是要告诉我你不知道他在哪儿吧？你要真不知道，我就告诉你。"弗拉基米尔咄咄逼人地说，"你要是觉得我们只有你这么一位间谍，那你就大错特错了。"

听他提出这么毫无端由的建议来，弗洛克禁不住轻轻动了动双脚。

"还有瑞士洛桑市的那群人,对吧?他们不是一听到米兰会议的消息就一拥而上地全跑来了吗?这个国家真是够荒谬的。"

"这会需要很多钱的。"弗洛克下意识地说。

"你这理由不管用。"弗拉基米尔用十分地道的英文腔调反驳说,"你每月会正常拿到你的薪水,除此之外,什么也没有。要是你近期没有什么动作的话,连薪水也别想再拿了。你掩人耳目的工作是什么?你表面是靠什么生活的?"

"我有家店铺。"弗洛克先生回答说。

"一家店铺!什么店铺?"

"出售些文具、报纸。我的妻子……"

"你的什么?"弗拉基米尔用中亚人的腔调从喉咙里打断道。

"我的妻子。"弗洛克微微提高了声音说,"我结婚了。"

"这真是可笑。"对方大声说,毫不掩饰他的震惊,"结婚了!你竟然还声称自己是无政府主义者!这让人混乱的情况是怎么回事?我想你只是说说而已吧。无政府主义者是不结婚的。这是众所周知的。他们不能结婚啊!结婚就等于是变节。"

"我妻子不是无政府主义者。"弗洛克不快地小声说,"再说,这也不关你的事。"

"这当然关我的事。"弗拉基米尔大声说,"我现在开始怀疑你到底适不适合现在的这份工作了。你的婚姻,让你在自己的圈子里也名誉扫地了吧。难道非得结婚才行?这就是你对爱情的负责行为,是吧?嗯?不管是哪种爱情,都会让你失去你本有的价值的。"

弗洛克鼓着两颊,大口地呼气,然后就没有别的动作了。他已经把自己全副武装,要保持足够的耐心。但他的耐心已经快到极限了。

一等秘书却突然话锋一变,十分简短地下达了最后指令:"你可以走了。必须要策划一次爆炸事件。我给你一个月时间。米兰会议现在暂停了。在会议再次召开之前,必须在这里做点儿什么,不然我们就终结和你的联系。"

然后他再次十分随性地改变了说话的口气。

"好好想想我说的哲学,弗洛克——先生。"他语气里带着屈尊的诙谐,朝门口摆着手说,"目标就定在第一子午线。你不如我了解中产阶级。他们的神经末梢已经变得很麻木了。就是第一子午线。没有比这再好的选择了,而且我认为这也是最容易得手的。"

他此时已经站了起来,敏感的薄嘴唇滑稽地颤抖着,站在壁炉后面,从镜子里看着弗洛克沉重地走出房间,帽子和手杖都拿在手里。门关上了。

穿着长裤的男仆突然出现在走廊里,领着弗洛克穿过院子角落里的一道小门,从另一条路出去了。守门站在门口,看他出去,一动也没动。弗洛克又沿着来时的路往回走,仿佛处在梦中——一场让人愤怒的梦。弗洛克的灵魂现在已经神游于躯壳之外,尽管他走得并不快,但是等他回过神的时候,他那向往不朽的灵魂就发现自己已经走到店铺门口了,仿佛自己是乘坐由西向东的风之翅膀回来的。他径直走到柜台,在一个木椅上坐下。家里没人过来打扰他。史蒂维身上套了件绿色粗呢围裙,现在正在扫拭楼梯上的尘土,一下一下地,好像在玩耍。弗洛克太太正在厨房,听到门上的铃铛响,走到客厅的玻璃门口,掀起门帘一角朝昏暗的店铺看了看。她看到店铺里丈夫庞大的身躯坐在那里,帽子朝后倾斜着挂在头上,之后她便又回到厨房的炉子旁去了。大约过了一个多小时,弗洛克太太把套在他弟弟史蒂维身上的绿色粗呢围裙拿下来,用一种命令的语气让他去洗手洗脸。在过去的十五年,也就是在她不再亲自给弟弟洗手洗脸之后,她就一直用这种命令的语气跟他交流。史蒂维洗漱完,走到正在餐桌旁盛饭的姐姐跟前,让她查看,弗洛克太太就在盛饭的间隙瞟了一眼。史蒂维的脸上虽然看上去很自信,但是在这自信下面掩饰的是永远的焦虑和不安。他们的父亲在世的时候,他的怒火就是对这些日常礼仪最有效的监督。但弗洛克先生在家的时候永远都是平静温和的,绝不会发火动怒,即使在总是紧张兮兮的史蒂维面前也不会。尽管从理论上说,在吃饭的时候,如果哪里有一丁点儿的不干净,弗洛克先生都会极度难受和震惊。在父亲去世后,温妮就不必再为可怜的史蒂维担心到浑身颤抖了,这让她无比欣慰。她无法容忍弟弟受伤。这会让她发疯的。在她很小的时候,她就常常冲到弟弟前面,为他对抗眼中冒着熊熊怒火的父亲。而现在,看到弗洛克太太,没人会想象得到她还有那么暴躁的一面。

她盛好饭,把餐桌摆在客厅,走到楼梯口大喊了一声:"母亲!"然后她推开通往店铺的玻璃门,轻轻叫了声:"阿道夫!"从回来到现在的一个半小时,弗洛克一直维持着一个姿势坐在那里,连胳膊都没有抬一下。听到妻子叫他,他慢慢地站起来,一声不吭地走到餐桌旁,大衣和帽子也都没脱。他们的房子隐藏在这条肮脏街道的阴影里,常年见不到太阳,昏暗的店铺里出售的也是些不值钱的破烂玩意儿。在这个家里,大家都习惯了弗洛克的沉默不语。只不过那天,他的沉默太过深沉,连家里的两个女人都被影响到了。她们静静地坐在餐桌旁,眼睛密切地关注着史蒂维,生怕他突然吵闹起来。史蒂维坐在弗洛克先生对面,眼睛呆呆的,十分乖巧安静。家里的两个女人，为了不让史蒂维招男主人生厌，可是没少担心。她们俩说到史蒂维的时候，总是用"那个孩子"来指代他。从他出生到现在，两个女人可以说没有一天不为他担心的。已经去世的旅店老板，因羞于生了这么个儿子，每每会变得很残暴。他本是感情细腻和敏感的人，作为一个正常人和一个父亲，他的痛苦是彻骨的。父亲去世后，她俩又得小心不让史蒂维去招惹前来寄宿的单身男主顾，这些人也是脾气乖戾得很，只要一不如意就要发作的。然后还有史蒂维未来的生存问题，这也是让她们很忧虑的一个现实问题。还在贝尔格莱维亚区那个破旧的家里的时候，老太太一想到自己的孩子以后要被送到救济院，就寝食难安，所以她总跟女儿说："要是你当初没有找到这么好的丈夫，我都不知道那个可怜的孩子以后要怎么办。"

　　弗洛克先生对待史蒂维虽然亲切，但也敷衍，他的这种态度同一个不怎么喜欢动物的男人对待妻子的宠物猫的态度在本质上是一样的。但两个女人也很清楚，这已经是可以预料到的最好结果了。他对待史蒂维的这种态度，就已经足够赢得老太太对他的尊重和感激了。早前无依无靠的生活让老太太十分多疑，所以她以前总忧虑地问女儿："亲爱的，你觉得弗洛克先生是不是厌倦史蒂维了？"对她的这个问题，温妮总是轻轻地摇摇头。但是有一次，她母亲这样问她的时候，她很是无礼地反驳说："那他得先厌倦我。"随后俩人就陷入了长久的沉默。她母亲把脚蹬在凳子上，试图要弄明白这句话的深层含义，女儿突然说出这句颇具女性深意的话，让她大为震惊。她其实从来没想明白温妮为什么会嫁给弗洛克。这当然是很明智的一个选择，而且事实证明这个选择也很正确，但是女儿本来应该是希望找一个跟自己年龄相近的人结婚的。之前有一个很稳重的年轻人，只不过是邻街屠夫的儿子，帮他父亲打点生意。温妮和他在一起的时候整个人都很活泼。小伙子要依靠父亲生活，这是事实。但是父亲的生意倒也做得很好，所以他的未来也是无需担忧的。他晚上还经常带女儿去剧院。之后老太太便开始担心听到他们订婚的消息（如果他们真的订婚了，她一个人要怎么照看这个大房子，而且还有个史蒂维呢），也就在这个时候，他们俩的浪漫约会就戛然而止了。温妮整个人也变得很沉闷。或许是天意如此，弗洛克先生就在这时候住进了二楼前面的那间卧室。年轻的屠夫从此就被遗忘了。真是天意如此。

第三章

"所有的理想都会把生活变得很可悲。美化生活就等同于是剥离生活的复杂性,无异于是把生活破坏掉了。把它留给道德家吧,孩子。历史是由人类创造的,但不是在他们脑子里创造出来的。在推动历史前进的事件中,产生于人类大脑中的思想并没有起到多大的作用。主导和决定历史进步的是生产和生产工具,也就是经济力量。资本主义促成了社会主义,资本主义制定了保护其财产的法律,这才导致了无政府主义的产生。没人知道未来会出现什么样的社会组织形态。所以一味地痴迷于对未来的预言和幻想又有什么用呢?我们最多也就能够解读一下预言家心中的想法,而这些又是没有任何客观价值的。把这无谓的事交给道德家去做吧,孩子。"

刚刚被假释的传道者米凯利斯用平缓的声音讲述着,他声音微微喘息,像是受到了胸腔上一层层肥肉的压迫。他刚刚从一座极其干净卫生的监狱出来,整个人胖得像个大圆桶,大腹便便,脸颊肥胖而苍白,肤色呈半透明,仿佛过去十五年里,某个对社会充满愤恨的人故意把他关在潮湿阴暗的地窖里,专给他发胖增肥的东西吃。

打那儿以后,他就没有瘦下来过,半斤都没能减下来。

据说曾经有个有钱的老妇人把他送到马丽亚温泉去治疗,在那里,公众对他的好奇心一度超过了对国王的好奇。可惜却被警察勒令十二个小时内离开,并禁止他靠近任何温泉,所以他就只好继续遭罪了。从那以后,他也就听天由命。

他粗胖的胳膊上完全看不到胳膊肘,就像是一个弯曲的人偶胳膊,被扔在椅子上。他短粗的大腿支撑着身子微微向前一倾,往壁炉里吐了一口痰。

"当然!我是有时间思考这些事情的。"他又平淡地加了一句,"社会可是给了我足够的时间来沉思。"

壁炉对面有一张马鬃装饰的扶手椅,是弗洛克太太母亲的专用椅。此时坐在上面的是卡尔·尤特,他阴森森地笑着,嘴里的牙近乎全部脱落,黑黝黝的脸看上去十分狰狞。这个自称"恐怖分子"的人是个秃顶的老头,下巴上留着两撇雪白的细山羊胡。眼睛深处流露出明显的狠毒。他挣扎着站起来,瘦骨嶙峋的手因受风湿病的影响变得十分畸形。他的手极力向前伸着,仿佛一个垂死的杀人犯,正在用尽全力尝试给对方最后一击。他的另一只手颤抖着挂着一根手杖,整个身子的重量都压在上面。

"我常常梦想着,"他激动地开口说,"会有一群人,在手段的选择上,他们毅然决然地抛却所有顾虑,坚定而坦率地称呼自己为破坏者,完全不受那正在腐蚀世界的悲观主义的影响。他们不怜悯世上任何事物,包括他们自己,把死亡置之度外,愿为人类的未来随时牺牲自我。这是我希望看到的。"

他光秃的小头顶颤抖着,引得脸上的两缕山羊胡也跟着一抖一抖的。如果是不认识他的人，听到这一番言论定会觉得莫名其妙。他喉咙嘶哑，牙龈上光秃秃的没有一颗牙齿，说话时像要把舌尖攥住。他的激情本就已经消退，这番话经由他说出来就更显得苍白无力，仿佛一个衰老的好色之徒身上激起的性欲，虽强烈但却很无力。弗洛克先生坐在房间一端沙发的角落里，从喉咙里发出两声由衷的赞同。

这位老恐怖分子用他瘦骨嶙峋的脖子缓慢地左右摇摆着他的脑袋。

"而这样的人，总共找不出三个来。你那已经腐烂的悲观主义就不要再提了。"弗洛克冲米凯利斯咆哮一声。米凯利斯交叉着粗壮似长枕的大腿坐着，听他这么说，他猛地分开双腿，把脚滑到座椅下，以展示他的愤怒。

说他是悲观主义者！真是荒唐！他大声斥责这种控诉简直不可理喻。他怎么会是悲观主义者。他已经看到了私有财产制度因其内在弊端必然走向灭亡的命运，这种命运是私有财产制度发展的自然而然且不可避免的结果。私有财产的所有者，他们不仅要面对逐渐觉醒的无产阶级的对抗，还要应付所有者之间的内斗。是的。私有财产存在就必然要面临着斗争和冲突。这是致命的！啊！他的信仰可不是单靠他的激情来支撑的，任何雄辩、怒火、挥舞着的血红旗帜，或者复仇的激情，面对这个注定要灭亡的社会，都是苍白无力的。他不是悲观主义者！他吹嘘说，他的乐观主义是建立在绝对理性之上的。是的，乐观主义……

他气喘吁吁地说了一大通，然后突然停下来，喘了两口气又接着说："你也不想想，如果不是因为我是乐观主义者，过去十五年早有大把机会自我了断了。再不济,也还可以把头往监狱的墙上一撞。"

他说话时气喘吁吁,声音里没有一点儿生气和活力。肥大的苍白脸颊上赘肉横生,仿佛一个装满弹药的手袋,一动不动。但是他蓝色的眼睛微微眯着,眼珠一动不动,眼神里透露着自信和精明的光芒。这位有着一身硬骨的乐观主义者,在夜深人静的夜晚独坐在牢房里沉思的时候,眼睛里流露的必然也是这种看上去有点疯狂的眼神。卡尔·尤特站在他前面,绿色军帽两侧的遮阳布已经褪色,其中一侧威风凛凛地搭在他的肩膀上。坐在壁炉前面的是奥西庞同志,他曾是医学校的一名学生,现在是"资产阶级之未来"宣传单的首席作者。他伸着粗壮的双腿,鞋底朝上,正对着炉火。一缕卷曲的黄头发挂在脸上,红润的脸颊上满是雀斑,鼻子扁塌塌的,嘴巴很凸出,高高的颧骨上面是一双目光懒散的鱼眼,整个脸型像是从未经加工完成的黑人脸模里印刻出来的。他身穿一件灰色的法兰绒衬衫,外面套一件外套,外套扣着扣子,一条黑丝绸领带松垮地垂在外套上。他头枕在椅背上,露出粗大的喉结,他把插着烟卷的木质长烟管送到嘴边,冲着天花板直直地吐出几口烟。

米凯利斯继续倾吐着他的想法——他被孤独地关在监狱里时形成的想法。这思想被他有幸捕捉到,慢慢演变成他的信仰,并随之衍生出美好的愿景。他自顾自地说着,完全不管他的聆听者们是什么态度,认可也好,反对也罢,他只当他们都不存在。这种沉浸于自我的习惯,是他在面对监狱里四面白墙独自沉思时养成的。监狱建在一条河流旁边,砖瓦墙里安静得可怕,阴森森的,像是专门停放那些溺死在社交圈里的人的尸体的巨大停尸间。

他不善于辩论,不是因为别人的反驳之词有可能会动摇他的信仰,而是因为只要他一听到别人的声音就会让他产生困扰,让他感到惊恐。多年来,他的那些思想一直安居在他自己的头脑里,仿佛是成长在一个干涸的沙漠之中,从未被任何其他声音质疑过、评论过,抑或是赞同过。

现在没有一个人打断他,他继续讲述着他的信仰,这信仰仿佛是上帝给予的恩赐,以一种不可抗拒的力量完全操控了他的思想:我们在物质生活中探得了命运的秘密;世界的经济条件决定了过去的一切,也影响着未来的发展;一切历史和思想的源头,主导着人类思想的发展,以及人类激情的产生……

突然,奥西庞同志发出一声刺耳的笑声。这位传道士的长篇大论戛然而止,他吞吞吐吐,舌头打着结,原本闪烁着兴奋光芒的眼睛里蒙上了一层困惑和不安。他努力闭了闭双眼,似乎想要召回自己的思路。房间里陷入了一片沉寂。在桌子上的两盏煤气灯和壁炉里炉火的照耀下,弗洛克店铺后面的这间小小会客厅仿佛一下子变得异常炙热起来。弗洛克先生很不情愿地从沙发上站起来,打开通往厨房的那扇门,想出去透透气。他推开门,然后就看到了无辜的史蒂维。他此刻正端端正正地坐在一张小桌上,一个接一个地画着他的圆圈——同心的、离心的、数不清的圆圈。一个个让人眩晕的圆圈互相交织着,曲线规整而杂乱,似乎他描述出的正是处于混乱中的宇宙,是一个疯狂的艺术家在试图达到一个让人无法想象的境界。我们的艺术家头也没有抬一下,全部的灵魂都倾注在了手头的任务上,带动着后背也跟着一颤一颤的,纤细的脖颈深陷在脑袋下面的幽深里,好像一折就会断。

弗洛克很不满意地哼了一声,又回到客厅的沙发旁。亚历山大·奥西庞站起来。他穿着破旧的蓝色哔叽外套,在低矮的房顶下显得异常高大。他站起来抖了抖身子,驱除掉长久不动带来的僵硬感,然后踱步到厨房(走下两阶楼梯),从后面观察史蒂维,然后折回来,很是神秘地宣布:"很好。很有特点,非常典型。"

"什么很好?"弗洛克好奇地嘟囔了一句,重新在沙发的一端坐下。奥西庞头朝厨房的方向示意了一下,漫不经心地解释说:"这种退化的形态很典型,我是指他画的画。"语气里带着一丝屈尊的味道。

"你觉得那小子是退化的人吗?"弗洛克低声问道。

亚历山大·奥西庞同志外号"医生",是一名未取得学位的前医学校学生。后来他四处给工人组织宣讲社会主义卫生学,之后他写了一本貌似是医学研究的书(用十分廉价的小册子印刷出来,发出来立马被警察缴获了),书名叫作《腐蚀的中产阶级》。现在他是多少有些神秘的红十字会的代表,跟卡尔·尤特和米凯利斯一起负责文学宣传工作。他深深地看了弗洛克先生一眼,那目光就像是科学家审视愚昧的凡人时一样,充满了玩味。要知道,弗洛克至少和两个大使馆保持着暗中联系。

"从科学的角度来讲,他就是退化的。他的这种退化,是非常典型的。单看他的耳垂就能知道了。如果你读过龙勃罗梭[①]的作品……"

弗洛克阴郁地瘫坐在沙发上,四肢打开。他没有抬头,眼睛一直盯着背心上的纽扣,脸上却出现了淡淡的红晕。最近一段时间,只要是听到哪怕是跟"科学"(这个词本身并无冒犯之意,词意也很客观)有关的字眼,他脑海里都会无端由地浮现出咄咄逼人的弗拉

---

① 意大利犯罪学家。

基米尔的影像,这影像仿佛活的一般,异常清晰。这样的现象在科学上,绝对也称得上是一种奇迹了。弗洛克尽管心中满是恐惧和怒火,想要大声咒骂,但他终于还是什么也没说。倒是还没有平复下来的卡尔·尤特再次开口说话了。

"龙勃罗梭就是一蠢货。"

奥西庞听到这句亵渎龙勃罗梭的话,一时呆若木鸡。卡尔·尤特那双没有光泽的眼睛在瘦骨嶙峋的额头下更显得黝深,他口齿不清地说着,每说出一个字,舌尖似乎都被牙龈攥住,好像被他恶狠狠地咀嚼过:"你们见过比他还愚蠢的人吗?对他来说,罪犯就只能关在监狱中。再简单不过了,不是吗?但是那些把罪犯关进监狱、把他强制关进监狱的人呢?一点儿没错。就是把他强制关进去的。什么是犯罪?他难道不知道,这些恣意妄为的蠢货就是通过观察那些不幸的可怜人的耳朵和牙齿,把他们关进监狱的?他们的耳朵和牙齿上写着他们是罪犯了吗?写了吗?那些把这些人规定为是好人的法律又如何呢?法律不就是那些汲取他人血肉的人制定出来、进行自我保护的光鲜亮丽的工具吗?他们不就是把这炙热的烙铁印在了所谓罪犯的身上了吗?你们从这里听不到也闻不到那些可怜人身上的皮肤被烧焦的声音和味道吗?在龙勃罗梭的眼里,罪犯不过就是这样的,所以才写出那些愚蠢的作品来。"

卡尔·尤特气得双腿发抖,连手里的手杖也跟着颤抖,他的身体,遮在军帽上遮阳布的下面,还保持着一贯的轻蔑姿态。他似乎是要努力识别空气中社会暴行的污秽气味,想拉直了耳朵来倾听空气中的那残暴的声音。他的姿态里散发出强烈的号召力量。这个行将就木的老兵年轻时曾是一位不错的演员,不管是在舞台上,还是在秘密集会中，抑或是在私人会谈中。这个出了名的老恐怖分子，一辈子都没敢明目张胆地把手伸向任何一个社会建筑。他不是缺乏行动力的人，甚至不善于通过激烈的演说，借助激情的声音和浮夸来俘虏大众。相反，带着一种更加微妙的意图，他充当起了一位恶毒的情感召唤师，去唤醒身受苦难的人们心中那盲目的嫉妒和无知的虚荣，在那些被正义的怒火、怜悯和反抗所控制的人心中建筑起希望的假象。这种邪恶的天赋的阴影还残留在他身上，就像是盛放致命毒药的破旧药瓶，现在药用完了，瓶子也就没什么作用了，就等着最后被人丢进垃圾堆里了。

米凯利斯，这位刚刚被假释的传道者，他紧绷着双唇，露出了凄惨的微笑，这样忧伤的认同太沉重，以至于他苍白的大圆脸都往下坠了坠。他自己就曾是一名囚犯。他的肌肤也曾在那炙热的烙铁下被灼伤，他喃喃地说。但是外号医生的奥西庞同志此时已经从震惊中回过神来。

"你不懂。"他轻蔑地开口，但是卡尔·尤特慢慢转过头来，黝黑的眼睛深不见底，没有一丝光芒，仿佛他是循着声音看过来的。他似乎被这样的眼神吓到，突然就住了口，微微耸了耸肩，放弃了争辩。

史蒂维喜欢在家里走来走去的，这已经成了他的习惯，所以也没人在意。此时他已经拿上他的画，准备去睡觉了。卡尔·尤特发表那一通激情演说时，史蒂维刚好走到客厅门口，让他受到了十足的震惊。画满圆圈的纸张从手里飘落，他呆呆地看着那位老恐怖分子，像是因为受到了极度的恐惧和身体的痛苦而在原地无法动弹。史蒂维清楚地知道，热铁烙在人的皮肤上是非常痛苦的。他的双眼里满是怒火，嘴巴大张着：那会非常痛苦的。

米凯利斯眼睛一眨不眨地盯着炉火，终于恢复了独处时对自己情绪的控制，此时的思想也恢复流畅了。他又开始滔滔不绝地讲述他的乐观主义。他看到资本主义被扼杀在摇篮中，它的诞生本来就伴随着竞争原则的毒素。大资产家吞并小资产家，人民大众掌握了生产的力量和工具，推动着工业化的发展，在一段时间的疯狂自我扩张后，逐渐为正在遭受苦难的无产阶级的合理诞生奠定基础。他抬起头，清澈的蓝眼睛看着弗洛克先生客厅里低矮的天花板。"耐心"，米凯利斯说出了具有伟大意义的词语，似乎这个词具有一种获取人们信任的神圣力量。站在门口的史蒂维，此刻已经平静下来，似乎又重归迟钝。

奥西庞同志的脸上因恼怒而变得十分扭曲。

"照你这么说，我们不管做什么事都是毫无意义的了，没有任何意义。"

"我没那么说。"米凯利斯辩驳道。此刻他对真理的认知已经十分坚定，以至于这个陌生声音的介入都没有让他的思想偏离原来的轨道。他继续盯着壁炉里发红的煤炭。为未来做准备是有必要的，他也承认，大的变革是在革命的暴乱中出现的。但他强调说革命性宣传是一项精致的任务，需要具有较高道德水准的人来执行。革命性宣传的教育针对的是世界的掌控者们，应该像教育国王那样小心谨慎。他希望我们能够谨慎，甚至小心翼翼地对革命性宣传的原则进行完善，因为我们不知道，任何经济制度上的变更会对人类的福祉、道德、思想和历史发展产生什么样的影响。要知道，历史是由工具而非思想创造的，其他一起事物都会随着经济条件的改变发生变化：

艺术、哲学、爱情、美德,甚至是真理本身!

壁炉里的煤炭呲的一声慢慢熄灭了,米凯利斯,这位在监狱的思想荒漠里独自创建自己的愿景的思想隐士,急切地站了起来,肥胖的身体像一只充了气的皮球。他伸开粗短的双臂,仿佛一个绝望的可怜人,在拥抱一个自己幻想出来的宇宙。他激动地喘着气:"未来和过去一样,都是必然的:奴隶制度、封建制度、个人主义、集体主义。这是自然发展的规律,而不是虚空的预言。"

奥西庞同志轻蔑地噘着他厚厚的嘴唇,让他整张脸看上去更像是黑人了。

"一派胡言。"他平静地说,"世上根本没有什么规律,也没有什么必然性。让教育式的宣传见鬼去吧。人们所掌握的知识是什么并不重要,即便他们掌握的知识都是正确的。唯一重要的是人民大众的情绪状态。没有情感就没有行动。"

他停下来,又十分坚定地说:"我是从科学的角度来讲的,从科学的角度,知道吗?你刚说什么来着,弗洛克?"

"什么也没说。"弗洛克先生坐在沙发上吼了一声,随即意识到自己这话充满了怨气,实在令人生厌,于是又咒骂一声"该死"。

牙齿全部脱落的老恐怖分子又开始恶毒地发言了:"你知道我把当前经济状况的本质叫什么吗?我叫它食人经济。这就是它的本质!他们就是靠着吸食人民的血肉来助长自己的贪婪的,这就是全部的真相。"

史蒂维听到这恐怖的言论,狠狠地咽了口唾沫。这句话仿佛是一剂猛药,立马让他瘫坐在了厨房门口的台阶上。

米凯利斯像是什么也没听到。他的双唇像是被胶水粘在了一起,静静地绷在一起，脸上也没有一丝表情。他眼睛迷茫地环视一周，找到他的硬质圆帽扣在头上，圆鼓鼓的身体便从卡尔·尤特凸出的胳膊肘下的两把椅子中间轻飘飘地走过去了。老恐怖分子颤巍巍地举起一只鹰爪一般骨瘦如柴的手，猛地一下把头上黑色的墨西哥毡帽拉低，遮住沟壑纵横的脸。他慢慢地起身，每走一步，都用手杖敲击一下地板。要把他弄出房间着实是不容易，因为他每走两步就要停下来，仿佛陷入了沉思，米凯利斯要是不推他一下，他就停下不动了，儒雅的传道士还在一旁温柔地扶着他的胳膊。奥西庞走在他们后面，双手插在口袋里，轻轻打着哈欠。他头上戴一顶蓝色帽子，帽顶用漆皮制作，扣在满是杂乱黄发的后脑门上，让他整个人看上去就像是一个挪威水手，在一阵肆意狂欢之后，对世界产生了厌倦。弗洛克把客人送到店外，他没戴帽子，沉重的大衣敞开着披在身上，眼睛一直看着地面。

他把客人送走，强忍着怒火轻轻把门关上，用钥匙锁上，再插上门闩。他对他的这些朋友很不满意。如果要实施弗拉基米尔先生的扔炸弹的计划，这些人全都派不上用场。在参与革命政治的时候，弗洛克先生习惯了总是观望，不管是在家里还是在大型集会上，从来不会马上采取行动。他不得不小心谨慎。他已年过四十，尽管心中有满腔愤慨，但他视若珍宝的人生安逸和人身安全现在也同样受到了威胁，他不能不有所顾忌。他轻蔑地问自己，他还能对这帮人抱有什么期望呢？这个卡尔·尤特，这个米凯利斯，还有这个奥西庞。

弗洛克先生走到店铺中间，想要把燃着的煤气灯关掉，但却突然陷入了深思。带着来自一个和他们有着相同秉性的同类人的洞察力，他对他的朋友们一一下了判定。卡尔·尤特无疑是个懒家伙。

多年前他从一个朋友那里诱骗来一个老眼昏花的女人,从此便一直受她照顾,虽然他后来不止一次想把她扔进臭水沟里。要不是她坚持一次又一次地来找他,现在估计也不会有人在格林尼治公园的栅栏旁搀扶他走下公共马车了,这老妇人像个幽灵一样每天早晨都从格林尼治公园的栅栏底下爬过来。尤特这家伙可真是够幸运的。等这老妇人哪天咽了气,那大摇大摆的幽灵也就该消失了,脾气暴躁的卡尔·尤特也就玩完了。米凯利斯的乐观主义也让弗洛克先生的道德观受到了挑战,还有他那个有钱的富婆,最近还把他送到她在乡村的别墅去。这个曾经的囚犯可以在乡村的绿荫小道上成日悠闲踱步,享受着那美妙而仁慈的闲暇。

至于奥西庞,这个形同乞丐的家伙,只要世上还有几个手里有点儿钱的傻姑娘,他就心无他求了。尽管弗洛克先生在秉性上跟他的这些朋友并无二致,但是他们之间这些微不足道的不同对他来说似乎有着天壤之别,他便因为这些不同,把自己跟他们划清界限了。这界限,他划得洋洋得意,要知道,他天生就是爱体面的人,只不过因为自己不喜欢劳作,所以这种天性才被压制住了。但是不爱劳动也是一定社会状态下绝大多数革命家所具有的通病啊!道理很明显,革命家所厌恶的并不是当前社会状态下的优势和机遇,而是为此而需要付出的代价,比如被公认的道德、自我约束和辛苦劳作。绝大多数的变革都是纪律和劳作的敌人。还有一些人,他们具有强烈的正义感,认为维系现有社会状态需要付出的代价太过巨大,是可憎的、沉重的,令人担忧,让人受辱,是对他们的勒索,让人无法忍受。这些就是所谓的狂热分子。剩下的那部分社会反叛者,便是受虚荣心的牵动,虚荣是一切高贵和邪恶幻想产生的根源。诗人、改革家、江湖骗子、预言家和煽动者，他们都是爱慕虚荣之人。

弗洛克独自沉思了足足一分钟，仍然没有想明白这些抽象的问题。或许他无法想明白吧。不管怎样，他都没有时间再去想了。一想到弗拉基米尔，他就无法再冷静思考了。弗拉基米尔也算是他的一个同伙，凭借着俩人在道德上的微妙共性，弗洛克先生倒是可以对他进行客观的评价。他认为这个人是危险的。他感到一丝嫉妒。那几个人完全可以游手好闲，他们不认识弗拉基米尔，又有女人可以依傍，他倒是也有个女人，只不过得靠他来养活……

想到这里，弗洛克不禁又想到他今晚无论如何都是要去上床睡觉的，只是早晚的问题。既然如此，为何不现在就去，马上就去？他叹了口气。对于他这个年龄，又是这样性情的人来说，睡觉通常是让人愉悦的事，但对他来说却并非如此。他害怕失眠，而他现在已经开始失眠了。他抬起胳膊，把头上的煤气灯关掉。

一道亮光透过客厅的门，照射到店铺柜台后面放钱的抽屉。他只看了一眼，就数清了抽屉里银币的数量。只有寥寥数枚。自开店以来，弗洛克第一次认真审视这家店铺的经济价值。审视的结果当然是很消极的。他当初开这家店铺的时候，考虑的就不是经济因素。他之所以选择做这一行生意，就是凭直觉认为，这种见不得人的生意来钱是很容易的。而且，这一行也算是在他自己本行工作范围之内，也是在警察的监视之下的。相反，开了这家店铺，让他在本行工作圈子里获得了公开的身份，在警察这边，由于他并没有坦白交代自己所有的私下联系，所以可以放心大胆地跟警察保持来往，这样的状态对他来说是很有利的。不过就维持生计而言，单靠这家店铺是绝对不行的。

他把钱柜从抽屉里抽出来，转身准备离开，突然意识到史蒂维还在楼下。

"他到底在那里干什么？"弗洛克自言自语地说。那些滑稽古怪的动作是什么意思？他疑惑地看着他的小舅子，但他没有亲自去问他。弗洛克跟史蒂维的交流无非就是说个"早安"，早饭后对他说句"我的鞋"，就连这样的交流，多半也是出于需求，而非指令或要求。弗洛克忽然意识到，他不知道要跟史蒂维说什么，这个认知让他颇感惊讶。他站在客厅中央，默默地看向厨房。他甚至不知道，如果他对史蒂维说了些什么，会不会有什么意外发生。他突然间又意识到另外一个事实：这个家伙也是需要他来养活的。这个认知让他很不舒服。对于史蒂维也需要靠他养活这件事，他竟然直到此刻才意识到。

很明确的一个事实是，他不知道怎么跟那孩子交流。他看着史蒂维一个人在厨房，像只被关进笼子里的愤怒的动物一样，围着桌子打转，挥手跺脚，自言自语。要是跟他说句"你现在是不是该上床睡觉了"，估计他是不会搭理你的。弗洛克于是便不再对他小舅子的古怪行为胡乱猜测。他拿着钱柜，疲惫地从客厅走过去。在爬楼梯的时候，他意识到，自己的疲惫完全是精神方面的，这来源不明的精神疲惫让他警觉起来。希望自己没有出什么毛病才好。他在漆黑的楼梯口停下来，想要弄清楚自己的这种感觉。但是空气里却传来一阵轻微但连续不断的打鼾声，在黑暗中显得异常清晰。打鼾声是从他岳母的房间传来的。又是一个需要他养活的人，他心想。这样想着，他走进了自己的卧室。

弗洛克太太已经睡着了，床头柜上的油灯（楼上没通煤气）挑得很亮。灯光照在弗洛克太太的枕头上，她闭着眼，黑色的头发编成几股辫子，方便晚上睡觉，头下面的枕头深深陷了下去。听到耳边有人叫她，她睁开了眼，看到丈夫站在身边轻声喊她的名字："温妮！温妮！"

她起初没动，安静地躺着，看着丈夫手里拿着的钱柜。但是等她终于听清楚，弟弟"正在楼下到处乱蹦"，她身子一侧，猛地起身坐到了床沿上。她穿着一件朴素的白色棉布长袖睡衣，扣子一直扣到颈口和手腕。她赤裸着双脚下了床，脚踩在地毯上，一边摸索着找拖鞋，一边仰头看着丈夫的脸。

"我不知道该拿他怎么办。"弗洛克焦急地向她解释，"又不能亮着灯让他一个人待在楼下。"

她什么也没说，急急地往外奔。她的白色身影一闪就出了房间，顺便带上了卧室的门。

弗洛克把钱柜放在床头柜上，开始脱衣服。他把大衣仍在远处的椅子上，然后脱下外套和背心，露出壮实的身体。他穿着袜子在房间里走来走去，双手烦乱地摸着喉咙，在镶嵌在妻子衣柜门上的高大穿衣镜前来回走动。他把裤子的背带从身上解下来，然后粗暴地拉开窗户上的百叶，把额头靠在冰冷的窗玻璃上。在这层脆弱的玻璃之外，是彻骨的寒冷、黑暗、潮湿和泥泞，是由砖瓦、石板和石头堆砌起来的冰冷之物，这些东西在本质上就是不友好的，是让人生厌的。

弗洛克感觉到外面的一切都对他有种潜在的敌意，用力向他压来，让他的身体都近乎感到了痛苦。没有什么职业能比间谍更让人感到绝望了。这感觉就好比是，你骑马来到一片荒芜的干涸草原，这时你身下的马匹却突然倒地而亡。他之所以想起了这样一个比喻，主要是因为他在部队时曾骑过很多不同的军马,而他现在,就有一种马匹摔倒的感觉。他的未来,就如同额头依靠着的玻璃窗,漆黑一片。突然,弗拉基米尔那张胡子剃得干干净净的、诙谐的、脸色红润的面孔,仿佛一个粉红色的印章,用力盖在了这让人窒息的黑暗上。

这残破的幻觉如此明亮,真实而恐怖,吓得弗洛克先生赶紧从窗户边跳了回来,刷的一声拉上了百叶窗。他被这幻觉吓得惊魂未定,目瞪口呆,还没缓过神来,就看他妻子走进房间来。弗洛克太太一本正经地上了床,让他觉得自己在这世上是如此孤独无助。看到他还没睡,弗洛克太太略感惊讶。

"我身体不舒服。"他低声说,用手擦了擦额头上的汗。

"头晕吗?"

"嗯。很不舒服。"

弗洛克太太作为一名颇有经验的妻子,十分淡定自信地给出了他不舒服的原因,然后给出了常规的治疗建议。但他丈夫站在房间中央一动未动,耷拉着脑袋,伤心地摇了摇头。

"你站在那儿会感冒的。"妻子对他说。

弗洛克先生勉强把没脱完的衣服脱下来,然后上了床。楼下狭窄的街道上异常安静,时不时有脚步声从远处慢慢走来,走近了,又从容不迫地愈行愈远,似乎外面的过路者注定要在街道上永世游荡,从一盏盏煤气灯下走过,没有止境地一直走下去。楼梯口那个老钟表滴答滴答地响着,在卧室里听得一清二楚。

弗洛克太太平躺在床上,眼睛盯着天花板,突然说了句:"今天进账很少。"

弗洛克先生躺着没动。他清了清嗓子，似乎要发表什么重要的言论，但他什么也没说，只问了句："楼下的煤气灯关了吧？"

"嗯，关上了。"弗洛克太太很认真地回答。她停了停，等过了大约有三秒钟，又低声说："那个可怜的孩子今晚很兴奋。"

弗洛克一点儿也不关心史蒂维是不是兴奋，他现在一点儿睡意也没有，他害怕面对油灯熄灭后的黑暗和沉寂。这种害怕驱使他开口接话说，他让史蒂维去上床睡觉，但是史蒂维不听。这句话果然激起了弗洛克太太说话的冲动，她开始长篇大论地向丈夫证明，史蒂维的这种行为没有一点儿"冒犯"之意，他只是"兴奋"而已。在伦敦，跟他一般大的孩子没有比史蒂芬更加乖巧温顺的了，她断定说。而且他还很博爱，容易被取悦，只要别人不招惹他，他是很有用的。弗洛克太太转过身，面对斜躺着的丈夫，用胳膊肘支起身，趴在丈夫头上，焦急地说，他应该相信史蒂维是这个家里的一名有用成员。她小时候因为另一个孩子的不幸遭遇而被激发出来的保护欲被病态扩大，此刻她暗黄的两颊上因为太过激动而出现了一抹红晕，眼睑下一双大眼睛也显得愈发明亮。弗洛克太太此刻看上去更加年轻了，像是又回到了年轻时的那个温妮，比在贝尔格莱维亚的别墅里，那个出现在单身租房客面前的温妮更加活泼。弗洛克先生内心焦躁，根本没有听清妻子在说些什么，好像他们之间隔着一堵厚厚的墙，她的声音是从墙那边传过来的。但是看到她此刻的神韵，让他又回过神来了。

他是欣赏这个女人的，但他对她的欣赏随即又激起了另一种相似的情感，这让他更加痛苦了。等她的声音慢慢消退，他不安地动了动说："这几天我一直不舒服。"

说完这句话，他接下来本来是打算向她倾诉一些事情的，但是弗洛克太太又躺了回去，眼睛盯着天花板，自顾说道："你们说的话，让那孩子听太多了。我要是知道他们今晚过来，我睡下的时候，就该让他也去睡觉了。听到那些吃人肉、喝人血的话，让他失去理智了。为什么要说那些话呢？"

她说这话的时候，声音里带着愤慨和不屑。弗洛克先生现在已经完全回过神来了。

"你去问卡尔·尤特。"他粗暴地吼了一声。

弗洛克太太十分坚定地断定卡尔·尤特是个"让人讨厌的老男人"。她直言不讳地表示自己喜欢米凯利斯。至于那个粗鲁的奥西庞，尽管在他面前，她表面上一贯是维持一副波澜不惊的淡定神情，内心却总是很不安。对于丈夫的那几个朋友，她没有再多说什么，而是又开始继续说她的那个弟弟了。多年来，他总是备受关注，也极易受惊。

"你们在这里说的话，让他听见不合适。你们不管说什么，他都会当真的。他理解不了。一激动就控制不住自己了。"

弗洛克未置可否。

"我真希望他从没上过学。"弗洛克太太又接着说，"他总是拿橱窗里的报纸看。每次认真读起来，他就满脸通红。那些报纸我们一个月也卖不出去几份，白白占据了橱窗里的位置。奥西庞每周都会拿一沓 F.P. 宣传单过来，一份要卖半便士。半便士给我一整沓我都不会买。那些内容太愚蠢了，非常愚蠢。这东西根本就卖不出。史蒂维有天拿到一份宣传单，上面有个关于德国军官的故事。他说这个德国军官撕掉了新兵的半只耳朵，却没受到任何惩罚。畜生！那天下午我完全不知道要拿史蒂维怎么办。这样的故事足以让人热血沸腾。但是印刷这些东西出来有什么用呢?谢天谢地,我们不是德国的奴隶。这又不是我们该管的事,不是吗?"

弗洛克依旧沉默着。

"我得小心不让那孩子拿到切肉刀。"弗洛克太太此刻已经有了睡意,但还在继续说,"他又是叫喊,又是跺脚,又是哭泣。他不能听到任何有关残忍的言语。那个德国军官当时要是在他面前,他一准会像杀猪一样把他一刀捅死的。他绝对会这么做的!有些人根本不值得我们仁慈对待。"弗洛克太太的声音停了下来,她的眼睛一动不动,仿佛陷入了沉思,又像是蒙上了一层面纱。停了好久,她才轻声问道:"舒服点儿了吗,亲爱的?"声音像是从远方传来的。"要我把灯熄灭吗?"

弗洛克此刻完全没有一点儿睡意,这让他对于即将到来的黑暗感到无助和恐惧。他强打起精神,终于用空洞的声音回答说:"好。熄灭吧。"

第四章

地下大厅里没有窗户,墙上装饰着深棕色的护墙板。三十来张小桌子整齐地贴墙放着,桌子用红色的桌布盖着,红色的桌布上还有白色的图案。布满了灯泡的枝形青铜色吊灯挂在低矮的拱形天花板上,四周的墙壁上贴满了壁画,壁画上呈现的是穿着中世纪服装的人们在户外狩猎和狂欢的场景。身穿绿色紧身皮衣的侍者或是挥舞着猎刀,或是高举着冒着气泡的大杯啤酒。

"如果我没猜错的话,对于这件让人困惑的事,你应该是知道内幕的吧。"奥西庞伏着身子问,眼睛盯着对方,充满了期待。他胳膊肘支在桌子上,离身体很远,两只脚在椅子下塞着。

地下大厅的门口放着一架钢琴,钢琴两侧摆着两盆棕榈植物。钢琴突然被演奏起来,声音震耳欲聋,一首圆舞曲被弹奏得精彩绝伦,气势逼人。钢琴声即兴而起,又戛然而止。奥西庞对面坐着一个戴眼镜的矮个子男人,整个人看上去脏兮兮的。他面前放着满满一大杯啤酒,等钢琴声停止了,这人像在陈述一道普通命题一般,十分平静地说:"原则上,不管我们对某个事实是否了解,都不是其他人能够过问的。"

"当然,"奥西庞同志表示同意,但却另有深意,"原则上是这样。"

他双手捧着自己的红润的大脸,继续坚定地盯着对方。小个子男人平静地端起酒杯喝了口啤酒,又把杯子放回到桌上。他扁平的大耳朵离脑壳很远,看上去很脆弱,仿佛只要奥西庞用拇指和食指轻轻一捏就会被捏得粉碎。他宽大的额头高高鼓起,像是被架放在了眼镜框上。他脸颊扁平,油光满面,脸色暗沉,零星的黑色胡须让整张脸看上去更加脏乱。他的体型本就让人自卑,配上他过于自信的个性,就显得更滑稽可笑了。他不仅说话简短,而且轻易不会开口。

奥西庞捧着脸,又喃喃地问了一句:"你今天出来走动了吗?"

"没有。我上午睡了一上午。怎么了?"对方反问道。

"啊,没什么。"奥西庞真诚地看着对方,内心却急切地想从对方那里获取点儿什么信息,不过小个子男人那冷淡的神情让他很是打怵。尽管和他交谈的次数屈指可数,但每次跟这位同志说话的时候,总会让身材魁梧的奥西庞感到自己十分微不足道,不管是在道德上还是身材上。他终于又壮着胆子问了一个问题:"你是走过来的吗?"

"不是,坐公共马车。"小个子男人毫不犹豫地回答。他住在离这儿很远的伊斯灵顿,房子很小,在一条破旧不堪的街道上,干草和废纸在街上被扔得到处都是。放学之后,成群的孩子就到处跑,嘶喊争吵,毫无欢乐可言。他住的是一间不透风的密室,房间里配有家具,还有一个超大的碗柜。房子是他从两个上了年纪的老处女那里租来的,房东是一位不上档次的裁缝,来光顾的多数是富人家的女仆。房东在碗柜上落了一把沉甸甸的大锁,除此之外,他算得上一位模范房客，从不麻烦人，也几乎不需要人照顾。他有两个怪癖，一是要求打扫他房间的时候，他本人必须在场，再就是他出门的时候会锁上门，把钥匙随身带走。

奥西庞仿佛看到一群戴着黑框眼镜的人，他们坐在公共马车的车顶上，从街道上扬长而过。他们自信的目光四处扫视着，时而落在两边房屋的墙上，时而落在人行道上毫无知觉的川流不息的人群中。奥西庞想象着，墙壁朝着戴眼镜的人不断点头，行人看到他们却飞也似的四处逃命，这场景牵动着他厚厚的嘴唇，让他露出了病态的微笑。要是那些行人能有所察觉就好了！那会造成怎样的恐慌啊！他低声又问："在这里坐了很久了吗？"

"一个多小时了。"对方漫不经心地回答，端起酒杯喝一大口黑啤酒。他的所有动作：抓酒杯的动作，喝酒的动作，把酒杯放下的动作，以及他双手抱胸的动作，都带着一股坚定的力量，透露出他的确定和精准。相比之下，奥西庞向前探着身子，噘着嘴唇，瞪着双眼，虽然身材魁梧，肌肉发达，却给人一种优柔寡断的印象。

"一个小时啊，"奥西庞接话道，"那你或许还不知道我刚刚听到的新闻吧，我在街上听到的新闻。你听到了吗？"

小个子男人几不可见地摇了摇头。奥西庞看他一点儿也不好奇，只好又硬着头皮补充说，就在地下大厅外面，一个报童冲他大声报道了这个新闻。这让他心烦意乱，震惊异常，他完全没有预料到会发生这样的事。他走进地下大厅的时候，已经是口干舌燥。"真没想到会在这里看到你。"他胳膊肘抵在桌子上，又低声说了句。

"我偶尔会过来。"对方回答说，保持着他一贯的冷酷，让人有些气恼。

"这么多人，偏偏你没有听说，这真是奇妙啊。"大个子奥西庞继续说道。他紧张地眨着眼睛，眼里闪烁着明亮的光芒，"这么多人，偏偏你没听说。"他又试探性地重复一遍。他刻意压制着自己的情绪，反而让他在这个冷静的小个子男人面前显得莫名的胆怯。小个子男人又端起玻璃酒杯，喝两口啤酒，把酒杯放下，一举一动都散发着直率和自信。然后就再没有别的动作了。

奥西庞等了很久，对方都没有给他一点儿反馈，不管是语言上的，还是肢体上的。他努力装出一副毫不在意的样子，又降低了声音问道："是不是只要有人来问你要，你就会把你的那东西给他们？"

"我的绝对原则是：从不拒绝任何人，只要我手上还有一点儿货。"小个子男人断然回答说。

"那算是原则吗？"奥西庞质疑。

"是一条原则。"

"你觉得这样的原则合理吗？"

他暗沉的脸上戴着超大的圆框眼镜，看上去异常自信，奥西庞感觉面前的这张脸就像是一个闪着冷光的永不熄灭的魔法球。

"当然。非常合理。在什么情况下都适用。有什么能够阻止我这么做呢？我为什么不这么做呢？这件事还需要有所顾虑吗？"

奥西庞暗暗喘了口气。

"你是说，即使是有侦探来向你要货，你也会给他吗？"对方很无助地笑了笑。

"让他们来试试你就知道了。"他说，"他们知道我，但我同样也知道他们，知道他们每个人。他们不敢接近我的，他们不敢。"

说完，他紧紧闭上了青灰色的嘴唇。奥西庞却有所怀疑："但是他们可以派其他人来啊，把人安插在你身边。你明白吧？把东西从你那儿拿走，再拿着证据来逮捕你？"

"这又能证明什么？无非就是无证进行炸药交易而已。"尽管他说这话时漫不经心，而且苍白消瘦的脸上没有一丝表情，但语气里却满是轻蔑之意，"我不认为，他们之中会有人想逮捕我的。我觉得，他们任何一个都无法拿到逮捕我的逮捕令，即使是他们中最出色的那几个。没有人能拿到。"

"为什么？"奥西庞问道。

"因为他们很清楚，我总是留点儿货带在身上，从不离身。"他轻轻拍了拍胸前的外套，接着说，"放在一个厚玻璃烧瓶里。"

"这我倒是听说过。"奥西庞接话道，声音里透着一丝不可思议，"但我不知道，是否……"

"他们知道的。"小个子男人直接打断说，把头靠在笔直竖立的椅背上，椅背比他那脆弱的脑袋还要高。"我是不会被逮捕的。那些警察，没有一个人可以跟我对抗。要对付我这样的人，需要具备十足的甚至不择手段的英勇。"说完，他的嘴唇又自信地紧紧闭上了。奥西庞压抑着内心的情绪，耐心等了一会儿。

"或者说鲁莽，又或者是单纯的无知。"他反驳说，"他们可以找别人来做啊，找一个不知道你身上带着炸药、可以把自己炸飞，也能够把方圆六十码内的所有东西炸成碎片的人。"

"我从没说过，他们不可以消灭我。但这就算不得逮捕了。再说，消灭我可没有看起来那么简单。"

"呸！"奥西庞嗤之以鼻，"不要太过自信。他们可以找六七个人，从后面攻击你，死死按住你的胳膊，让你什么动作也做不了。这样的进攻，你还能躲得过去吗？"

"当然，我可以躲过去。我很少在天黑后出门，"小个子男人冷静地说，"入夜后更是从来不上街溜达。我走路的时候，总是用手握着裤兜里的橡皮球。只要一捏这个橡皮球，就可以引发炸药瓶里的雷管。原理跟照相机的快速充气快门是一样的。雷管随后会引爆炸药……"

他迅速地掀开衣服，露出橡皮管，让奥西庞看了一眼。棕色的管子像是一条细长的蠕虫，从背心的袖口钻出来，一直延伸到上衣胸口的内口袋里。他褐色的衣服，颜色看上去很奇怪，破旧的衣服上污迹斑斑，折痕处还落着很多尘土，纽扣也是参差不齐。"雷管是半机械半化学性质的。"他屈尊解释说，语气很随意。

"我猜是立刻就爆炸的吧？"奥西庞颤抖着声音低声问道。

"不是。"对方很不情愿地承认，连嘴唇都有些扭曲了，"我按下橡皮球，要等二十秒钟，炸药才会爆炸。"

"呵！"奥西庞吹了声口哨，完全震惊了，"二十秒钟！太可怕了！你觉得你能忍受得了吗？我会疯掉的……"

"你疯不疯不重要。当然，这确实是这个系统存在的一个漏洞，所以只能我自己使用。事实是，爆炸方式一直是它的弱点。我现在正在尝试着发明一种雷管，可以根据具体的行动进行调节，即使是情况发生了不可预测的变化，也能够自我调整——一个可以灵活变更又绝对精准的系统，一个真正的智能雷管。"

"二十秒钟。"奥西庞又喃喃地说，"啊呜！那么……"

小个子男人轻轻扭了扭头，扫了一眼颇有名气的西勒诺斯酒店的这家地下酒馆。他扭头的时候，脸上的眼镜闪过一道亮光。

"这房子里的所有人，一个都别想逃出去。"他得出判断说，"那边正上楼的两个人也逃不出去。"

楼梯口的钢琴此刻正弹奏着一曲玛祖卡舞曲,声音急促而猛烈,琴键神秘地一起一伏,仿佛一个放肆粗鲁的幽灵在飘荡炫耀。然后一切都陷入了沉寂。有那么一瞬,奥西庞眼前浮现出了这个明亮的地下大厅被摧毁的场景:房间被炸得坑坑洼洼,滚滚浓烟下到处都是残墙断瓦,还有人的残肢断臂。这个有关毁灭和死亡的场景如此清晰,让他不禁又一次不寒而栗。对方却很平静地继续说道:"说到底,一个人能否感到安全是取决于他的性格的。这世上,没有几个人的性格是比我更加坚韧的。"

"我很好奇,你怎么会忍心这么做。"奥西庞咆哮道。

"性格的力量。"对方的声音依然很平静。这种自信的断言从这样卑鄙的人口中说出来,让奥西庞恨得咬牙。"性格的力量。"他又重复说,声音平静而自负,"我有办法让自己变成致命的人,你知道,这绝不是自我保护的方式。但是却能让那些人相信,我会选择这种方式。这让他们对我形成这种认知。这是绝对的。所以我也是致命的。"

"他们那群人中也有拥有这样性格的人。"奥西庞恶狠狠地说。

"或许吧。但很显然,我们之间存在着程度上的差别。你看,我对他们完全没有这种认知,所以他们的性格要比我低级。他们无疑是更加低级的。他们的性格是建立在传统道德之上的,它依附于社会秩序。我的性格却是独立于人为因素之外的。他们被各种传统惯例束缚着。他们的性格依存于生命本身,这让他们束手束脚,思前虑后,从这点上来看,他们经不住任何攻击,这也是一个历史性的事实。但是我的性格却是与死亡为伴的,不受制于任何事物,是无坚不摧的。显然,我是更加高级的。"

"你这话太超自然了。"奥西庞看着对方圆框眼镜上的冷光说,"不久前,卡尔·尤特也说过类似的话。"

"卡尔·尤特,"对方很轻蔑地低声说,"这位国际红十字会的代表,一辈子都在故作姿态,像个幽灵似的。你们一共有三位代表,是吧?既然你是他们中的一员,我就不对那两位评头论足了。不过你说的话没有任何意义。你是革命宣传的优秀代表,但是你的问题是,你不仅不能像那些出色的杂货店老板或者记者一样独立思考,而且没有任何性格可言。"

奥西庞无法压抑内心的愤怒,用低沉的声音大声质问:"那么你想要我们怎样呢?你自己又在追求什么?"

"一个完美的雷管。"对方蛮横地回答说,"你作出那副鬼脸干什么?你看,我才说了这么点儿真话,你就受不了了。"

"我没做鬼脸。"被惹恼的奥西庞大吼一声。

"你们这些革命家,"对方继续自信而从容地说,"都是社会传统的奴隶,尽管社会传统在你们面前会感到战栗。你们在本质上跟那些维护社会传统的警察一样,都是奴隶。你无疑也是其中之一,因为你想要变革它。它控制着你的思想,当然还控制着你的行为,所以你的思想和行为永远不可能是决断性的。"他稍微顿了顿,保持着波澜不惊的沉寂,然后继续说:"相比于镇压你的势力,比如说那些警察,你并没有优越多少。那天我在托特纳姆宫街道拐角处碰到了总督察希特。他死死地盯着我看,但是我瞧都没瞧他一眼。我为什么要去看他呢?他脑子里装的事情太多了,他的上司,他的名声,他的工资,还有法律、报纸,得有上百件。但我脑子里只装着一件事,那就是我的完美雷管。"

"他对我来说一点儿也不重要。他太无足轻重了,就像是,我真是找不出跟他一样无足轻重的东西,他跟卡尔·尤特倒是可以一较高下。他俩都是同一类人。恐怖分子和警察都是一丘之貉。革命和法律,不过是同一场游戏里的两个对战方罢了。他们内在的懒散在本质上并无二致。警察有警察的小把戏,那么宣传者也有自己的小把戏。我是没有时间耍小把戏的,我一天要工作十四小时,就这样还吃不饱饭呢。我的实验隔三岔五地就要花钱,有时候我连着一两天都吃不上饭。你看我在喝啤酒是吧。不错,我今天已经喝了两杯啤酒了,一会儿还要再喝一杯。这是我的一个小假期,我得独自庆祝一下。为什么不呢?我有独自工作的勇气,一个人工作,完全独立。我独自工作已经好几年了。"

奥西庞的脸变得猩红。

"制作完美的雷管,嗯?"他冷笑一声,声音压得很低。

"不过。"对方回击道,"这个定义很好。对于你的委员会和那些代表所做的活动,没有什么比这更能定义它的本质了。我才是真正的宣传者。"

"我们不谈论这个了。"奥西庞似乎为了顾全大局,不得不放弃个人问题,"我恐怕要破坏你的假期了。今天早上有个人在格林尼治公园被炸死了。"

"你怎么知道的?"

"他们从两点开始就在大街上报道这个新闻了。我还买了报纸,刚跑到这里就看见你坐在这张桌子上了。报纸还在我的口袋里呢。"

他把报纸掏出来,是一张大尺寸的玫红色纸张,像是被它自己的乐观热情羞红了脸似的。奥西庞在报纸上快速扫了一遍。

"啊！在这里。格林尼治公园大爆炸。目前报道的内容还不多。十一点半，大雾的早晨，爆炸的威力在罗姆尼路和公园广场都感知到了。炸药在一棵树下的地面上炸出了一个大坑，把树根和树枝炸得稀烂。一个人被炸成了碎片，散落得到处都是。就这些信息了。剩下的全是报纸的胡扯。他们说，毫无异议，这是有人试图要炸毁天文台。嗯，真让人难以置信。"

他又默默地盯着报纸看了一会儿，然后才递给对方。小个子男人漫不经心地看了看报道的内容就放下了，没有任何评论。

奥西庞终于又狠狠地开口了。

"一个人的残肢碎片，你看到了吧。也就是说，他把自己给炸飞了。这让你今天都没有好心情了，是吧？你预料到会有这样的事情发生了吗？我是完全没有想到，竟然会有人计划出这样的事情，而且还是在这个国家，在现在这个局势下，这无疑就是犯罪。"

"犯罪！那是什么东西？什么是犯罪？你下这种判断又是什么意思？"

"不然我要怎么表述？这个词总会有人用的。"奥西庞很不耐烦地说，"这个论断的意思是，这种行为对我们在这个国家的地位会产生很不利的影响。这对你来说不是犯罪吗？我相信你最近把东西给什么人了吧。"

奥西庞死死盯着对方，而对方毫不畏惧，只是慢慢把头低下去，又轻轻抬了起来。

"你真的给人炸药了！""资产阶级之未来"的宣传单编辑压低嗓门，恨恨地说道，"不对！你真的会把这么多炸药随随便便就给某个向你要货的人吗？"

"不错！这该死的社会秩序不是建立在报纸和文字之上的，我也不认为单靠报纸和文字就能把它推翻，我不管你是怎么想的。是的，我会把我的东西双手奉上的，不管来的是男人，还是女人，甚至是傻子。我知道你在想什么。但是我又不是按照红十字会的指示行事的。所以即便你们因为这件事被四处围剿，被追捕，甚至被砍头，我也会面不改色的。我们每个人会遭遇什么事，根本无关紧要。"

他说得漫不经心，甚至不带一丝感情，这让奥西庞内心受到了感染，但表面上也努力采取了他的那种超然态度。

"如果这里的警察知道自己该干什么的话，他们一定会用手枪把你打成筛子，或者在光天化日下用麻袋把你套了。"

小个子看上去依然平静而自信，似乎早就考虑到这种可能性了。

"是的。"他表示完全赞同，"但是如果他们这样做的话，就得准备好接受他们自己机构的惩罚。你明白吧？这是需要很大勇气的。非常人的勇气。"

奥西庞眨了眨眼。

"我很好奇，你如果把你的实验室搬到美国去会怎么样。那里的警察可是不把他们的机构当回事的。"

"我是不会去以身冒险的。不过你说的也有道理。"对方坦然说，"那里的警察更有性格些，而且他们的性格在本质上是无政府主义的。美国对我们来说就是一片沃土，非常适合成长的土地。伟大的共和国身上是有破坏性的根源的。在他们国家，人的共性就是无视法律。非常好。他们可以射杀我们，但是……"

"你说这话我完全听不懂。"激动不安的奥西庞咆哮道。

"这是逻辑。"对方辩驳说，"逻辑有好几种，我的逻辑是可以启发人的一种。美国是没什么问题的。处于危险之中的是这个国家，这个国家对法律的认知太理想主义了。人们的社会精神小心翼翼，充满偏见，这对我们的工作来说是致命的。你竟然说英国是我们唯一的避难所！简直荒谬！我们要避难所做什么？在这里，你们谈论、印刷、谋划，但是却不采取一点儿实际行动。我敢说，像卡尔·尤特这样的人，他们应该是很喜欢这里的。"

他轻轻耸了耸肩，保持着一贯的从容自信："打破对法律的迷信和崇拜才是我们要做的。如果总督察希特和他的同伙儿在光天化日之下把我们击毙，还能得到公众的赞许，那我会很乐意看到这种情况出现的。真到那时，我们的战斗就算取得一半的胜利了。旧的道德体系会就地瓦解。这才应该是你们的目标。但是你们这些革命家是永远也不会理解的。你们规划着未来，沉迷在对现有经济制度的幻想之中。你们真正需要的，是对旧的制度进行全面清除，重建全新的生活理念。只要你们能够为其扫除障碍，这种未来架构是可以自行扩展的。所以说，我要是有足够的货，就一股脑儿全堆到街角去，但是我没有，所以我要努力制作出一个靠谱的雷管。"

奥西庞正在自己思想的深渊里苦苦挣扎，听到他说出最后一个词，仿佛抓到了一根救命稻草。

"是的，你的雷管。我确信，就是你的雷管把公园里的那个人炸得粉碎的。"

奥西庞对面，那人决然的脸上出现一丝恼怒。

"我的困难在于要不断在对各种炸药进行实地试验。最后总要进行试验的。而且……"

奥西庞不等他说话。

"那个人会是谁呢?我跟你保证,我们在伦敦的这些人都不知道消息。你可以描述一下向你要炸药的那个人吗?"

对方正视着他,脸上的圆框眼镜就像是一副探照灯。

"描述一下他。"他慢慢地重复说,"对此我想我们是不会存在任何异议的。我用一个词就可以描述他:弗洛克。"

奥西庞压抑不住内心的惊奇,身体不自觉地从椅子上抬高了几英寸,然后又像被人一拳打在脸上,又跌坐回来了。"弗洛克!不可能。"

镇定自若的小个子男人轻轻点了点头。

"没错,就是他。现在你不会再说,我会把东西随随便便给哪个傻瓜了吧。据我所知,他是你们那群人中很出色的一位成员。"

"是的。"奥西庞回答说,"很出色。不,这么说也不准确。他是我们的情报中心,有其他地方的同志过来,一般也都是由他接待的。与其说他重要,不如说很有用。他是个没思想的人。几年前,他经常在会议上讲话,应该是在法国的会议上。不过他讲得并不好。拉托雷和莫泽这些人很信任他。他唯一的天赋,就是可以莫名其妙地避开警察的关注。就比如说在这里,这里的警察似乎并不怎么关注他。你知道,他很循规蹈矩地结了婚。我猜,他是用妻子的钱才开的那家店铺。看样子生意倒还可以。"

奥西庞突然停了下来,自言自语地说:"我很好奇那个女人现在要怎么办?"说完他就陷入了沉思。

对方则是一副漠不关心的神情,耐心等着他。小个子男人出身低微,人们一般都只知道他的外号"教授"。人们给他起这个外号,主要是因为他以前曾在某个技术学院做助教。后来因为受到不公正对待,他和当权的人大吵了一架,之后在一个染料厂的实验室谋了个职位，但是在染料厂也受到了极其不公平的待遇。为了提高自己的社会地位，他忍受着贫困，努力工作，坚持抗争，正是他的这种经历让他坚信，他是得不到世界的公平对待的。一个人能否会产生这种想法，取决于他的耐心有多大。这位教授是有天赋的，可惜不具备顺从命运的伟大品德。

"真是毫无头脑。"奥西庞突然大声说，不再思虑刚刚守寡的弗洛克太太和她的店铺生意。"真是一个平庸无比的人。你真应该和同志们多联系联系，教授。"他颇为责备地说，"他给你说什么了吗？有没有提到他的计划？我有一个月没见过他了。他应该不会就这么死了。"

"他跟我说，他们的目标是一座建筑。"教授回答说，"我得知道这一点才能准备炸药。我告诉他我手头的货不多，可能无法制造毁灭性的成果，他很认真地请求我一定要尽力。他说希望东西可以方便徒手携带，所以我就建议用油漆罐来制作，因为我手头正好有一个一加仑容量的油漆罐。他对这个提议很满意。不过真正做起来很费劲，因为我得先把油漆罐的底部切下来，最后再焊接上去。油漆罐里放置了一个用木塞密封的大口厚玻璃瓶，玻璃瓶里面装有十六盎司的X2绿色火药，外面用湿黏土包裹。雷管连接在油漆罐的旋转盖上。这个设计很巧妙，爆炸时间和威力的完美结合。我把系统原理跟他解释了。雷管是一个细长的锡管，里面……"

奥西庞已经无法集中精力听他继续说下去了。

"你觉得出了什么问题呢？"他插嘴问道。

"不清楚。也许他把油漆罐的盖子拧紧了，启动了雷管，但是却忘记了爆炸时间。时间设置的是二十分钟。还有就是，炸弹上的定时装置，只要受到震动就会突然爆炸。他要么就是把时间设置得太短了，要么就是不小心把装置摔在地上了。我做的定时器是没有问题的，这点我很确定。炸弹系统很完美。如果因为太着急让炸弹落在某个傻子手里，你还会担心他忘记启动时间设置呢。我通常会担心这类事情的发生。但是这世上的傻子太多了，让我们防不胜防。再怎么样，雷管也做不到可以预防傻子啊。"

他向一位服务员招了招手。奥西庞僵硬地坐着，目光涣散，神情痛苦。等服务员拿着钱离开后，他回过神来，整个人看上去愤愤不平的。

"这事让我太糟心了。"他自顾自地说，"卡尔得了支气管炎，已经在床上躺了一星期了。他很有可能再也站不起来了。米凯利斯正在乡下某个地方逍遥度日呢。一个上流社会的出版商出价五百英镑，让他出本书。这事肯定没有好结果。你知道，自从他上次进监狱，就已经无法再进行连贯思考了。"

教授站起身，开始扣他外套上的扣子，很冷漠地看着他。

"你要去做什么？"奥西庞疲惫地问道。他担心中央红十字会会怪罪于他。这个机构没有固定的地址，他甚至都不知道他们有多少会员。如果他们因为这件事，终止了"资产阶级之未来"宣传单的发行津贴，尽管津贴本来就少得可怜，对于弗洛克这愚不可及的行为，他可真得抱恨在心了。

"支持极端行动是一回事，但是采取鲁莽的愚蠢行动是另一回事。"他回答说，声音里透着一丝喜怒无常的残忍，"我不知道弗洛克是怎么回事。这里面有蹊跷。但是他已经走了。不管你怎么想，当前这种情况下，你们激进的革命党唯一的选择就是划清跟这家伙的界限。我现在担心的是，你们怎么才能让大家相信，你们跟他没有任何关系。"

小个子男人已经扣好扣子,站起身准备离开了。他站起来还没有坐着的奥西庞高。他对着奥西庞的脸扶了扶眼镜。

"你可以让警察给你出具一份证明,证明你跟此事无关。你们昨晚在哪儿睡的,他们都一清二楚。你可以去问一问,他们或许会同意给你出具一份官方声明的。"

"他们肯定知道我们跟这件事无关。"奥西庞苦涩地低声说,"但他们会怎么说就是另外一回事了。"他沉浸在自己的想法中,没有在意站在他旁边的这个衣着破旧、一脸严肃的小个子男人。"我必须马上联系米凯利斯,让他在我们的集会上进行一番发自肺腑的演说。公众很喜欢那家伙。大家都知道他。我跟几家比较大的日报社记者也有联系。他们虽然会在报纸上胡说八道,但是他们说的话也可以让事情尽快平息下来。"

"像蜜饯。"教授插话道,声音很低,表情依然很冷漠。

正处于困惑中的奥西庞继续自顾自地说着,声音几不可闻,仿佛正在独自沉思。

"可恶的混蛋!留给我这么一个烂摊子。我甚至都不知道……"

他坐在那里,紧紧地抿着双唇。如果直接去店铺打探消息似乎也不妥。他的想法是,警察或许已经在弗洛克的店铺设下埋伏了。他们一定会逮捕几个人的,借以展现一下他们所谓的愤慨。他如果过去了,那么他这一路平坦的革命生涯就会因此受到无辜的威胁了。但是如果他不去,就可能错失对他来说很重要的信息。他又想到,如果公园里的那个人真如报纸上所说的,被炸成了碎片,那么警察肯定无法认定那人的身份。这样说来,警察就没有理由加强对弗洛克店铺的监视力度,还会把它当作无政府主义者经常光顾的其他地方一样对待,比如,就跟关注西勒诺斯酒店的大门一样平常对待。反正到处都有警察在监视,不管他去哪里。尽管如此……

"我不知道现在要做什么?"他喃喃自语。

这时,他突然听到一道尖锐而轻蔑的声音从他胳膊肘后面传过来:"盯紧那个女人,尽可能从她身上找线索。"

教授说完这些话就从桌边走出去了。一语点破梦中人,这让奥西庞有点猝不及防,他依然坐在那里,瞪着无助的双眼,整个人好像被死死地钉在了椅子上。那架孤零零的钢琴,前面连张凳子都没有,依然勇气十足地弹奏着,先是几首民歌,最后又弹起了一首《苏格兰的蓝铃花》。教授慢慢地上了楼,穿过大厅,走到了大街上,身后超然忧伤的琴声也越来越远。

大门口外面,一排情绪低迷的报童正站在人行道的下水沟旁叫卖报纸。在早春这个阴冷昏暗的下午,天空阴沉沉的,街道泥泞不堪,行人衣衫褴褛,身上污泥点点。还有大量出售的午报,报纸不仅潮湿破旧,而且还墨迹斑斑。但是外面的一切看上去却异常和谐。肮脏的海报像一张张挂毯,映衬着街道两边的路边石。下午报纸的销量很好,但是相比于街道上川流不息的行人,就显得十分苍白了,过来买报纸的人也变得微不足道了。奥西庞站在人流之外,焦急地四下张望着,但是此时已经看不到教授的身影了。

第五章

教授此时已经拐进了左边的一条街道,他僵硬地端着脑袋往前走,矮小的身影瞬间被淹没在人群中。要说他一点儿也不感到失望,那完全是自欺欺人。但失望也只是他的一种感觉罢了,他思想坚定而寡欲,是不会被这种或其他任何一种失败所干扰的。下一次,或者下下一次的攻击,一定会带来震慑性的效果,在保护着这个极度不公平社会的法律堡垒上,炸出一道突破口。教授出身卑微,加之身材鄙陋,限制了他天赋的发挥。那些贫困百姓通过抗争获得权力和财富的故事,早早地就点燃了他的想象之火。他思想极端,清心寡欲,而且全然不顾及世俗的条件,一心只想着获得权力和威望。而且他认为,权力和威望的获取应该通过且只通过个人能力,至于艺术修养、行为风度、圆滑手段和财力这些因素,统统都不靠谱。在这个层面上,他觉得自己必然是会取得成功的。他父亲是个有着高大额头、皮肤黝黑的狂热分子。他曾经是某个教义晦涩且死板的基督教教派的传道士,经常进行煽动人心的巡回演说。他对自己的正直,有着绝对的自信。然而他的儿子在性情上却是个利己主义者,在大学学习期间，他对科学的信奉一度取代了那种对非国教教派秘密聚会的信仰，并演化为极端的清教徒主义的雄心抱负，被其小心恭敬地呵护着。自己的雄心受挫之后，他才不得不睁开眼，看清了这个世界的本质，看到了这个世界道德的虚伪、腐败和肮脏。即使是那些看起来名正言顺的变革，背后支撑它的，也都是被私人欲念包裹着的信条。这让教授感到愤怒，他的愤怒滋生出了一个终极目标，这个目标让他化身为实现自己雄心的代言人，也洗脱了他毁灭性的负罪感。要摧毁公众对法律的信赖，这就是他那迂腐的狂热主义促生出的执念。与此同时，他潜意识里也认定，要有效地摧毁一个既定社会秩序的框架，就必须通过某种形式的集体或个人暴力行为。他是道德代言人，这一点在他心里已经根深蒂固了。他通过无情的抗争来行使他的代言权，这为他赢得了掌握权力和拥有个人威信的一种表象。这对于他心中复仇的怒火来说极其重要，因为这平复了他内心的动荡不安。对于那些最为炽热的革命分子来说，他们所寻求的，最多也不过是和其他人类的和平共处：被满足的虚荣，餍足了的欲望，以及被抚平的良知。

　　他矮小的身子隐没在周围的人群中，心中沾沾自喜地思忖着自己强大的个人能力。他一只手插在裤子左侧的口袋里，轻轻握着可以引爆炸药的橡皮球，这是他最后的防护，保证自己不会沦为俘虏的超级武器。但是没过一会儿，他就被路上拥挤的车辆和蜂拥的人群弄得烦躁不堪。他此刻处在一条平直的长街道上，走在这条街上的行人的数量其实是很微不足道的，但是他放眼望去，周围的一切，甚至就连那些堆砌房屋的砖瓦后面，都让他感觉到了人民大众身上的巨大潜力。他们如同蝗虫一样蜂拥而至，勤劳得像蚂蚁，但是却又像其他自然动物一样毫无思想,有序而盲目地前进着、吸收着,对一切情感、逻辑,甚至是恐惧,都毫无感知。

这就是他最担心的情况:对恐惧无动于衷!当他一个人在外面走的时候,他时不时就会产生这样的感觉:对人类的极度不信任!万一没有什么事情能够感动他们呢?很多致力于研究人类本性的人都会陷入这样的担忧,包括艺术家、政治家、思想家、改革家或者圣人。这是一种可鄙的情感状态,面对它的干扰,独处可以打造一个更加高贵的人格。得意之中,教授想到了他在家的避难所。他租赁的房子里有一个落了锁的碗柜,房子位于一片破旧不堪的房屋之中,是无政府主义者的绝佳隐居之所。为了早点到达乘坐公共马车的地方,他突然从人群拥挤的街道拐到一条铺着石板的幽暗窄巷。巷子一边是低矮的砖瓦房,透过满布尘土的窗子,散发出一片阴暗垂死的腐败之气——一座座等待拆除的空壳。巷子另一边倒还有一点生机。巷子里只有一盏煤气灯,正对着煤气灯,是一家旧家具店铺,昏暗的店铺里,一片旧衣柜混乱地陈列其中,中间留一条弯弯曲曲的过道,衣柜下面是杂乱的桌子腿,还有一个高大的穿衣镜,仿佛置身森林中的一汪清泉。店铺外面,一张破沙发,配着两把毫不搭调的椅子,孤零零地躺在巷子里。在这条窄巷里,除了教授以外,还有一个人。他身子笔直地大步从对面走来,走到近处,突然刹住了脚步。

"你好!"他微微撤到一边,警惕地看着对方打了声招呼。

教授也已经停住了脚步,半侧着身子,让肩膀一侧贴近墙边,右手轻轻放在旧家具门口的破沙发上,左手还插在裤子口袋里。沉重的圆框眼镜,让他本就郁郁寡欢、镇定自若的面孔看上去更加严肃冷酷。

他们相遇的地方，仿佛是一个人群涌动的宅邸外的长廊。对面那人身材健壮，穿一件黑色大衣，扣子整齐地扣着，手上拿一把雨伞。他的帽子向后倾斜着，露出发白的额头。他的眼睛黝黑，眼珠出奇地明亮，仿佛具有穿透一切的力量。胡子的颜色就像是熟透了的玉米，长长地垂下来，下面是刮得干干净净的方形下巴。

"我不是在找你。"他言简意赅地说。

教授保持着原先的姿势，一动未动。小镇上的各种喧嚣都沉寂下去，变成了几不可听的低语。特别刑事部的总督察希特忽然换了一种口气。

"不是急着要回家吧？"他嘲讽地问道。

这个一切毁灭势力的道德代理人，看上去精神萎靡，却又在无形之中散发着极高的个人威望，把眼前的这个以保卫社会不受威胁之人控制在掌握之中。他比罗马帝国的第三位皇帝卡利古拉要幸运很多，罗马元老院尚且有多名首领，压制着卡利古拉，让他无法完全释放自己残暴的天性。但是在这个人身上，他看到了他所反抗的一切社会势力：法律的势力、财产的势力、镇压的势力和不公正的势力。他看到了他所有的敌人，并带着极大的虚荣心，无畏地与之对抗。他们在他面前是不知所措的，如同面对着一个极度不祥的预兆。对于这次相遇，他内心是暗自窃喜的，他想借此机会来确认自己在芸芸众生之中的优越性。

这次相遇其实纯属偶然。总督察希特这一天已经忙得晕头转向了。今天早上不到十一点的时候，他的部门就接到了格林尼治发来的电报。他烦躁的一个首要原因，就是他刚刚才向一位高官保证过，完全不需要担忧会有无政府主义活动发生。这还不到一星期，他们竟然就采取行动了,这让他很不爽。他从没有觉得作出这样的保证是靠谱的,但是那一次除外。他当时信誓旦旦地给出这样的保证时,对自己是很满意的,因为他很清楚,那位高官是十分渴望听到这样的担保的。他保证说,即使真会有此类事件发生,他的部门至少会在二十四小时之内有所察觉的。而且他说这话的时候,潜意识里就把自己当作了本部门里的专家级人物。这样的话确实是不该说出口的,即便是那些拥有大智慧的人,他们也不会说出这样的话来的。显然总督察希特还是不够聪明,起码不够真正的聪明。在这个充满矛盾的世界,拥有真正智慧的人,是不会轻易对任何事下定论的。但是真正的智慧也会成为他的绊脚石,阻碍他取得现有的地位。因为那会让他的上级们心生警惕,放弃给他加官晋级的想法。他现在的地位,可是全靠一路晋升上来的。

"长官,我们掌握着他们每一个人的行踪,对他们进行日夜监控。我们可以随时了解他们的活动。"他信誓旦旦。这位高官听了这样的保证也不免屈尊露出了笑容。像总督察希特这样威望极高的人说出这样的话无疑是让人心神愉悦的。高官相信了他的保证,这与他的想法是不谋而合的。他的智慧也受到官僚思想的禁锢,不然他想问题的时候就不会单纯从理论的角度出发。如果他考虑到了现实经验,就应该知道,在间谍和警察的这种看似密不可分的关系中,总会有无法预料到的情况出现,时间和空间上的黑洞会让两者连续不断的关联出现断层。警察可以随时随地地密切监视某个无政府主义者,但现实中总会出现中断的情况,有那么几个小时,警察会完全失去被监视者的踪迹,而恰恰就在他失联的那段时间,就会有什么惨剧(通常是爆炸事件)发生。但是那位高官太过沉浸于自己的思想,于是听到这番保证之后才会由衷一笑。总督察希特可是调查无政府主义者活动方面的专家人物,此时回想起那位高官的微笑,让他愈加烦躁。

我们这位特别案件的调查专家处事一向波澜不惊,此时让他倍感受挫的不仅仅是向高官夸下海口、作出保证这一件事,今天早些时候还发生了另一件让他郁闷无比的事情。早晨被紧急召唤到警务处副局长办公室的时候,他竟然没能掩饰住内心的震惊。现在一想到当时的表现,他就无比烦躁。作为一个成功人士,他的直觉在很早之前就告诉他,一般情况下,名声都是一半建立在行为上,一半建立在成就之上的。而他在看到电报时的表现,真是无法给人留下好印象。他当时瞪着双眼,高呼一声:"这不可能!"这一举动显然给副局长留下了很不好的印象,他指尖用力捏着电报,大声读了一遍,然后将电报扔在了办公桌上。看那样子,被人用指尖碾碎确实是一件十分痛苦的体验。当然,造成的伤害也是极大的!更为无奈的是,总督察希特清楚地知道,即使自己当时再信誓旦旦地表决心,也是于事无补的。

"我现在就能告诉你的是:这件事和我们的人没有任何关系。"

他是位正直的好侦探,但此时却意识到,针对这件事,只有态度坚决,同时又有所保留,才能不让他的声名受损。另一方面,他也不得不承认,一旦有门外汉搅和进来,要维持一个人的声誉就十分困难了。跟其他行业一样,门外汉也是警察声名受损的罪魁祸首。副局长说话阴阳怪气,真是让人气得牙根痒痒。

总督察希特从早饭到现在,都还没能吃上口饭呢。

得到消息后,他就立刻赶到现场去调查了,公园里糟糕的雾霾倒是吸了不少。之后他又走着去了医院。等格林尼治公园的调查终于结束了，他也没有一点儿胃口了。跟医生不一样，他并不习惯近距离地查看遇难者的残肢断臂。在医院的某个部门，当桌上的防水布打开的时候，里面的景象着实让他大为震惊。

桌上还有一块摊开的防水布，四个角高高地卷起，盖着一堆烧焦了的血迹斑斑的破碎杂物。从暴露出的地方来看，里面的东西简直可以让食人族拿去做一顿大餐了。看到这样的场景，一个人得需要很大的勇气才能不被吓跑。作为部门的一名优秀成员，总督察希特站在原地足足有一分钟，还是没有勇气再往前迈进一步。一位穿制服的当地巡警扫了他一眼，淡淡地说了一句："人全在这儿了。所有的部件。真是费了好大劲儿啊！"

他是爆炸发生后第一个赶到现场的人。当时他正站在威廉王街道宾馆的门口和门卫说话，突然在大雾中看到一道类似闪电的亮光闪过。突如其来的爆炸冲击震得他缩成一团。之后他就从树缝中抄近路直奔天文台。"我使出全力跑了过去。"他又重复了一遍说。

巡警不停地说着，总督察希特压下住心中的恐惧，小心翼翼地朝前探了探身子。热心肠的搬运工和另一个人把桌布四角往下扯了扯，然后退到了一旁。总督察希特扫了一眼那一堆阴森之物，看上去仿佛是从屠宰场和破布堆里捡来的混合物。

"你用铲子了。"总督察希特注意到四周有洒落的沙粒、棕色的树皮碎屑和像细针一样的碎木片。

"有个地方必须用铲子。"巡警回答说，"我让门房去找的铲子。他听到我用铲子刨地面的声音，把头靠在了一棵树上，难受得不行。"

总督察压下翻腾到喉咙眼儿的恶心，小心翼翼地弯下腰，看了看桌上的东西。尽管理智告诉他，爆炸的发生只是一瞬间，快如闪电,但是看着被炸药炸成了碎片的尸体,总督察还是觉得太过残忍。被炸死的这个人,不管他是谁,他经历死亡只是一眨眼儿的功夫而已,但即便如此,身体被炸得这般七零八散,也必然是经历了无法言说的痛苦。总督察既不是生理学家,也不是形而上学家,他的内心被一种深深的同情所占据,这同情本质上却是一种恐惧,超越时间的恐惧。他脑海里随即就浮现出了他在大众刊物上读到的那些,人们在清醒时所经历的漫长而恐怖的梦境。他想到了一直以来都生活在极度恐慌下的自己,仿佛一个溺水的人,拼了命地把脑袋探出水面,挣扎着想要多活一分钟。他忽然意识到,人的一生,短短数十载,不过眨眼之间。而就在这眨眼之间,我们却要经历身体上的痛苦和精神上的折磨。心里这般想着,总督察又继续强作镇定地查看桌上的人体碎片,神情中还透着一丝迫切,就像一个囊中羞涩的顾客,迫切地盯着肉店里的一堆零散副食品,心里盘算着能少花点儿钱,在礼拜日做上一顿价廉味美的晚餐。巡警还在语无伦次地说着,希特一边查看,一边也留意听着。作为一名训练有素的优秀督察,他不希望遗漏掉丝毫有用信息。

"那家伙长着一头金发,"巡警停了停,又平静地说道,"一位老太太告诉去走访的警官,她注意到有个满头金发的男人从梅兹山车站走出来。"他顿了顿,又强调一遍:"是个满头金发的男人。上行列车开走后,她看到从车站走出来两个男人。"他不紧不慢地讲:"她不知道他俩是不是一起的。有个大个儿的,她没仔细看。不过另一个长着一头金发,是个身材瘦弱的男人,手里拿着个锡皮油漆罐。"巡警不再往下讲了。

"认识那女人吗?"总督察低声问了一句。他眼睛盯着桌子,脑子里隐隐有种预感,他们可能永远也无法知道眼前这堆肢体零散的人是谁了。

"认识。她给一位退休的收税员看家,有时会去公园广场做礼拜。"巡警沉声回答,说完斜着眼朝往上瞥了一眼。

"总之,全在这儿了,我能捡的都捡来了。金发,瘦弱,非常瘦弱。你看他的脚。我先找到了他的腿,一条一条捡起来。他被炸得支离破碎,你都不知道要从哪儿捡起才好。"

巡警停下来,圆嘟嘟的脸上带着一丝单纯而自满的笑意,显得有些稚嫩。

"一定是绊倒了。"巡警肯定地说,"我当时也绊倒过一次,往前跑着跑着就一头栽地上了。周围全是凸起来的树根。这家伙一定也是被树根绊倒了,手里拿的东西压在了胸口下,然后就爆炸了。我猜是这样的。"

"身份不明"这几个字一直盘旋在总督察的脑海里,让他很烦躁。他本来希望亲自把整件事情调查清楚的。作为一名督察,他本就想一查究竟。而且,只有弄清楚死者的身份,他才能在公众面前展示他们部门的办事效率。他可是一位忠实的人民公仆。不过现在看来,这是痴人说梦了。现在他们连死者的身份都不知道,一点儿有用的信息都没有。唯一知道的就是,这是件暴力血腥事件。

总督察压下胃里的恶心,伸手从桌上拿起一块看上去还算干净的衣服碎片。这是一条天鹅绒布条,下面还连着一块三角形的深蓝色布料。他把布条举了起来,凑到眼前。巡警见此又开始絮叨了:"天鹅绒领口。真有意思,老太太竟然注意到了他的天鹅绒领口。她告诉我们,男人穿一件天鹅绒领口的深蓝色外套。肯定就是她看到的那家伙,错不了。他全在这儿了,天鹅绒领口,还有他身上所有的东西。我都给捡回来了,就连邮票大小的碎片都没放过。"

总督察已经不再听他絮叨了,直觉告诉他布条上有线索。他走到光线明亮的窗子前,细细地观察手里的三角形碎布,他的脸背对着房间,展现出对碎布的浓厚兴趣。突然,他猛地把碎布从天鹅绒领布上扯下来,把它塞进口袋,然后转过身来,把天鹅绒领布扔回到了桌子上。

"盖起来吧。"他沉声命令道,然后揣着他的战利品快步离开了。巡警在一旁向他敬礼,他看也没看一眼。

他就近上了一列开往镇上的火车,在三等车厢陷入了沉思。那块烧焦的碎片对调查至关重要,但是这般轻易就落到他手里,让他难免有些震惊,仿佛是命运把线索塞到了他的手中。他起初也像其他普通人一样,希望能够控制一切事态的发展。但是现在,他有些怀疑这得来全不费工夫的成功了,仿佛这成功似乎是强加给他的。成功的实际价值,很大程度上取决于你对它的看法。但是命运可没有那么多看法。命运是没得选的。对于那个用如此惨烈的方式把自己炸成碎片的家伙,他现在已经不那么迫切地想要向公众证明他的身份了。但是他不太确定他的部门会怎么想。一个部门里,每个人的想法和个性都不一样,但最终会形成这个部门的复杂特性和行事风格。部门的运作有赖于部门里这些公仆的忠诚和奉献,但他们的忠诚在一定程度上与其对这个部门又爱又恨的轻蔑息息相关。按照自然法则来说,任何人都无法成为自己贴身男仆眼中的英雄,否则这些英雄都得自己动手洗衣服了。同样,对于部门人员所展现出来的亲昵,任何一个部门也无法保持理性和明智。一个部门有时候所知道的甚至没有某些雇员知道得多，一个冷静公平的部门，永远不可能掌握所有信息，知道太多反而会降低部门的办事效率。总督察下车的时候还完全沉浸在自己的思绪中，他对他的部门依然保留着绝对的忠诚，但是心中却生出了一丝嫉妒和怀疑。如果我们对女人、男人或机构保持着绝对的忠诚，那么往往就会滋生出此种嫉妒和怀疑来。

案件本身的复杂性让他不自觉地联想到了整个人类的荒谬。从抽象的理论层面来看，如若不是喜欢理性思考的人，否则真得抓耳挠腮了。如果单看这个事件，就更加让人忍无可忍了。撞见教授的时候，总督察还处在这种精神状态下，不仅身体空虚，胃里也是翻江倒海。这种情况下碰上教授，无疑让总督察更加心烦意乱，要是普通人，早就火冒三丈了。他当时脑子里根本就没想到教授这号人，就连那些无政府主义者，他也还没有心思去想。总督察刚入行的时候，一门心思都扑在了打击猖獗的偷窃犯罪上，也在这个领域取得了一定成绩。他晋升后被调到了其他部门，但是对打击偷窃行为的热情丝毫不减。偷窃并非十足荒谬，它也是人类的一门行当，只不过是非正当行当而已。从事偷窃的人一样得付出辛勤的劳动，跟那些从事陶瓷制作、开采煤矿、田间劳作和打磨工具的人，在目的上没什么区别。他们都需要付出劳动，唯一的区别在于承担的风险不同。从事偷窃的人，他们不会关节僵硬，不会铅中毒，不会面临爆炸的危险，也不需要风吹日晒，他们面对的风险，用他们的行话说，是"七年牢狱之灾"。总督察当然也明白偷窃与其他行业在德道上的本质不同，那些从事偷窃的人也不是不明白这一行当的不道德性。正如总督察要接受部门的约束，这些盗贼也同样需要面对道德的制裁。他们也是他的同胞,总督察相信他们只不过是因为受到的教育不足才走上了歧途。理解了这种差异之后,他反而可以理解盗贼的想法了。事实上,他们的想法和本能与警察是一样的。盗贼和警察都遵循相同规则,他们都清楚地了解各自行业的工作方法和日常工作。让彼此都感到欣悦的是,他们了解彼此,这让他们之间的关系变得相对轻松很多。他们是同一台机器生产出来的两种产品,一种是有益的,而另一种则是有害的,虽然他们对待这台机器的方式截然相反,但态度都是同样严肃而认真。总督察无法容忍任何叛乱,但是他针对的盗贼不是叛乱之徒。他精力充沛,态度坚定,有勇有谋,公平正义,这些品质帮助他取得了早期的成功,也为他在所在的领域赢得了很多追捧。他觉得自己是被尊敬和钦佩的。总督察此刻站在绰号"教授"的无政府主义者六步之遥的地方,不免又开始感慨那些盗贼:他们理智,不追求病态的理想,按惯例行事,对当权机构恭敬有加;他们既不心怀怨恨憎恶,也不感到绝望。

  总督察在心中暗暗向那些正常的盗贼致敬了一番(在他的潜意识里,盗窃与财产的概念一样,都是很正常的),于是他现在开始生自己的气了,恼怒自己一开始就不该停下来,不该和教授说话,不该走这条从车站到总部的捷径。他的声音本就洪亮权威,现在刻意放缓了语调,于是就在无形中给人一种威胁:"我明确告诉你,我们没打算逮捕你。"

  听到这话,对面的无政府主义者一动未动。他咧开嘴嘲讽地笑了,笑得浑身发颤,连牙龈都露了出来,但却没有发出一点儿声音。斟酌之后,总督察又补充道:"至少现在不会。等我想要逮捕你的时候,你就无处可逃了。"

总督察的这几句话说得中规中矩,也符合他警官的身份,展现出警官对罪犯说话时的一贯态度。但是对方的反应却是一反常态,无礼至极,简直离谱得不像话。对面那个发育不全、身材瘦弱的教授终于开口说话了:"我敢断定,到时候报纸上估计会刊登你的死亡讣告。你知道这对你来说意味着什么。我想你应该能猜到报纸会怎么评价你。可惜,你最后还是得跟我同归于尽,当然你朋友或许会不嫌麻烦,尽量把你的尸体挑拣出来。"

教授胆敢说出这番话来,让总督察心生轻蔑,但是他话中恶意的暗示还是让他有所忌惮。希特具备充分的洞察力,也掌握了足够多的信息,所以没办法把教授说的话当作是胡言乱语。教授的背靠着墙,虽然声音虚弱,却十分坚定,他昏暗瘦弱的身影让这条狭窄的小巷变得更加阴暗了。对生命力充沛而顽强的总督察来说,面前这个身体残缺的小个子男人显然是个不祥的存在。在希特心里,如果自己沦为教授这样悲惨的东西,他会恨不得自己马上死去。但是此刻,他心中只有强烈的求生欲,胃里又泛来一阵恶心,眉头也冒出了细汗。城市生活的喧嚣声,左右两旁街道上渐行渐远的车轮声,都透过小巷的墙壁传进他的耳朵,让他觉得熟悉而温馨。他也是个普通人啊。但总督察希特还是一个男人,对于教授的话,他做不到无动于衷。

"你这话也就拿来吓唬吓唬小孩子,"他说,"我会逮到你的。"

这话说得很有力,而且语气平静,没有丝毫轻蔑之意。

"这话不假,"教授开口说,"但是相信我,以后不会有今天这么好的机会了。你是个有信仰的人,这可是自我牺牲的绝佳机会。以后不会再有这么有利、这么人性化的时机了。你看我们周围,连只猫都没有，房子也都是摇摇欲坠的，一爆炸铁定就成一堆废墟了。以后再抓我，可就得付出点儿生命和财产的代价了，你可是领着薪水、承担着保护这些生命和财产的责任的。"

"你根本不了解我。"总督察语气坚定，"我要是现在逮捕你，最后就沦落得跟你一样的下场。"

"啊！要分个高低胜负出来！"

"你也应该清楚，最后胜出的肯定是我们这一方。不过我们还是得让公众知道，你们这些像疯狗一样的人，就该当场处决。这才是真正的胜出。该死的，我还真不知道你想要赢得什么。我相信就连你自己也不清楚吧。在这场游戏中，你什么也得不到。"

"当然，目前来看，一直获益的人是你。不仅获益了，你还赢得很轻松。姑且不说你领着薪水，你之所以能赢得现在的声誉，不就是因为对我们所追求的理想一无所知吗？"

"你的追求是什么？"总督察带着轻蔑很不耐烦地问道，似乎是察觉到对方在浪费他的时间，没必要再周旋下去了。

对面的无政府主义者抿着毫无血色的嘴唇无声地笑了。出于自身的优越感，受人敬重的总督察抬起了手，警告对方说："放弃吧，不管你追求的是什么。"他以劝告的口吻说道，但是语气里并没有劝诫声名远播的盗贼时的那种亲切，"放弃吧。我们这么多人，你根本不是对手。"

定格在教授脸上的笑容微微颤抖，似乎内心支撑着他去嘲讽这一切的自我崩塌了。总督察步步紧逼："不相信我是吗？好啊，你自己看看周围。我们有很多人。退一步说，你自己做得也一塌糊涂。你总是把事情搞得一团糟。啧啧，盗贼要是不清楚自己的工作可是会被饿死的。"

对面那个男人背后有一群战无不胜的人支撑着,这个暗示让教授的心中燃起了熊熊怒火。他脸上那高深莫测的讥讽笑容消失不见了。对于注定要孤独顽抗的教授而言,人多势众所带来的力量,还有攻不可破的麻木大众,都是萦绕在他心头的噩梦。他努力控制住不停颤抖的嘴唇,用近乎窒息的声音说:"我的工作做得比你好。"

"不用再说了。"总督察不耐烦地打断他。教授此时终于笑出声来了,他大笑着开始往前走,不过这笑声并没有持续多久。这个矮小的男人从狭窄的巷口出来的时候一脸悲伤,他拖着沉重无力的脚步慢慢走入了喧嚣的大道,他不停地往前走着,丝毫不理会洒在身上的是雨水还是阳光,也完全不关心头上的天空和脚下的大地。不同于教授的无精打采,总督察希特默默注视了一会儿他的背影,感觉自己又浑身充满了活力。他此刻没心思关心外面的天气情况,在这片他立足的土地上,他感觉自己肩负着神圣的使命,而且他的使命有来自众多同行的道德支持。这个镇上的所有人,这个国家的所有人,甚至这个地球上的所有人,都是和他站在同一战线上的,就连那些盗贼和乞丐也是他这一边的。是的,在这件事情上,盗贼们肯定是与他同仇敌忾的。意识到整个世界都支持着他的工作,这让希特的信心大增,决心要好好解决掉眼前的这个问题。

总督察眼前要解决的首要问题就是他的直属上级——部门的副局长。这是可靠忠诚的公仆需要长期面对的问题。无政府主义有其特殊性,但是仅此而已。说实话,总督察对无政府主义并没有很在意,也没觉得这是多严重的问题,他自己是不会认真严肃地对待这个问题的。无政府主义无非就是毫无组织的混乱行为,跟酗酒后的混乱行为还不一样,酗酒的人最起码还是以狂欢为目的的,本身没有任何恶意。作为罪犯,无政府主义者显然是最没水准的,一点儿水准都没有。总督察摇摇晃晃地往前走着,突然又想到了教授,从牙缝里挤出两个字来:"疯子。"

抓盗贼就完全不一样。盗窃这一行跟其他公开比赛一样,都是严肃认真的,在合理的规则下,最优秀的人总会获胜。对付无政府主义者却没有规则可言,这让总督察很反感。所有的一切都很愚蠢,偏偏这种愚蠢可以让公众为之兴奋,能够触动高层人士,还会影响国际关系。总督察继续往前走,脸上挂着冷冷的蔑视。他在脑海里一一审视他所知道的所有无政府主义者,没有一个人在胆识上胜过他所知道的那些盗贼,连盗贼一半的胆识都没有,根本没有可比性。

总督察来到总部,立即就被叫到了副局长的办公室。办公室里,副局长手里拿着钢笔,正俯身看桌上散落的文件,仿佛在膜拜一个青铜和水晶做的巨型墨水台。蛇形的传话筒绑在副局长的木质扶手椅上,张开的大口似乎要把他的胳膊肘吞下去。他保持现在的姿势没有动,只把眼睛抬了起来,眼睑比脸上的肤色还要暗,而且皱巴巴的。他已经收到报告了:他们已经考察了所有在列的无政府主义者。

说完这话,他又低下了眼睛,在两张单页文件上快速签了字,然后才把笔放下,坐到后面的椅子上,用询问的眼神看着他这位名声在外的下属。总督察表现得不卑不亢,既恭敬,又深沉。

"你一开始对我说伦敦的无政府主义者跟这件事没关系,我想你是对的。我很欣赏你的人,他们的监视工作做得很到位。但是从另一个角度看,这不就等于向公众承认,我们对这件事的发生毫无察觉吗?"

副局长说话的时候很从容,很谨慎。每说完一个字,都要停顿一下,似乎他的思绪需要借助这个字做跳板,避开中间错误的字眼,小心地跳到下一个字上。"希望你这次从格林尼治带来了什么有用的信息。"他又补充一句。

总督察立即实事求是地向副局长汇报案情。他的顶头上司把椅子稍稍转过来,盘起纤细的双腿,一只手遮住眼睛,侧身靠在胳膊肘上。他倾听汇报的姿态里透着一股别扭和伤感。待总督察汇报完,他把头侧过来,乌黑的额头两侧闪着亮光,像是被细细打磨过的银器。

总督察汇报完,脑子里又把刚才说的话过了一遍,纠结着要不要再补充几句。他还在犹豫,副局长就开口问了:"你觉得当时是两个男人?"问这话的时候,他把遮挡在眼前的手拿下来了。

总督察觉得应该就是两个男人。根据他的判断,两个人是在距离天文台一百码的地方分开的。他跟副局长说了他的猜测,另一个男人避开了人们的视野,匆匆离开了,当时的晨雾虽然不是很浓密,但也多少给他提供了掩护。他应该只是护送另一个人到现场,并没有参与后面的动作。根据老太太看到他们从车站出来的时间来算,爆炸发生时另一个人应该还在格林尼治公园车站。他在等车离开的时候,他的同伴把自己炸成了碎片。

"炸成碎片了呀?"副局长拿手遮着眼睛,低声问了一句。

总督察言简意赅地说了说尸体的情况,"验尸官可有的忙了。"他又冷冷地补充一句。

"我们什么信息也给他们提供不了呀。"副局长懒懒地回应。

他抬起头来,注视着态度不明的总督察。他不是个轻易相信猜测的人,他知道一个部门的命运掌握在下属官员的手里,而他们对忠诚都有自己的看法。他最初是在热带殖民地任职的,他喜欢那里的工作,那是正儿八经的警察该干的事。在殖民地的时候,他追踪瓦解了一个又一个当地的秘密不法组织,工作做得风生水起。之后,他休了个长假,冲动地结了婚。在外人看来,他们也算郎才女貌。但是他的妻子因为道听途说,对殖民地的气候很排斥,再加上,她本身颇有些关系。这真是天作之合。可是他很不喜欢现在所做的工作,他觉得现在过于依赖下属,也过于依赖上级。公众舆论下的大众情绪也时刻让他精神紧张,公众的冲动让他惊慌失措。毫无疑问,由于自己的无知,他过分夸大了舆论的影响,尤其是舆论不好的影响。从英格兰吹来的春季的东风(他妻子很喜欢这样的东风),加剧了他对人类做事动机和机构效率的不信任。这些在工作毫无进展的日子,让他敏感的神经愈加烦躁。

他站起来,把身子舒展开,然后迈着沉重的步伐走到窗户旁。外面的雨水打在窗玻璃上,他朝下看了看,外面的小巷子潮湿而空旷,像是被洪水冲刷过。真是让人烦躁的一天,早上是让人窒息的大雾,这会儿又开始下雨,阴冷冷的。煤气灯的火焰忽闪忽闪的,像是马上要被这潮湿的空气淹灭。人类的自负和傲慢似乎受到了这恶劣天气的无情打压和羞辱,那膨胀而绝望的虚荣心,此刻也愈发让人鄙夷和同情。

"太可怕了,太可怕了!"副局长的脸紧挨着窗户,心里暗暗感慨。"这鬼天气已经持续十来天了,不对,两星期,已经两个星期了!"他的思绪突然完全中断了,大脑陷入了一片空白,持续了大约三秒钟的时间。然后很敷衍地问道:"你应该已经派人沿线去走访,调查另一个男人的行踪了吧?"

他相信所有能做的工作都已经做了，总督察在追踪嫌疑人方面肯定是了如指掌的。这些都是最常规性的工作，参与调查的警官肯定一开始就去走访了。对车站的守卫和收集车票的工作人员进行询问后，应该就能知道这两名男子的更多详细信息，从车票上也能看出那天早上他们是从哪里来的。这些都是基本工作，他们不会忽视掉的。果然，总督察回答说，他们在询问过老太太后就去走访调查了。他还给副局长报告了他们乘车出发的车站名称。"他们就是从这里过来的，先生。"他接着说，"梅兹山车站的守卫也记得有这么两个人下车后出了闸门，他觉得两人从事的都是很体面的工作，画广告牌或者装饰房屋。大个儿男人是从后面的三等车厢出来的，手里拿着一个明晃晃的锡皮罐。走到站台后，他把罐子交给了跟在他后面的瘦弱年轻人。他的描述跟我们的警官在格林尼治询问老太太获得的信息完全吻合。"

副局长没有转头，他看着窗外，脸上满是质疑，他不认为这俩人跟这次的爆炸事件有什么关系。所有的推测都是基于一个老女佣——一个在匆忙中差点被人撞倒的老太太的话。她的话确实没有任何权威性，除非是有官方授意，但这根本不可能。

"坦白讲，真的有人授意她这么说吗？"副局长讽刺地问道，他背对着房间，好像被半笼罩在夜幕中的城镇所吸引。他眼睛还注视着窗外，然后就从背后传来了他的下属的回答："天意吧。"总督察是他在部门里不容忽视的一个下属，他的名字时不时地会出现在报纸上，所以公众对他都很熟悉，知道他是一位热情而勤勉的社会保护者。总督察稍稍抬高了声音接着说："我确确实实看到明晃晃的锡皮罐碎片了。这是很好的佐证。"

"不过他们是从那个乡村小车站来的。"副局长依然心存疑惑。总督察告诉他,当时梅兹山车站收上来的三张车票中,有两张写的都是这个车站。第三个人是从格雷夫森德过来的小贩,守卫对他很熟悉。总督察明显不想再多说什么了,他心里此刻也有些恼火了。作为忠诚的公仆,他认为自己已经尽职尽责了。但是副局长还是背对着他,眼睛注视着外面漆黑的夜幕。

"从那地方过来的两个外国无政府主义者,"他对着窗户说,"这根本说不通。"

"是说不通。不过要是那个米凯利斯没有住在附近,那就更说不通了。"

这个名字毫无征兆地冒出来,整件事变得让人更加烦躁了,副局长本来隐隐约约地在想他每天到俱乐部打扑克牌的事,这个名字又一下子把他拽回到现实了。在俱乐部打扑克牌是他这辈子最舒心的一件事,他可以通过施展自己的技能获胜,完全无需依赖他的下属。他每天下午五点到七点都去俱乐部打牌,然后再回家吃晚饭。在那两个小时,他可以暂时忘掉生活中所有的不愉快,打牌对他来说就像是一剂良药,可以缓解他对德道的不满和痛苦。他的玩伴中,一位是知名杂志的编辑,人很幽默;一位是年纪较大的律师,沉默寡言,眼露凶光;还有一位陆军上校,头脑简单,崇尚武艺,一双棕色的手总是紧张的微微颤抖。他们都是副局长在俱乐部的熟人,不过除了在牌桌上,他从未在其他地方约见过他们。那几位来打牌的时候似乎也把自己当作了生活的受害者,似乎这种比赛可以治愈他们在各自生活中隐秘的伤痛。每天,当太阳从小镇无数的屋顶上落下,他内心就涌起一种柔和而愉悦的躁动,像是那种可靠而深刻的友谊激起的冲动,把他从繁重的工作中释放出来。但是现在,他的身体一个激灵,这愉快的感觉就被抽离出去了,取而代之的是他对自己所做的社会保护工作的特殊兴趣。这是一种很不恰当的兴趣,确切地说,他之所以会突然产生这种兴趣,是因为他对自己手中所掌握的武器失去了信任。

第六章

　　米凯利斯是宣扬人道主义的假释犯,他的女资助人是副局长妻子的所有朋友中,影响力最大,也是最出色的一位。她叫副局长的妻子为安妮,在她眼里,安妮就是一个不太聪明,也没有任何经验的年轻女孩儿。但是她对副局长却十分友善。副局长妻子的那些有影响力的朋友中,很少有这么对待副局长的。她当年结婚的时候,既年轻又漂亮,见证了很多大事件的发生,也接触过一些大人物。她自己也堪称是一位风云人物。尽管现在上了年纪,她独特的气质却并没有把飞逝的时间放在眼里,就好像时间是那些低级人类才遵从的粗俗惯例。至于时间之外的其他惯例,就更加入不了她的眼了,因为与她的性情不符啊——这些世俗之事要么让她感到厌烦,要么就妨碍了她嘲笑和同情他人。她也从未钦佩过什么人(这是她高贵的丈夫私底下对她的一重抱怨)——一来是因为这样总会或多或少沾染平庸,二来是在某种程度上承认自己不如他人。不管是哪种情况,都与她的本性格格不入。她喜欢直言不讳地发表自己的观点,因为她从来都只会从她所处的社会地位来评判。她做事也同样不受束缚，交际的圆滑完全出自本性。她现在依然活跃出众，平静而热忱，三代人都对她无限敬仰，连她最不愿意打交道的人都说她是一个了不起的女人。她有着崇高质朴的智慧和好奇心，这与大多数女性不同，她们都只对社会上的流言蜚语感兴趣。随着年岁的增长，她靠着自身强大的力量和超群的社会声望，凭借着合法的或者非法的手段，把所有活着的各界人士都吸引到了她身边，包括那些有智慧的，有胆识的，幸运的，以及不幸的。她的房子里接待的不仅有皇室贵族、艺术家、科学家、年轻的政治家，还有各类江湖术士。这些人就像飘浮到水面上的软木塞一样，能够直观地展现时局的发展动态。他们在这里都能受到欢迎，得到倾听、理解和赞誉，而她也能从中受到启迪。用她自己的话来说，她喜欢看世界的走向。她头脑务实，虽然吸取到的观点都带有偏见，但她对人和事的判断都多少有些道理，自己也从不刚愎自用。除了因为公务且在官方的地盘上之外，副局长可以跟假释犯会面的地方，估计也只有她的客厅了。至于那天下午是谁把米凯利斯带来的，副局长已经记不太清了。他猜想应该是某个国会议员，出身显赫，且拥有非比寻常的同情心，当然这些因素都足以让他沦落为连环漫画里的笑柄。炙手可热的显贵人物都可以自由地相互邀请，同到老妇人的圣殿里来，满足她那并不高贵的好奇心。气派的客厅里用褪色的蓝色丝绸和镀金框架的屏风围起一个舒适的半隐秘角落，内有沙发和几把扶手椅，人们或坐或站在六个高大的明亮窗户前，热烈地讨论着。在这里，你永远猜不到自己会碰到什么大人物。

米凯利斯一直以来都是大众愤恨的对象，这种愤恨，从多年前他被判终身监禁时开始一直都未减弱。当年他企图从一辆马拉警车里救出几名囚犯,他和他的团伙计划射杀马匹,制服护卫。不幸的是,他们误杀了其中一名警员,死去的警员撇下了妻子和三个孩子。警员的死引起了公众对每天因捍卫国家安全、福祉和荣耀而殉职的公职人员的关注,激起了强烈的愤慨,以及对受害者难以平息的怜悯。参与劫囚的三名头目被判处绞刑。当年的米凯利斯年轻而清瘦,是名锁匠,常常去夜校。案发时,他和其他几个团伙被分派去开囚车的门,不知道死了人。被逮捕时,他的一个口袋里装着一串万能钥匙,另一个口袋里装着一个沉甸甸的凿子,手里拿着一个短撬棍,典型一副盗贼模样,只不过,一般的盗贼不会受到他这样严重的判决。警员的死,加上劫囚的失败,让他心里备受煎熬。在陪审的同胞面前,他丝毫没有掩饰这些情绪。这种良心的谴责在拥挤的法庭上并未得到人们的谅解。法官判决时,慷慨激昂地呵斥了这名年轻犯人的堕落和麻木不仁。

法官的这番谴责竟然让他毫无缘由地出了名。而他被释放的理由也是牵强附会,不过是那些希望利用大众情绪的人,为了自身目的,或者说没有什么明确的目的而想出来的。他纯真质朴的心灵与思想允许他们这样做。他并不关心自己的个人际遇。他跟那些圣人一样,在追寻信仰中牺牲了自己的个性。他的想法不算是信条,也不能去推理。那种不可战胜的人道主义信条是在所有的矛盾和模糊中形成的,他承认却不鼓吹。他温和又固执,嘴角泛着平静而自信的微笑。他那双坦率的蓝眼睛低垂着,因为看到他人会干扰他的灵感,使其无法在孤寂中得到发展。这般不同寻常的个性在那可笑的无可救药的肥胖躯壳中显得甚是可悲,他得像划船的奴隶一样一直拖拽着自己的身躯,直到死亡。警察局副局长看到他时,他正坐在屏风里老太太的沙发旁,将一把特意为他提供的扶手椅挤得满满当当。他声音温和而安静,像小孩子一样腼腆自持,但也带着一种孩子特有的魅力——令人信任的魅力。他对未来充满信心,在那个著名的监狱的四面围墙里,他已经获悉了未来发展之路,他没有理由怀疑任何人。如果说他不能给这位伟大而好奇的夫人一个非常明确的关于世界未来的想法,他也能毫不费力地用他那坚定的信念和乐观精神来打动她。

在社会等级的两端,性情平静的人的思想通常都有一种质朴性,这位伟大的女士也是这样。米凯利斯的观点和信仰没有使她感到震惊,因为她是居高临下地在审视这些观点。的确,她很容易同情这种人。她自身不是剥削的资本家,更像是凌驾在经济规则之上。那些常见的人类苦难,让她感到同情,因为从未体验过,所以她不得不把这些概念转化为精神上的痛苦,才能理解其残忍。副局长清楚地记得米凯利斯和老夫人之间的谈话。他静静地听着。在某种程度上,对话是令人兴奋的,甚至是令人同情的,因为这番交流注定是徒劳的,就像是居住在不同行星上的居民之间的道德交流。但是,这种人道主义激情的怪诞化身,在某种程度上激发了人的想象力。最后,米凯利斯站起身来,用他厚厚的手掌握住夫人的手,摇了摇,又停留片刻,友好而不尴尬。他宽厚的后背,仿佛要从短粗花呢外套下面膨胀出来一样。他安详仁慈地扫视了下四周,蹒跚着穿过外面的来访者,走向远处的一扇门。他经过的时候,窸窸窣窣的交谈声都停了下来。他无意中与一个聪颖的高个子女孩儿目光相接,便朝着她天真地笑了笑,然后无视其他盯着他的眼神,径直走了出去。第一次露面就取得了成功,在场没有一句嘲弄声。他走后,之前中断的谈话又恢复了,还是适当的音调,或庄重,或轻松。只有一个身材魁梧、四肢修长、神情活泼的男子,四十来岁,与两位坐在窗边的女士谈话,他大声地说:"我得说,他得有114千克,可身高还不足一米六七。可怜的家伙!真是可怕,真可怕。"

屏风后面只剩下副局长和女主人两个人,女主人心不在焉地望着这位副局长,苍老俊秀的面孔若有所思,一动不动。几位留着灰白胡子的男人,面色健康、暧昧地笑着,他们绕过屏风凑上前来;上前来的还有两位成熟的女士,有着端庄优雅的风度,以及一位胡子刮得干干净净的男士,他脸颊凹陷,戴着黑色的宽幅缎带,上面挂着一个金边单片眼镜,有种旧式的花哨。有那么一会儿,气氛沉寂下来,但满是毕恭毕敬。然后夫人大声说道,语气里不是带着怨恨,倒是有一股子抗议般的愤慨:"官方说他是一个革命家,太荒谬了!"她狠狠地盯着副局长。他带着歉意,喃喃地说:"也许不是个危险的革命家。"

"不危险——反正我是这么认为的。他仅仅是个信徒,他身上具备的是圣人的气质。"夫人坚定地说,"他们把他关了二十年,真是愚蠢得让人战栗。现在放他出来了,可他身边的人,故去的故去,不知去向的不知去向:他的父母死了,他要娶的那个女孩儿死了。他那门子手艺也废了。他把这一切告诉我时,依然很平静。然后他说,这样反而让他有足够的时间去独自思考,这补偿也不错!如果说这样就叫革命分子的话,我们中的某些人真该去给他下跪。"她略带嘲讽地说。众人依旧顺从地注视着她,只不过脸上那一套世俗的微笑变得有些僵硬。"这个可怜的家伙显然已经没法再照顾自己了,总得有人适当照顾照顾他。"

"应该推荐他去接受相应的治疗。"那个神情积极的人恳切地建议道，果敢的声音从远处传过来。相对于他的年龄，他的精神状态非常不错。身上长礼服的质地也很有弹性，就好像是活的人体组织器官一样。"他就是个跛子啊。"他又自以为是地补充一句。

其他人好像很高兴有人开了头一样，也都低声嘟囔，以示自己的同情。"真令人吃惊啊""太荒谬了""让人不忍直视"。那个戴着眼镜的瘦长男人，装腔作势地说了句："怪诞。"站在他身边的人都相视而笑，纷纷表示认同。

副局长自始至终都没有发表任何意见，他的立场太过特殊，无法独立发表任何关于这个假释犯的个人观点。但事实上，他同意夫人的观点——米凯利斯是一个多愁善感的人道主义者，虽说有点疯狂，但总体来看，他是连只苍蝇都不会去故意伤害的人。因此，当这个名字突然在这个棘手的炸弹事件中冒出来的时候，他意识到这个假释犯危险了，而他又一次想到了这位老夫人根深蒂固的迷恋。她专横的仁慈不会容忍任何人对米凯利斯的自由带来威胁。那是一种深沉的、平静的、确信不疑的迷恋。她不仅觉得他不会伤害他人，而且还直言不讳地说了出来。她那混乱的绝对主义思想最终变成了一种不容置疑的论证。那个男人率直的婴儿般的眼睛和天使般的微笑，使她着迷。她几乎完全相信了他关于未来的理论，因为与她所持的偏见并不冲突。她不喜欢社会上的富豪统治，而作为人类发展方式的工业主义，其呆板和无情也让她格外反感。温良的米凯利斯关于未来的人道主义设想，其目的并不是要将整个社会完全摧毁，而只是单纯地想要打破现有的经济制度。她并不觉得这在道德上会造成什么危害。这种设想可以把社会上一大批"暴发户"清理掉，她厌恶和怀疑这些人，并不是因为他们无所成就（她并不否认他们作出的成绩),而是因为他们太过无知,对世界没有清醒的认识,这也是造成他们认知鄙陋、内心匮乏的主要原因。如果资本都消失了,他们这些人都得跟着一并灭亡。但是在这种普世的毁灭下(假设真如米凯利斯所说,是普世的毁灭的话),现有的社会价值并不会受到影响。即便世上最后一张钞票也被毁掉了,他们这些人的社会地位也并不会受到丝毫影响。拿她自己来说,她并不觉得自己的地位会发生什么改变。她把她的这些感悟一一说给副局长听,语气平静而无畏。作为上了年纪的老太太,她并没有变得麻木不仁。副局长给自己立了条规则,听到这类言论一定要保持沉默,千万不要说出什么触犯对方原则或情感的话来。他对这位上了年纪的米凯利斯信徒很是喜爱,这是一种颇为复杂的感情,不是来自她的声望,也和她的人格无关,而是出于一种本能——一种受到恭维后而心怀感激的本能。在她这里,他觉得自己备受喜欢。她不仅和蔼亲切,而且很聪明,这是阅历丰富的女人才能够具有的品质。她充分地承认他作为安妮丈夫的权利,这让他的婚姻生活轻松很多。他的妻子本是那种自私、嫉妒、爱猜忌的小女人,但是她在很大程度上影响了妻子。遗憾的是,她的善良和智慧也都不是绝对理性的,带有明显的女性色彩,应对起来也并不容易。她一生都活在传奇之下,内心也一直是个十足的女人,不像有些上了年纪的女人,虽然还穿着裙衫,内心已经沦落成让人厌恶的狡猾的老男人了。在他心中,她一直是女性的形象,更是女性的典型化身。她温柔、朴实,还是所有男人的强大守护者,包括传教士、预言家、先知和改革家,在她的感染下,他们侃侃而谈,真假难辨。

　　副局长不仅对妻子的这位颇有影响力的好朋友很欣赏,连带着也很欣赏米凯利斯,此刻这位假释犯的命运被牵扯进来,他立刻变得警觉起来了。一旦他因涉嫌参与这次爆炸事件被逮捕,不管是不是直接参与,最后都免不了被再次送进监狱。那他就必死无疑了,一旦进去,他就不可能再活着走出来了。副局长的这番联想,既不是出于真正的仁慈,也绝非一个担任公职的人该有的想法。

"这家伙要是再被逮进去,"他心想,"她绝不会原谅我。"

他心中这直白的想法,虽然没有明说出来,也值得他好好地反思一番。一个人如果从事的是他不喜欢的工作,对自身就不会心存太多幻想了。对工作的厌恶和倦怠会慢慢发展成为到对自身人格的厌恶和倦怠。如果你足够幸运,所做的工作跟你内在的真实性情相吻合,这种自欺行为才会让人觉得舒心。副局长不喜欢现在国内的工作。他在遥远的殖民地做警察的时候,工作一点儿也不循规蹈矩,至少户外的活动会给他带来冒险的刺激。他的真正能力在于执行行政命令,这才符合他的冒险精神。在这个四百万人的城镇中,他却被困在一张办公桌前,他觉得自己完全沦为了一个命运的受害者,真是无比讽刺。他跟一个对殖民地气候敏感,而且本性粗俗、品味低下的女人结了婚,这无疑更加可悲。他虽然觉得自己的这种惊慌很讽刺,但并没有将这不恰当的想法抛之脑外。他内心自我保护的本能太强烈了。不仅没有打消这种想法,他还很世俗地在心中反复强调:"该死的!如果这个可恶的希特不知好歹,那个胖家伙就真得死在监狱里头了,那她是不会原谅我的。"

他站在窗前一动不动,黑色的身影看上去很消瘦,白色的领口衬得脑后的短发闪闪发亮。总督察见他一直保持沉默,便壮着胆清了清喉咙。咳嗽声显然起到了效果,副局长虽然还背对着他没有动,却开口向我们这位聪明又主动的总督察发问了："你觉得米凯利斯跟这件事有关？"

总督察态度很肯定，不过回答得却很谨慎："是的，先生。"他回答说，"我们手头上要做的事很多，但是即便再忙，也不能让他这样的人逍遥法外。"

"你得有拿得出手的证据才行。"副局长小心提醒。

总督察对着副局长瘦弱的背影挑了挑眉，他对自己的猜测和满腔热情完全无动于衷啊！

"找到逮捕他的足够证据不是什么难事。"他自鸣得意地说。"这点你可以相信我，先生。"他又很多余地补充一句，这话倒也是发自内心。在他看来，逮住他是件十分有利的事情。一旦这件事激起了公众的愤怒，就把他推到公众面前平息群愤。至于会不会激起群愤，现在还不好说。当然，事情会怎么发展，还要看报纸媒体会怎么说。不管怎么说，总督察希特干的就是逮捕犯人的行当，他有着自觉维护法律的本能。他理所当然地认为，任何公开触犯法律的人都该被送进监狱。这个信念太过强烈，导致他犯了个愚蠢的错误。他颇为得意地笑了一声，又强调一遍："相信我吧，先生。"

过去的十八个月，副局长一直强压着心中对整个体制、对部门下属的怒火，总督察刚才的话让他彻底爆发了。他就像一个方形的木楔，被人给硬塞进一个圆洞里。如果是一个本身没有太多棱角的人在这个长期以来被打磨的光滑无比的圆洞里，或许还能无所谓地耸耸肩，忍一忍就妥协了。但是他不行，他每天都有止不住的怒火。让他最憎恨的，是需要把如此多的信任交付给他人。听到总督察那一声短促的笑声，他猛地一下转过身来，仿佛受到了电击，被从窗户边弹了出去。他转过身,然后就看到了总督察隐藏在小胡子下的自鸣得意的神情,还有紧盯着他背影未来得及隐去的探究警惕的目光。足有一秒钟,总督察才反应过来,把注视着副局长的目光收回,脸上也转为微微吃惊的神情。

不得不说,能做到副局长,他还是有两把刷子的。此刻他突生疑窦。按理说,他本该对警察办案的那一套方法产生怀疑(除非警局是他亲自组建的半军事机构)。如果他的猜疑之心曾一度因为倦怠而陷入沉睡,这种沉睡也绝不会长睡不醒。再则,他虽然也很欣赏总督察的工作热情和能力,但是这种感情也是很有克制的,并不包含任何道德上的信任。"他心里有鬼。"他在心里大喊一声,立刻怒火中烧了。他大步走到办公桌前,猛地坐下。"我完全被困在一堆破文件里了,"他心中愤愤地想,"我本该把所有线索都掌握在自己手中的。而我现在手里握着的,都是别人塞给我的东西,除此以外什么都没有。而他们却可以随心所欲地去追查其他线索。"

他抬起头,瘦削的脸庞看向他的下属,那神情十足就是一个激动的唐吉·诃德。

"说说吧,你有什么锦囊妙计?"

对方凝视着他,瞪着圆溜溜的眼睛一眨也不眨。总督察习惯用这样的眼神凝视他的犯人,犯人得到警告后,会用或受伤无辜,或虚伪愚蠢,或阴沉恭顺的语气发表抗议,那个时候,他就像现在这样盯着他们看。但是,在他专业的面无表情的凝视背后,还隐藏着一丝惊讶、轻蔑和烦躁。总督察希特作为部门的二把手,一般没人会用这样的语气跟他说话。仿佛被一件意想不到的事弄懵了头,他开始故作愚钝。

"您的意思是,我有什么对付米凯利斯的锦囊妙计吗?"

副局长看着总督察尖尖的头顶,眼角处布满皱纹,北欧海盗模样的胡须从肥厚的下巴垂下来,整个身体丰硕而苍白,一身肥肉让他本来意志坚定的品格大打折扣。副局长认真审视着他这位让人无比信任的重要下属,忽然想明白了一件事。

"我有理由相信,你刚进来的时候,"他慎重地说,"脑子里怀疑的人并不是米凯利斯吧。至少他不是你的首要怀疑对象,或者你根本就没有怀疑过他。"

"你有理由相信,先生?"总督察低声重复道,脸上是无比惊讶的神情,他内心也的确很惊讶。他已经意识到了这件事的微妙性,偏偏意识到事情微妙的人还得继续伪装,不能直言不讳。这种伪装存在于绝大多数的人类事务中,掩盖在技巧、谨慎或缜密的名义下,以各种不同的方式展现出来。此刻他觉得自己就像是走钢丝的艺术家,表演进行到了一半,音乐厅的管理人员却不好好做他的管理工作了,突然跑去摇晃钢丝。这让他感到愤慨,通俗点说,这种近乎背叛的不道德行径让他陷入了危险境地,面临着摔断脖子的危险。此外,这还可能让他的职业名声受损,要知道,一个人无法单凭人格出名,还得借助某种有形的事物,把自尊心建立在货真价实的东西上,比如说显赫的社会地位,或者出色地完成本职工作,如果足够幸运,可以游手好闲,也可以把自尊心建立在由此获得的优越感上。

"是的,"副局长回答说,"的确如此。我并不是说你根本没有怀疑过米凯利斯。但是你给我提供的这个事实,让我觉得并不太坦诚,总督察。如果你所说的确实是调查后得出的结论,那么你为什么没有当机立断地去继续深入调查呢?你本人如果不能亲自去,也可以派手下的人到他居住的村庄去调查啊？"

"先生，您是觉得我失职了吗？"总督察反问道。他此刻全部心思都用在了维持内心的平衡上，脱口而出的这句话是他抓到的唯一救命稻草，没想到反给自己带来了责难。这话问得显然非常不礼貌，副局长微微皱了皱眉头。

"既然你这么问了，"他冷冷地说，"那我也告诉你，这并不是这个意思。"

他停了下来，凹陷的眼睛直直地盯着总督察，仿佛在说："你明知道我不是这个意思。"虽然受职位的限制，特别刑事部的这位老大不能亲自出门去调查社会上那些肮脏的勾当，但却有本事从下属那里探听到犯罪的真相。这种奇特的探听本能算不上是什么缺点，是自然而然的行为。他是天生的侦探。这种本能在潜意识里影响了他的职业选择，他的婚姻也是一种本能的选择，却是他人生中唯一的一次败笔。既然不能去国外闯荡，他便只好退而求其次，在这近乎隐退的官职中，从一切能接触到的人身上发挥他探听的本能。毕竟真实的自我是永远也无法隐藏的。

他的胳膊肘撑在桌子上，瘦削的双腿交叉着，纤弱的手掌托着脸颊，副局长对这个案子越来越感兴趣了。他的这位总督察，即便不是他绝对强劲的对手，也是他所能接触到的人中能力最强的一个。总督察虽然声名远播，但是副局长对此却并不买账，这是他作为侦探的本能。他突然想起在殖民地时的一位酋长，那时酋长已经上了年纪，人很胖但很有钱。历届殖民地总督都遵循着相同的惯例，他们把酋长看作是忠实的朋友，并依赖他来维护白人在当地建立起来的秩序和法律。但是如果深究起来，除了他自己，这位酋长根本不把任何人当作他的朋友。他倒也算不是什么叛徒,鉴于他自身的优势、所享受的舒适及安全感,他的忠诚中有诸多保留,存在潜在的危险。尽管表里不一,但也还算单纯,可是这依然是危险的。这段记忆让他有所感悟。总督察让他想起了这位酋长,他俩都是身材魁梧的人(如果不考虑肤色差异的话)。不是说总督察的眼睛或者嘴唇很像酋长,而是给人的感觉。阿尔弗雷德·华莱士不是也曾在他的著作《马来群岛》中写道:阿鲁岛上有一位上了年纪的居民,赤身裸体,皮肤黝黑,但是却在他身上看到了自己一位要好的朋友的影子。

自担任副局长的职位以来,他第一次觉得自己得好好做点本职工作了,不然对不起他的薪水。这感觉很不错。"我会像手套一样,把他里里外外翻一遍的。"副局长若有所思地盯着总督察,心里暗暗道。

"不,那不是我的意思。"他接着说,"你当然清楚你的工作,这点我毫不怀疑。这也正是为什么,"他突然停下来,转了话锋道,"你有什么逮捕米凯利斯的确凿证据吗?我的意思是,现在你所知道的事实只是有两个嫌疑犯,既然你肯定有两个人,他们从一个乡村小车站过来,而米凯利斯恰巧住在这个村子附近不到五千米的地方。"

"像他这样的人,有这点线索就足够去我们深入追查了。"总督察此刻已经恢复了镇静。副局长只不过对他的行动计划表示了些许认同,总督察此前的震惊和愤恨就都得到平息了。总督察是个善良的人,还是忠诚的丈夫、慈爱的父亲。他为人亲切友善,深得所有公众和部门人员的信任。他对历任副局长也都是友好相待,这间办公室,已经换了三任副局长了。第一任有军人的气质,性格莽撞,红色的脸盘,白色的眉毛,脾气很暴躁,不过很容易应对。他在任职年限达到后就离开了。第二位是个儒雅的绅士，他清楚地知道自己和他人的职责，后来升职调到英格兰之外高就去了。得益于总督察希特的出色工作，他还沾光被授予了勋章。对总督察来说，跟这位副局长合作是他的荣幸，俩人合作也很愉快。相比于第一位，第三位副局长有点像是"黑马"，十八个月过去了，对部门的人来说他仍是实力不明的"黑马"。总督察觉得，在这三位副局长中，现在一位是最无害的，人虽然长得丑，但是无害。副局长又开始说话了，总督察认真听着，脸上表现出的是恭敬（没什么特别的意义，职责使然而已），内心是宽厚的隐忍。

"米凯利斯从伦敦搬到那个村子去，给你们打报告了吗？"

"打了，先生，给我们打报告了。"

"他搬到那里做什么去了？"副局长接着问，对于这个问题他其实是了解情况的。他住在一个屋顶布满青苔的四居室村舍里，村舍有间阁楼，里面有张破旧不堪的橡木桌，桌子后面还有张陈旧的木制扶手椅。米凯利斯肥胖的身躯每天都卡在桌前的这张扶手椅里，用他颤抖的双手日夜写作。书名叫《囚徒自传》，内容貌似是关于人类革命历史的。村舍封闭又安静，大大激发了他的写作灵感。这里的环境有点像监狱，只不过他不用再像被监禁的那段时间，被强制无礼地要求出去活动。他沉浸在创作中，至于太阳每天是不是还照常升起，他根本就不关心。用心写作的时候，会有专注的汗水从额头落下。这种激情激励着他，让他感到愉悦。写作对他来说是内心生命的一种释放，让他的灵魂走到外面的大千世界中来。他单纯的虚荣心（那位出版商出价500英镑让他写作的时候，第一次被激发出来），也似乎是神圣的，是命中注定的。

"当然,如果能了解确切的情况是最好的。"副局长很虚伪地再次强调道。

副局长这般小心翼翼,不免让总督察希特再次感到恼火。他回答说,米凯利斯一到那里,那边的警官就收到通知了,如果需要,他们可以提供一份详细报告,用不了几个小时的,只要给那边的负责人发份电报——他慢条斯理地回答,心中似乎已经在权衡这么做会有什么后果了,微皱的眉头也暴露了他心中的思虑。但是副局长却突然打断了他:"电报你已经发出去了吗?"

"还没有,先生。"他有些惊讶。

副局长突然把盘着的双腿伸开,动作做得一气呵成,跟他后面貌似很随意地提出来的建议反差极大。

"具体点说,你觉得米凯利斯参与爆炸事件的谋划了吗?"

总督察略沉思了一下。

"我不敢断定。现在还没有证据说明这一点。不过他确实跟那帮危险人物有来往。假释不到一年,他就被任命为红色委员会的代表了。是对他的一种恭维吧,我认为。"

总督察生气地笑了,有点轻蔑。对待米凯利斯这样的人,根本用不着这么小心翼翼。不仅没有必要,甚至称得上是很不合规矩。两年前他刚被释放出来的时候,有些感情用事的记者为了发行量对他大加宣扬,让他声名大噪,这件事让总督察直到现在还愤愤不平。只要他有嫌疑,就可以去逮捕他,这完全是合法的。不仅合法,而且也是最有利的方式,这是很浅显的道理。他的前两任副局长立马就能搞清楚利害关系,但是眼前这位却态度不明,坐在那里像是在做梦一样。逮捕米凯利斯不仅是合法有效的方法,还能多少解决总督察的个人顾虑，有关他的声誉和心境，而且还会影响他的办事效率。如果米凯利斯多少知道点儿这次爆炸事件的内情，虽然总督察很确定他肯定知道得不多，但这就足够了。他多少总归是知道点儿的，这点他确信。他脑子里现在怀疑的那几个人有可能什么都不知道，逮捕他们是很不明智的做法，考虑到游戏规则，还会把现在的事情弄得更加复杂。米凯利斯是有犯罪前科的，游戏规则可不会保护他。如果不好好利用这种法律便利，那就太愚蠢了。那些把米凯利斯捧到天上去的感情用事的记者们，随时都会义愤填膺地把他踩到脚下。

总督察信心满满地思考着这种可能性，可以由此获得的个人成功对他充满了诱惑。作为一个普通的已婚公民，在他的纯良的内心深处，深藏着一种对被迫参与到教授所描述的残暴事件中去的厌恶。巷子里与教授的那场偶遇，更加加深了他的这种厌恶。作为警察，在跟犯罪分子私下打交道的时候，他们往往会有一种优越的满足感，对权力的虚荣心得到满足，对同胞的控制欲也受到应有的追捧。但是与教授的相遇，并没有让他获得这种优越感和满足感。

总督察并没有把这个绝对的无政府主义者当作是自己的同胞。他简直不可理喻，疯狗一样的家伙。总督察并不是忌惮他，相反，他下定了决心，以后一定要逮到他。但不是现在，他要按照游戏规则，光明正大、名正言顺地逮捕他。现在时机尚未成熟，这不仅有他个人的原因，还有他担任公职的束缚。总督察强烈地认为，教授这条隐晦不明的线索应该被掩盖住，这次牵扯出了米凯利斯这条价值不大但勉强相关的副线。他重复了一遍副局长的话，像在认真考虑他的猜测："炸弹。不，我不能肯定是什么爆炸了。这一点我们可能永远也查不出来。但是很明显，他跟这件事多少是有关系的，这点我们可以很容易就调查清楚。"

他脸上是那种被众人所熟知的严肃、傲慢又冷酷的表情,那些最明目张胆的盗贼看到了也会畏惧。总督察这个人,从来都不喜欢笑。但是现在,看到副局长一副完全被动接受的态度,他内心是很满足的。副局长又低声问了一句:"你真的觉得,我们应该朝着这个方向去调查吗?"

"是的,先生。"

"你确定?"

"我确定,先生。这就是正确的调查方向。"

副局长把托着头的手猛地撤回来,对比他之前无精打采的态度,感觉整个人一下子崩溃了。但事实却正相反,他坐得直直的,极其警惕。椅子前面是巨大的写字桌,他的手因为落下得太猛烈,撞在桌子上,发出砰的一声巨响。

"我想知道,在这之前,你心里想的是什么。"

"之前想的什么?"总督察非常缓慢地重复道。

"是的,就是在你被叫进我的办公室之前。"

总督察突然觉得他的衣服和皮肤之间的空气变得异常炙热。这种感觉是他从未经历过的。

"当然,"他回答道,说出来的每个字都尽量斟酌一遍,"如果有什么不能去打扰假释犯米凯利斯的理由,虽然我并不知道是什么,那应该就是我还没有派当地警察去追查他的原因。"

他花了很长时间才把话说完,副局长似乎是耐着性子才听完的。他话音刚落,副局长就开始质问了。

"我并不知道有什么理由。得了吧,总督察,没必要跟我绕弯子,真没必要。这对我也不公平,你知道吧。你不应该就这样把疑团丢给我,让我自己在这儿纠结。说真的,我很好奇。"

他停了一会儿,又很自然地补充道:"我们这次谈话完全是非正式的,这点不用我跟你强调了吧。"

这话让总督察更加不安了。他内心强烈地觉得,自己这个钢丝表演者遭到了背叛。作为受人信任的公仆,他内心是骄傲的,觉得那根在摇晃的绳索,其目的并不是要摔断他的脖子,而是对方不耐烦的表现。似乎所有人都感到害怕了!副局长一任接一任,来了又走,但是一位有价值的总督察却不是常有的。他并不害怕摔断脖子。但是如果他的表演被人毁了,他会非常愤怒。人的思想是不受控制的,总督察现在的想法也变得咄咄逼人,气势汹汹。"你小子,"他在心里自言自语,眼睛紧盯着副局长的脸,"你小子,你根本不清楚自己的位置,你在这个位置上待不多久了,我敢打赌。"

似乎是在回应总督察内心的这种想法,副局长的嘴角闪现出一丝和蔼可亲的鬼魅般的微笑。他的态度很随和,也很务实,却坚持要在那根绷紧的绳索上再摇上一摇。

"来说说你在现场都有什么发现吧,总督察。"他说道。

"这傻瓜很快就要丢掉铁饭碗了。"总督察脑子里还在继续幻想副局长的结局。但是他很快就意识到,一位高管即使要被"炒鱿鱼"(他脑子里就是这个场景),他在被扔出房门之前,也还是有时间对着下属的小腿狠狠地踢上一脚的。他没有收起紧盯着副局长的眼神,面无表情地回答道:"我正打算跟您汇报我的调查情况呢,先生。"

"很好。那么,说说你都得到什么线索了吧。"

总督察已经下定决心从钢丝绳上下来,抱着沉重的坦诚之心站到地面上来。

"我找到了一个地址,"他回答说,赶紧从口袋里掏出一条深蓝色的布条,"这是从把自己炸成了碎片的那个家伙的大衣上取下来的。当然,大衣可能不是他本人的,甚至可能是偷来的。但是你看看这里就知道了,衣服应该就是他本人的。"

总督察走到写字桌前,小心地把布条展开,这是他从那一堆七零八碎的尸体上拣出来的。他知道衣领下面有时候会缝有裁缝的名字,这通常是没什么用的。虽然他当时也想着能找到什么有用的信息,但是并没有抱太大希望,起码不会在衣领下获得什么信息。但没承想,他在衣领下看到了一块针脚整齐的印花棉布,上面用墨水写着一个地址。

总督察把放在布条上的手拿开。

"我是趁人不注意拿出来的,"他说,"我觉得这是最稳妥的做法。如果有必要,是可以这么做的。"

副局长从椅子上坐直,把布条从桌子上拿过来。他坐在那里,默默地看着布条。布条上的印花棉布只有普通的卷烟纸那么大一块,上面用墨水写着数字"三十二"和"布雷特街道"。他真的有点儿好奇了。

"实在想不明白他为什么要穿着有这种标记的衣服出来,"副局长看着总督察希特说,"这真是奇怪得很。"

"我曾经在一家旅馆的吸烟室遇见过一位老先生,他的外套上就缝着他的名字和地址,以防发生意外或突发疾病,"总督察解释说,"他说自己八十四岁了,虽然看上去没有这么大。他告诉我说,他很害怕自己突然失去记忆,就像他在报纸上读到的那些人一样。"

副局长突然问了句布雷特街三十二号是什么地方，把总督察的回忆打断了。副局长完全不按套路出牌，让总督察措手不及，他只好选择开诚布公。如果他坚信知道太多对于部门不是什么好事，那么在他自己良知允许的范围内明智地有所保留，对他自己所处的位置是有好处的。当然，如果副局长想在这件事上捣乱，就没什么可以阻挡得了他。但是，从他自己的角度来看，他认为现在还不到对副局长毫无保留的时候。所以他很简短地回答道："是一家店铺，先生。"

副局长低头看着桌上的深蓝色布条，等待着更多的信息。但是总督察并没有满足他的好奇心，所以他便不得不耐着性子一点点地去询问，最后总算听到了弗洛克先生背后的真正生意，他本人长什么样，以及他的名字。副局长停了一会儿，然后抬起双眼，看到总督察脸上恢复了些生气。他们默默地对视了一会。

"不过，"总督察继续说，"我们部门对这个人没有任何记录。"

"我之前的几位副局长，他们了解你刚才所说的这些情况吗？"副局长问道，把胳膊肘支在桌子上，双手合十放在面前，像是要做祷告，只是眼睛里毫无虔诚之意。

"不知道，先生。当然不知道。告诉他们有什么用呢？那种人让他暴露在公众面前没有任何好处。我自己知道他是谁就行了，我会按照可以公升的方式对他加以利用的。"

"你对他私下的这些了解，不会影响你现在所担任的公职吧？"

"不会的，先生。没有什么不妥的。坦白告诉您，先生，这就是我，大家也都知道，我是个清楚自己工作的人。这完全是我的私事。他的一个朋友，是法国警察，是他提醒我这家伙是大使馆的间谍的。私人交情获得的私人信息，也是在私下里使用，我是这么认为的。"

副局长在心里自言自语：这位著名的总督察，他的心态好像会影响他下巴的轮廓，貌似他在业内的认可度都体现在身体的这个部位了。他愣了一会儿，很平静地说了句："我明白了。"然后他又把脸颊放在了合十的双手上。

"那么，我私下问一句，你私下跟这位大使馆间谍接触多久了？"

要按照总督察私下的回答，他一定会说："早在你还没想到自己会来这里之前。"

不过这话太随意了，所以他并没有说出口。他的所谓官方的回答就相对详细得多。

"我第一次见到他是在七年前，当时两位帝国大臣和总理来这里访问，我负责保护他们的安全。当时的大使还是斯托特·瓦腾海姆男爵，他是个很容易紧张的老先生。有天晚上，市政厅宴会开始的前三天，他派人来找我，说想见见我。我当时就在楼下，护送帝国大臣和总理去歌剧院的马车已经备好了。我便立即上楼去，发现男爵正焦急地在卧室里来回踱步，两只手紧紧地捏在一起。他对我说，他很信任我的警队，也相信我的能力。现在有个人，从巴黎过来的，他带来的信息我可以相信，他希望我能听一听这个人带来的消息。随后他把我带到隔壁的更衣室，里面有个穿着厚重大衣的大个子。他一个人坐在椅子上，手里拿着帽子和手杖。男爵用法语对他说：'说吧，朋友。'房间里的光线很亮，我跟他交流了大约五分钟。他告诉我的消息绝对称得上震惊。男爵紧张地把我带到一旁，说了他很多好话。我再次转身看的时候，那家伙已经不见了，像幽灵一样。我猜想，他应该是走后面的楼梯偷偷溜出去的。当时再去追他已经来不及了，我便赶紧跟随男爵从主楼梯下来，发现马车已经带着帝国大臣和总理安全地出发去往歌剧院了。不过,根据他提供的情报,我当晚就采取了紧急行动。不管情报是真是假,但听起来确实十分严重。多亏了这个情报,我们才避免了帝国使者来访当天可能会发生的丑陋阴谋。"

"后来又过了一段时间,大概是我升任总督察一个月后,一个身材魁梧的男人吸引了我的注意力,让我觉得以前曾在什么地方见过他。他当时匆匆忙忙地从斯特兰的一家珠宝店出来,我便在后面跟着他,我恰好要去查令十字街,正好也顺路。走到查令十字街后,我在路对面看到我们的一个侦探,于是便招手让他过来,告诉他我正在跟踪这个人,让他观察这个人几天,回来向我汇报这个人的动向。第二天下午,这位侦探就来向我汇报,说这个人在当天上午11:30跟他房东太太的女儿登记结婚了,现在已经带着新婚妻子到马尔盖特去了,要在那里待一星期。我们的侦探看到他们往出租车上搬行李,有个包裹上还贴着陈旧的巴黎标签。不知怎的,我始终无法忘记这个人,所以我下一次去巴黎执行任务时就找到我那位巴黎的警察朋友,跟他说起了这个人。我的朋友告诉我说:'根据你的描述,我觉得你说的应该是革命红色委员会那位有名的间谍。他出生在英国,我们都认为他给在伦敦的外国大使馆做间谍已经好几年了。'这句话让我突然想起了跟他的第一次会面,他就是当时坐在斯托特·瓦腾海姆男爵的房间的椅子上,然后神不知鬼不觉地消失了的那个人。我跟我朋友说,你说得没错。根据我的情报,他确实是一位间谍。随后,我朋友又颇费周折地帮我拿到了这个人的完整档案。我想关于这个人的情况,应该知道的我都知道了。您现在应该不想听我跟您汇报他的个人经历吧?"

副局长摇了摇撑在手上的脑袋，说："你跟那个人的联系情况才是眼下唯一重要的事情。"他说完慢慢地闭上深陷在眼窝里的疲惫双眼，然后又迅速睁开，眼神瞬间恢复了清明。

"我跟他的联系都是私下的，"总督察很无奈地说，"有天晚上我到他的店铺去，告诉他我的身份，提醒他我们上次见面的情况。他听完连眼睛都没眨一下。他说他现在结婚了，已经安定下来了，他现在唯一的希望就是能安安稳稳地做他的小生意。我以个人名义向他担保，只要他不做出什么出格的事，警察就不会找他的麻烦。这话对他来说还是很有分量的，因为只要我们的人跟海关人员打声招呼，从巴黎和布鲁塞尔寄给他的包裹都得在多佛港口开封检查，到时候少不了要没收他的一些东西，甚至还可以对他进行起诉。"

"这是个很危险的交易，"副局长低声说，"他为什么会接受呢？"

总督察不动声色地翻了个白眼。

"估计是跟做这方面买卖的人，比如欧洲大陆那边的人，有来往。他们都是沆瀣一气。这家伙懒得很，他们这些人都是懒家伙。"

"给他提供保护，你能从他那儿得到什么？"

总督察不想夸大弗洛克带给他的价值。

"除了我之外，他对别人可能都没有什么价值。要想利用他这样的人，你得事先掌握很多情报。他给出的线索，我都能明白。而且只要我有需要，他一般都能给我提供所需的线索。"

总督察突然陷入了沉思。想到总督察的显赫声名很可能是得益于间谍弗洛克，副局长险些笑出声来。

"为了充分利用他的价值，在查令十字街和维多利亚街当差的特别刑事部人员都接到命令，要密切关注他跟哪些人进行接触。根据汇报，他跟刚到这里的那些人接触频繁，随后他会跟踪他们的行踪，这似乎就是他工作的一部分。如果我急需一个地址，总能从他那儿获得。当然，我知道该如何处理我们的关系。在过去的两年，我只见过他三次。通常情况下，我会给他留下一封没有署名的信，他也以同样的方式给我回复，然后寄到我的私人住址。"

副局长时不时地点点头，幅度很小，几不可见。总督察又补充说，认为他对国际革命委员会的上层人员的那些秘密知道得应该不太多，不过有一点毫无疑问，他深得他们的信任。

"不管何时，只要我察觉到苗头不对，"他最后总结说，"他都能给我提供一些有价值的情报。"

副局长意味深长地说："这一次他可是让你失望了。"

"我这次事先确实什么也没有察觉到。"总督察希特反驳说，"我没有向他索取任何情报，他自然也不会给我提供什么。他不是我们的人，我们也不给他支付工资。"

"当然，"副局长嘟囔着说，"他是外国政府的间谍，拿的是外国政府的钱。我们对他可不能太坦诚。"

"我会按照我的方式去做的，"总督察声明道，"真到了那一步，我会自己去对付这个恶魔，后果也由我自己承担。有些事情并不适合让所有人都知道。"

"你的保密对象似乎也包括自己部门的上级领导啊。你不觉得这样做有点儿过头了吗？他靠经营那家店铺生活吗？"

"谁？弗洛克？哦，是的。他靠经营店铺生活。他妻子的母亲，我想应该也和他们住在一起。"

"他的店铺派人监视了吗？"

"啊,没有。这么做不妥。有些去那家店铺的人,我们派人在监视。我个人认为,他对这次的事件不知情。"

"那这个又怎么解释?"副局长朝桌上的布条点了点头。

"我没法解释这个,先生。这个也解释不了。根据我所知道的,这个就没法解释。"总督察很直白地承认了,好像他的声誉是建立在磐石之上的,无法动摇。"不管怎么说,起码现在是解释不了的。我觉得最有可能跟这件事有关联的就是米凯利斯。"

"你确定?"

"确定,先生。我可以担保其他人都跟此事无关。"

"那个从公园离开的男人呢?"

"他猜测他现在应该已经逃得远远的了。"总督察说出了他的想法。

副局长紧紧地盯着他,然后突然站了起来,仿佛下定了决心要采取什么行动。事实上,副局长现在心中确实有个不错的想法,让他此刻颇为激动。他遣走了总督察,让他第二天上午再过来,继续讨论案情。总督察面无表情地听着,然后步履沉稳地离开了副局长的办公室。

不管副局长的计划是什么,都不会跟那张写字桌有关,那些案头工作束缚了他的天性,让他脱离了实际,简直就是他的噩梦。他的计划一定不是什么案头工作,看他脸上愉悦的神情就知道了。总督察一离开,副局长就赶紧去拿他的帽子,他把帽子戴在头上,又坐了下来,把整件事重新在脑子里过一遍。这并没有花费太多时间,因为他已经下定决心要去做了。总督察刚离开没多久,副局长也走了出来。

第七章

　　副局长走过一条狭窄的像是潮湿泥泞的沟渠的短巷，然后穿过一条非常宽阔的大街，走进一座公共大厦，找到一位年轻的（不拿工资的）私人秘书。

　　这位年轻人脸色白净，对称的头发让他看起来像是一位整洁的大男孩儿。他听完副局长的要求，神情犹豫，然后屏住呼吸对副局长说："他会见你吗？我不知道他会不会见你。他一小时前从众议院走过来与常务副部长谈话，现在他准备再走回去呢。他本来可以派人招副部长过去的，但我想他应该是想要活动活动。在本届会议结束前，他没法做其他运动。我没有什么好抱怨的，我很喜欢这么走一走。他靠在我胳膊上，紧闭着双唇。我得告诉你，他现在很疲惫，可以说心情并不太好。"

　　"是有关格林尼治爆炸事件的。"

　　"啊！我明白了！他对你们这些人成见很大。不过你要是坚持的话，我可以去问问。"

　　"好的，你人真不错。"副局长回答说。

这句话对不拿薪酬的年轻秘书很受用。他脸上摆出一副天真无邪的表情，然后推开门，带着被赋予了特权的孩子特有的自信走了进去。没过多久，他便走了出来，朝副局长点了点头，并为他把门打开。副局长走进去，在宽敞的房间里看到了他申请面见的大人物。

他体型魁梧，脸型狭长，肤色白皙，下面是巨大的双下巴，整张脸看起来像个大鸭蛋，鸭蛋边缘还长着稀薄的灰白色胡须。这位大人物看上去像是被吹起来的。衣服的裁剪让他显得很窘迫，褐色的大衣扣着扣子，中间的褶皱很明显，像是衣服被极力撑到了最大。脑袋直直地卡在粗大的脖子上，下眼睑十分肿胀，挂在极具侵略性的鹰钩鼻上，在他苍白的脸庞上显得极为突兀。巨大的长桌上，放着闪闪发光的大礼帽和一双磨旧了的手套。

他穿着宽松的大靴子，站在炉前的地毯上，看到副局长进来也不打招呼。

"我想知道，这之后会不会还有一系列的爆炸事件在等着我们呢？"他开口就问，声音深沉而平稳，"不要跟我说细节，我没时间听细节。"

在他巨大的体型面前，副局长显得十分纤弱，仿佛是一根芦苇在向橡树说话。事实上，这个人的家族史从未中断过，算起来，比这个国家最古老的橡树的树龄还要久远。

"不会。以后不会再有爆炸事件了，我可以保证。"

"是啊。你在那儿给出的保证，"这位大人物很不屑地朝着临街的窗户挥挥手，"就是为了愚弄国务卿吧。当时就在这个房间，有人向我保证说，这样的事是不会发生的，这还不到一个月呢。"

副局长冷静地朝窗户的方向瞥了一眼。

"请允许我说两句,埃塞雷德爵士,到目前为止,我还没有任何机会向您保证过什么。"

那双傲慢地垂下来的眼睛此时已经落在了副局长身上。

"确实,"那个深沉而平稳的声音坦言,"我派人叫来的是希特。你在这个位置上还是个新手。你现在适应得怎么样了?"

"每天都有收获。"

"当然,当然,我希望你能长期待下去。"

"谢谢您,埃塞雷德爵士。我今天就收获到了一些信息,而且就在不到一小时前。有很多线索表明,这次的事件绝不是普通的无政府主义暴行,即使在进行深入调查之后也依然如此。这也是我今天来这里的原因。"

大人物把手臂交叉放在身后,两只手放在臀上。

"很好,往下说。只求你别说细节,把细节都略去。"

"我不会让细节困扰到您的,埃塞雷德爵士。"副局长冷静地向他保证。他在讲话的时候,大人物背后笨重的钟表上,时针在表盘上走过了七分钟。钟表和后面的壁炉一样,都是黑色的大理石色,看上去闪闪发光,随着时针的走动,发出幽灵般的嘀嗒声。他说话时态度很虔诚,用穿插的方式,把事件的每个细节都生动地讲述了出来。大人物认真听着,没有发出任何声音或动作。他仿佛是自家祖先的一尊雕像,只不过身上的战袍换成了一件不合身的双排扣大衣。副局长觉得他可以这样一直讲一个小时。但是他还算理智,在讲了足足七分钟后,就突然作了总结。他的总结只不过是把之前说过的话又重复了一遍,但是他结束得如此干净利索,倒让埃塞雷德爵士颇感惊喜。

"这次事件背后牵扯出来的事,虽然并不是很严重,但也非同寻常,至少从它表现出的方式来看是这样,需要我们特别对待。"

埃塞雷德爵士的语调变得更加深沉了,似乎已经被他说服:"我也这么认为,竟然牵扯到外国的大使!""哦!大使!"副局长提出了质疑,他站得笔直,似笑非笑,"我不会妄下这样的结论的,而且也完全没有必要。如果我的猜测是正确的,那么牵扯到的到底是大使还是搬运小工,这都不重要。"

埃塞雷德爵士张开了他的大嘴,像是一个深不见底的洞穴,让他的鹰钩鼻子焦急地想要进去一探究竟,不一会儿就从那里发出一种沉闷的轰隆声,像是从遥远的器官发出的,带着轻蔑和愤怒。

"不!这些人太过分了。他们把克里米—鞑靼人的伎俩带到这里来是想干什么?土耳其人都干不出这么卑鄙的事。"

"您忘记了,埃塞雷德爵士,严格来说,我们这些还都只是猜测。"

"我没忘!不过请你说明白点。简短点说?"

"这种极端的厚颜无耻,无异于是幼稚的特殊表现。"

"我们可没法忍受无知的孩子在这里捣乱。"这位大人物似乎更加膨胀了,傲慢的眼睛盯着副局长脚下的地毯,"竟然作出这等事来,他们应该受到严厉的谴责。我们的立场应该——你怎么看,简单说一说?无需赘述。"

"好的,埃塞雷德爵士。原则上,我们不应该容忍间谍的存在。间谍的存在虽然是为了对抗邪恶势力,但他们本身却会带来更多的潜在危险。间谍捏造虚假情报已经是司空见惯的事了。政治和革命运动多借助暴力行为完成,在这方面,专业的间谍对捏造虚假信息更是信手拈来。他们把所有邪恶加倍地朝一个方向散播,引起人们的恐慌和仇恨，然后草率立法。不管怎么说，这个世界是不完美的。"

大人物站在地毯上一动也不动，巨大的胳膊肘向外凸着，他用深沉的声音急促地打断他说："简单说。"

"好的，埃塞雷德爵士——不完美的世界。因此，从这件事表现出的种种迹象来看，我觉得我们应该秘密处理，所以我才斗胆到您这里来了。"

"没错，"大人物自满地瞥了一眼他的双下巴，表示认同，"我很高兴，你们部门里还能有人认为可以偶尔对国务卿报以信任。"

副局长被他的话逗笑了："我真的觉得，现阶段最好还是把希特换下来——"

"什么！希特？他蠢吗，嗯？"大人物带着明显的敌意惊呼道。

"一点儿也不，埃塞雷德爵士，恳请您不要误解我的意思。"

"那你是什么意思？他是聪明过头了？"

"都不是，至少从原则上来说都不是。我所有的猜测都是根据他提供的情报得出的。我自己发现的唯一一件事就是，他私下里在利用那个人。谁能责怪他呢？他已经是警察里的老手了。他跟我坦言说，他手头需要能合作的工具。但是我认为，这个工具应该可以为整个刑事部所用，而不只是作为总督察希特的私人资源。我觉得打压间谍也应该成为我们部门的一项职责。但是总督察希特是部门的老人了。他会指责我扭曲他所坚持的道德、妨碍他的办事效率的。他会认为我是在为革命犯罪阶级提供保护。他会这么认为的。"

"不错。那么你到底什么意思呢？"

"我的意思是，第一，声称那些破坏财产和损害生命的暴力行为不是无政府主义者所为，而是其他几类经官方认证的地痞流氓干的，这样做并不能带给我们太多安慰。我猜想，很多人心里都是这种想法。第二，很显然，外国政府花钱雇用的这些间谍，他们在一定程度上打破了我们的监督防线。间谍要比那些最鲁莽的阴谋家还要肆无忌惮，他们不受任何限制，毫无任何信念可言，也不受法律的约束。第三，混迹在革命帮派中的这些间谍，他们的行为都是无法预测的，我们也因为包庇他们而受到谴责。不久前，总督察希特刚刚向您保证过，他的保证也不是毫无根据的，但是爆炸事件还是没能避免啊。我认为这件事只是一段小插曲，因为我可以肯定地说，这次的事件是意外事件，尽管很残暴，但并不牵扯任何惊天阴谋。从总督察希特的震惊和困惑中，我看到了这件事的本质。埃塞雷德爵士，我没有赘述任何细节。"

大人物站在炉前的地毯上，听得很认真。

"不错。你讲得很简洁。"

副局长表现得毕恭毕敬，让大人物觉得他真的是很努力地简要陈述。

"这件事他们计划不足，做得很愚蠢，所以我有信心把这整件事调查清楚，而不是仅仅是揪出一个幕后的狂热分子。这件事是有预谋的，这点毫无疑问。实际作案的这个人应该是被人领到犯罪地点，然后独自实施后面的行动的。我们推断，他应该是从被从国外带回来，专门实施这次暴行。此外，他有可能不太懂英语，所以不会问路，要么就是聋哑人。我现在怀疑——这个倒是不重要。他显然是因为发生了意外才把自己炸死的。应该不是什么大意外。但是有一项重大的小发现：我们意外地在他衣服上找到了一个地址。这是一个重大的小发现，对此作出的解释有可能会解开整件事的秘密。我没有指示希特去继续追查，我的想法是，我亲自去探查，根据衣服上显示的地址。这个地址是布雷特街道的一家店铺，店铺主人是已故的斯托特·瓦腾海姆男爵很信任的机密间谍，斯托特·瓦腾海姆男爵是当时颇有势力的某国派遣到圣詹姆斯法院的大使。"

副局长停了一会儿，又接着说："这些家伙是十足的祸害。"大人物为了看清副局长的脸，慢慢地把头向后倾斜着，让他整个人看起来无比傲慢。

"为什么不让希特去呢？"

"因为他是部门的老人了。他们这些老人有自己的道德信念。我要询问的事情，可能会颠覆他对工作职责的看法。对他来说，他的本职工作就是根据在现场获得的线索，给尽可能多的无政府主义者定罪。我要做的事，在他眼里就是试图在给这些人脱罪。这件事很隐晦，我在向您陈述的时候尽量省去了中间的细节。"

"他会这么做吗，不会吧？"埃塞雷德爵士抬着高傲的头，低声问道。

"恐怕会的，这可能会让他感到愤怒和厌恶，你和我都没法保证。他是位优秀的公仆。我们不应该让这么忠诚的公仆感到不必要的负担，那样做是不对的。另外，我需要自主办事的权限，比总督察希特还要大的自主权限。我根本没打算放过这个弗洛克。要是知道了他跟这件事的关联这么快就暴露了，他肯定会惊慌失措的。不过吓一吓他很容易，我们的最终目标是他背后的人。我认为有必要保证他的人身安全，我希望您能授予我这个权限，让我可以向他作出这样的保证。"

"当然，"大人物站在炉前的地毯上回答说，"尽可能地去挖掘，按照你的方式去挖掘。"

"我必须得马上着手开始了,今天晚上就行动。"副局长回答道。

埃塞雷德爵士动了动衣服燕尾下的一只手,把头转到后面去,直直地盯着他。

"今天晚上我们会熬到很晚了,"他说道,"如果到时候我们还没回家,就到这里来找我。我会让'多来'留意着,你来了就让他带你到我的房间来。"

大人物的秘书年轻英俊,亲戚朋友也多,未来一定是不可限量。工作之余,他还会到社交圈去走动走动,社交圈里的人就给他起了"多来"这个外号。埃塞雷德爵士每天(一般都是早饭时间)都会从妻子和女儿的嘴里听到这个外号,他自己也就顺势采用了,但并没有嘲弄的意思。

副局长有点受宠若惊了。

"我一定会向众议院汇报我的调查结果的,如果您有时间——"

"我没时间,"大人物打断了他,"但我会接见你的。我现在也没有时间。你要一个人去那里吗?"

"是的,埃塞雷德爵士。我想我最好一个人去。"

大人物为了能够观察到副局长的神情,把头努力地往后转,眼睛都快要闭不上了。

"嗯。啊!你觉得——你需要伪装一下吗?"

"算不上伪装!当然,我会换身衣服去的。"

"当然。"大人物重复着说,有点心不在焉。他慢慢把头转过来,转到肩膀的位置时,斜着脑袋瞥了一眼大理石色的笨重钟表。钟表继续发出幽灵般的嘀嗒声,镀金的时针在他身后神不知鬼不觉地偷走了至少二十五分钟的时间。

副局长看不到钟表上的时间,所以开始紧张起来。但是大人物又把头转过来了,神情很平静。

"很好,"他说完又停下来,好像还在对那台办公钟表表示蔑视,"但是一开始是什么让你朝着这个方向去调查的?"

"我一直都有自己的主意。"副局长回答说。

"啊,是的!主意!那是当然。直接原因是什么呢?"

"我该怎么回答您呢,埃塞雷德爵士?一个新人对旧方法的不满吧。我自己也希望能掌握点儿一手情报,还有内心的躁动。这是我的老本行,但是这次用的马具却很不趁手,我身上最柔软的地方已经被磨破好几处了。"

"我希望你能尽快适应现在的职位。"大人物亲切地向他伸出手来。他的手很柔软,而且宽大有力,像一位骄傲的农民的手。副局长和他握了手,然后就退出来了。房间外,"多来"就坐在一张桌子边上等他。看到副局长走出来,他压制住自己轻松欢快的本性,立刻迎了上去。

"怎么样?您还满意吗?"他很郑重地问道。

"非常满意。真是太感谢你了。"副局长一脸僵硬,衬得秘书更加欢快,他那张脸好像轻轻一点就要笑出涟漪来了。

"没事。但是说真的,那些人对他提出的'渔业国有化法案'进行攻击的时候,他都不知道有多恼火。他们说这是社会革命的开始。这当然是一项改革性措施,但那些人真是太卑鄙了,竟然对他进行人身攻击……"

"我看报道了。"副局长回答说。

"很可恶吧？嗯？你都不知道他每天有多少工作要做，全凭他一个人完成的。在渔业改革上，真是谁也信不得。"

"然而他竟然拿出整整半小时的时间来听我向他汇报这样的小事情。"副局长插话道。

"小事情！真的吗？很高兴你这么说。我还是很遗憾你被牵扯进来了。这场争斗让他心力交瘁、筋疲力尽了。他走过来的时候，整个人都靠在我胳膊上了，所以我很清楚。话又说回来，他在街上走应该安全吧？今天下午，马林斯的人都蔓延到这里来了，每个路灯下都有一个警察。从这里到宫殿大院，我们遇见的人有一半都是探子。这让他精神很紧张。我说，这些外国混蛋不会朝他扔什么东西吧，他们会吗？那将会是整个国家的损失，整个国家离不开他呀。"

"你也难逃一劫了。他可是靠在你胳膊上的，"副局长板着脸提醒他，"你俩都难逃劫难。"

"像我这样的年轻人会被载入史册吗？那些被暗杀的英国首相都会引起一场轰动的。但认真说——"

"你要想被载入史册，恐怕要做点什么才行。说真的，你们俩现在面临的唯一危险就是过度劳累。"

敏感的"多来"听到这句话咯咯地笑了。

"我不会因为渔业法案丧了命，熬夜工作我习以为常了。"他很真诚地表示。不过他随即又后悔说出这样的话来，于是又表现出一副政治家的喜怒无常来，一边戴手套，一边说："他智慧过人，任何工作都能胜任。我担心的是他的精神状态。那个野蛮粗鲁的奇斯曼，带着一帮反动派，天天晚上来羞辱他。"

"如果他坚持改革，这些都不可避免！"副局长低声说。

"改革的时机已经成熟,他是唯一可以胜任这项工作的人。"改革支持者"多来"反驳说,副局长冷静而沉思的眼神让他突然有点上火。突然,远处的走廊传来一阵急促的叮当声,一贯警惕的年轻人立刻竖起了耳朵仔细听。"他准备走了。"他低声说,抓起帽子,一溜烟就从房间里消失了。

副局长则慢条斯理地从另一扇门离开了。他又一次穿过宽阔的大街,进入一条狭窄的街道,然后仓促地回到了他的部门所在的办公大楼。他快步走到他的办公室,门还没有关上,眼睛就盯着写字桌看。他静静地站了一会儿,然后走到桌前,在地板上巡视一圈。他在椅子上坐下,摇响了铃铛,然后等着仆人进来。

"总督察希特离开了吗?"

"离开了,先生。半小时前离开的。"

他点点头。"那就好。"他坐在那里没有动,把帽子从前额上往后推了推。把唯一的物证不声不响地带走,这可真是厚脸皮的希特能干出来的事。虽然这么想,但是他对希特却并没有敌意。有价值的部门老人确实拥有一定的行事自由。那布条上缝有地址,像这样重要的物证他是不会随便留下来的。他不再纠结总督察希特对他的不信任,拿起笔给妻子写了张留言条,然后派人送过去。他今晚本来约好了跟米凯利斯的女资助人一起吃晚餐,现在不得不爽约了,他在留言中让妻子代自己向她道歉。

他走进窗帘后的一个凹室,里面放着一个洗手盆,还有一排挂衣服的木钉和一个衣架。他在里面换上一件短外套,戴上一顶低矮的圆形帽子,这顶帽子衬得他暗淡的长脸更加阴沉。他回到光线明亮的房间,眼睛深陷,故作沉思,整个人看上去就像是耍酷的堂吉诃德。他像个鬼影一样迅速离开了他每天办公的房间。他走到大街上，像是进入到了一个没有水的水族馆，整个人被阴沉而潮湿的空气笼罩着。周围房屋的墙壁潮湿无比，巷道上的泥巴闪闪发光。他从查令街车站旁边的一条小巷子走出来，进入斯特兰大街，之后就和这条街的氛围融为一体了。来自各个国家的、行踪诡异的外国人在街道的角落里四处穿梭，他看上去跟他们毫无二致。

他走到紧挨着人行道的一个摊位旁等着，在光影交错的街道上，他的眼睛已经锁定了一辆缓慢驶来的双座马车。他没有招手示意，但是当马车上蹬车用的低台阶慢慢靠近路沿石的时候，他一抬腿，敏捷地上了车。他的声音从马车上的小窗户传出来的时候，车夫还不知道自己的马车上了一位乘客。

车程并不长，马车走到两个路灯中间的时候，乘客突然示意停车。路灯后面是一家绸布店，街道上的很多店铺都已经关门，放下了波状钢护窗。副局长从马车的小窗户扔出一枚硬币，让车夫感到无比诡异，但看硬币的大小，还算满意，车夫没受过多少教育，也不担心硬币放进口袋后会变成一片枯叶。他干的是驾车的买卖，只关心车费给得够不够，对于客人的去向并不感兴趣。所以乘客突然示意停车的时候，他立刻拉紧了缰绳。

就在这空挡，副局长已经走进拐角的一家意大利小餐馆，向服务员点了菜。餐馆狭长，里面装饰着镜子和白色的餐布，对于饥肠辘辘的路人来说，看上去很有诱惑力。餐馆里不通风，但是散发着独有的气氛，在这种气氛中，粗俗的烹饪尽情嘲弄着最低下、最可悲的人类需求。在这种邪恶的气氛中，副局长思考着他的行动，让他觉得自己不再是特别刑事部的副局长了。他感到孤独，也感到一种邪恶的自由。这种感觉很不错。他快速地吃了晚餐,把钱递给服务员,然后站起来等着找零。透过镜子,他看到自己的影子很像一位外国人,这让他有些震惊。他好奇地盯着自己的影子看了好一会儿,有些忧郁,突然灵光一闪,他把夹克的领子竖了起来。这个调整真是可圈可点,随后他又将胡子的尾部向上挑了挑。这些微不足道的调整让他看上去焕然一新,使他感到满意。"这样就好了,"他心想,"应该再湿一点,往身上洒点水。"

他注意到服务生就站在他旁边,桌沿儿上还放着一小堆硬币。服务生一只眼盯着桌上的硬币,另一只眼盯着从后面走过来的一位高个子女客人,年龄看上去也不小了。她从旁边走过去,一直走到了很远处被遮挡着的一张餐桌,看上去应该是这里的常客。

副局长往外走的时候不禁想,从粗俗的烹饪来看,这家餐馆已经完全丧失了他们国家和餐馆本身的特色了。这很奇怪,因为意大利餐厅在英国很普遍。但是,前来用餐的这些人,从任何一个不需要加盖印章证明的方面来看,他们都和面前的菜肴一样,已经失去了自己的民族性。从职业、社会或种族上来看,他们也都不具备任何民族标记。他们似乎就是为意大利餐厅而生的,如若不然,意大利餐厅就是在机缘巧合下为他们才诞生的。不过后面这个假设是无法成立的,因为我们只在意大利餐厅才能看到他们的身影。这些行踪神秘的人,我们在其他地方从未看到过他们。我们很难猜测这些人白天都做些什么工作,晚上又去哪里休息。而现在,他自己也变得神秘起来了。他所从事的职业也让别人无从猜测。至于晚上去哪里休息,他自己现在都不知道。他当然有自己的住处,只不过什么时候才能回去,他就不得而知了。身后的玻璃门嘭的一声关上了,让他觉得自己终于获得独立了，这让他很高兴。从餐馆出来，他感觉自己马上就进入到了一片弥漫着油腻和潮湿灰泥气息的街道，街道上零散地分布着几盏路灯。伦敦的夜晚充斥着煤烟味，到哪儿都是潮湿的水汽，让人感到压抑和窒息。

布雷特街道离得并不远。街道狭长，从一片开阔的三角地带延伸出去。三角地带周围全是漆黑的店铺，店铺主人白天在这里做点小生意，晚上就都关门大吉。放眼望去，周围一片漆黑，只有拐角处的一个水果摊还亮着灯，照得摊位上的橙子和柠檬明晃晃的。往那边去的路人，只在水果摊的光影里一闪，就又看不见人影了，连脚步声都听不到。这些消失在黑暗里的人，以后也不会再出现了。这位爱冒险的特别刑事部副局长，带着浓厚的兴趣观察着这些消失在黑夜里的陌生人。他感觉自己已经远离了他的办公桌和墨水台，仿佛身处几千米之外的丛林之中，独自一人，周围是重重陷阱，这让他心情愉悦。在执行一项重要任务之前还能保持这种轻快和漫不经心，这似乎在暗示，我们其实也没必要太把这个世界当回事。毕竟副局长本来就不是轻浮的人。

正在巡逻的警察一脸阴沉地从幽明的橙子和柠檬摊前走过，不紧不慢地走进了布雷特街。副局长躲在暗处，仿佛一位躲避警察的罪犯，等着消失的警察重新返回。不过这位警察仿佛失踪了一样，始终没有回来，应该是从布雷特街的另一个入口离开了。

副局长得出这个结论后，紧接着也走入了布雷特街道。刚进入街口，就看到一辆大货车停在一家小吃店前面，透过窗玻璃，可以看到小吃店里面昏暗的灯光。驾车的人正在店里吃东西，拉车的马匹也低着头从马粮袋里吃饲料。再往前走，在街道的另一侧，就是弗洛克的店铺了。从店铺前面可以看到里面微弱的灯光，店铺里挂着报纸，还有堆着成堆的书和纸箱子。副局长站在街对面，静静地观察着。就是这里了。店铺橱窗上投射出一堆不明物体的阴影，旁边的门半开着，一道细长的煤气灯灯光从门缝里逃出来，落在外面的人行道上。

　　副局长身后，大货车和马匹合二为一，仿佛一个有生命的黑色方形怪物，伴随着急促的铁蹄声、激烈的铃声和沉重的喘息声，遮挡了半个街道。布雷特街道的另一头，正对着一条宽阔的街道，是一家大旅馆，里面人来人往，有种节日的气氛，却又散发着不祥的气息。旅馆里灯火辉煌，衬托得弗洛克的小店铺更加阴暗简陋，似乎整个街道的阴暗都落在了它的身上，让它看起来愈发幽暗、阴沉和凶险。

第八章

弗洛克太太的母亲下了决心要搬去救济院，选定的这家是一个有钱的旅馆老板开的，专门收容本行业里死了丈夫的寡妇。为了能进救济院，她去找已故丈夫生前的熟人——几位持有执照的客栈老板帮忙，但是遭到了他们的冷漠对待。不过在她一而再，再而三的恳求下，她终于获得了入住救济院的许可。

老太太虽然下定了决心要搬去救济院，但毕竟心中忐忑，所以整件事都是秘密进行的。也就是在她联系救济院的这段时间，女儿温妮忍不住跟弗洛克先生抱怨说："上个星期，母亲几乎每天都花半克朗[①]五先令坐马车。"她说这话并不是为了表示不满，对母亲虚弱的身体状况，她是很清楚的。只不过，母亲突然这么热衷于往外跑，倒让她有点惊讶。弗洛克先生自然是不在意这些小事的，所以直接无视温妮的抱怨，只不过他的沉思被打断，让他有些不耐烦。他的

[①] 英国过去的币制，一英镑等于四克朗，一克朗等于五先令，一先令等于十二便士。

沉思是持续、深沉且重要的，远比事关五先令的小事重要得多。他思考的事不仅更加重要，而且从各个方面来说，考虑起来也都更加困难，沉思的人需要具备哲学家的心境。

老太太隐秘地达成了自己的目的，这才把事情的原委一五一十地告诉了弗洛克太太。老太太精神上充溢着胜利的喜悦，内心却是惴惴不安的。事实上，她的内心是颤抖的，她欣赏女儿温妮冷静又沉默寡言的性格，但是女儿不高兴的时候就会陷入沉默，这让她感到畏惧。虽然她现在年事已高，腿脚无力，脸上长出了双下巴，身体也发了福，但是她依然努力维持着表面的平静，绝不允许自己内心的忧虑暴露出来。

弗洛克太太对于母亲要搬去救济院的决定没有丝毫心理准备，她太震惊了，以至于无法再保持冷静。她本来正在清扫客厅里家具上的尘土，现在也停了下来，转头看着母亲。

"你为什么要去救济院？"她无比震惊地喊道。

对于任何事，她一般都能冷漠接受，从不开口打探，这是支撑着她活下去的力量，也是为她提供保护的盾牌。母亲的这个决定对她来说震撼太大了，让她失去了一贯的淡定。

"你在这里住得不够舒服吗？"

她忍不住去打探母亲为什么要作这个决定，但是下一刻，她又转过身去，继续打扫家具上的尘土了。被吓坏了的老太太头上戴着她的脏兮兮的白色帽子和已经没有了光泽的假发，呆若木鸡地坐在那儿。

温妮清扫完椅子上的灰尘，又拿着抹布去擦拭马鬃编织的桃木沙发，弗洛克喜欢戴着帽子、穿着大衣坐在这张沙发上休息。她抱定了决心要专注于手头的活儿,但又忍不住问了一句。

"你到底是怎么做到的,母亲?"

弗洛克太太的原则是,只要不违背事物的本质,那就可以不用理会。这个问题只是出于好奇才提问的,只不过改变了呈现的方式而已,所以是情有可原的。老太太听到这个问题很激动,她现在可以坦诚地跟女儿说说具体情况了。

她很详尽地回答了女儿的问题,提到了很多人名,还顺便感慨了一下时间的流逝,很多昔年的朋友都已样貌大变。她提到的人主要是那些持有执照的客栈老板——"你那可怜的爸爸的朋友,亲爱的",其中有一位生意做得很大的啤酒制造商,他是男爵、下院议员,还担任着慈善管理委员会的主席,她添油加醋地告诉女儿此人是多么热心,自己是如何感激他的。她之所以对他这么另眼相待,仅仅是因为她有幸预约到了他的私人秘书,"一位非常有礼貌的绅士,穿一身正装,温和的声音里透着一丝伤感,人很瘦弱,也很安静。他就跟个影子似的,亲爱的"。

温妮故意放慢了干活儿的速度,听完了母亲的长篇论述,然后径直离开了客厅,走下两步台阶,到厨房里去了。她此时已经恢复了常态,母亲说完,她一句回应也没有。

看到女儿在面对这件残忍的事时所表现出的柔顺,老太太流出了欣喜的眼泪。随后她就把注意力转移到她的家具上来了,毕竟这些家具都是她自己的。她有时也会希望这些家具不是她的,慷慨大方没什么不好,但是在某些情况下,处置几把桌椅或者黄铜床架这一类的家具,也会带来毁灭性的深远影响。这些家具,她自己需要带走几件。慈善会那边是经过她多番哀求才同意收容她进救济院的,他们只答应给她提供一间贴了墙纸的房间,里面除了几块木板床,什么也没有。她很体贴地只选择带走了几件最破旧也最没有用的家具,但是温妮却没有体会到母亲的用心良苦,在她的人生哲学里,她从不会去刻意探究事情的真相。她只当母亲带走的,都是她自己最能用得着的家具。至于弗洛克先生,他则陷入了自己深深的沉思中不可自拔,仿佛被中国的长城包围着,让他与这个世界完全隔离了,此间的世俗琐事和碌碌无为,他全然不在意。

她选好了要带走的家具,但是如何处理剩下的这些还是个问题。当然,肯定是要把它们留在布雷特街这里的。但她有两个孩子啊。温妮很明智地嫁了位好丈夫,所以基本衣食无忧。史蒂维却是一无所有,本身又有些问题。不能太过顾虑在法律上是不是公平,史蒂维的情况一定要优先考虑,甚至可以偏袒一下他。不管怎么看,拥有这些家具都不能给他带来生活上的保障。应该把家具给他——那个可怜的孩子。他现在完全靠着别人的赡养过活,如果把家具给了他,可能就会对他造成不利的影响。再加上弗洛克先生天性敏感,如果以后连坐个椅子都要对小舅子感恩戴德,那么他是绝不会容忍这种情况发生的。从与那些绅士房客长期的接触中,弗洛克太太的母亲对于人性的变幻莫测有了很清醒的认识。谁知道弗洛克哪天会不会突发奇想,把史蒂维连同这些家具一起赶出家门?再不然,还可以把家具平分给姐弟俩,但是这样做一定会惹恼温妮。不行,史蒂维必须维持现在一无所有、靠人赡养的现状。所以当她离开布雷特街道的时候,便告诉女儿说:"不用等到我去世,我留下来的所有东西都是你的,亲爱的。"

温妮戴着帽子,默默地站在母亲身后,听完走上前去,理了理老太太斗篷上的领结。她沉着脸把手提袋和雨伞递给母亲。这次坐车要花费三先令六便士,但很有可能是老太太最后一次坐马车出行了。她们一起从店铺里走出来。

"真相远比讽刺漫画残酷得多,"如果世上有这么一句谚语的话,那么在外面等候她们的那辆马车就是最真实的写照。一匹瘦得皮包骨头的老马拉着一辆出租马车在门口停下,马车的车轮摇摇晃晃,车上坐着的车夫还是残疾的,后面还惹出了一出闹剧。弗洛克太太的母亲看到一条带钩的铁臂从车夫的袖子里露出来,这些天来的英勇气概突然全部消失得无影无踪了。她简直不敢相信自己看到的。"这事你怎么看,温妮?"她后退一步。车夫的脸盘很大,不耐烦地催促她们赶快上车,声音像是从堵塞的喉咙里挤出来的。他从马车上侧出身来,带着让人费解的怒气低声说:"你们怎么回事?怎么可以这么待人?"在泥泞的街道的映衬下,他脏兮兮的脸涨得通红。"还需要让他们给我颁发一张执照吗,"车夫很无助地斥问,"如果……"

在此巡逻的警察赶过来,友好地看了他一眼,让他住了声。然后巡警直接给两位女士解释道:"他驾车已经二十年了。据我所知,从来没有出过事故。"

"还事故呢!"车夫很不屑地嘟囔一声。

警察的话让双方得到了和解。七个跑来围观的路人,多是未成年的青少年,也都各自散去。温妮跟着母亲上了出租马车。史蒂维也爬上了驾驶座。他茫然地张着嘴,眼神忧郁,似乎还没有弄明白刚才交易时发生的小插曲到底是怎么回事。马车摇摇晃晃地从狭窄的街道上驶过,两边房子上的玻璃发出叮叮当当的响声,仿佛马上就要坍塌。马具松松垮垮地套在拉车的瘦马的身上,仿佛带着巨大的耐心在马蹄上翩翩起舞。他们随后来到宽阔的怀特霍尔街,马车移动得很缓慢,让人几乎察觉不到。长长的财政大楼上,窗玻璃叮叮当当地响个不停,而时间却仿佛是停滞住了。

温妮终于忍不住脱口而出:"这匹马真不怎么样。"

在阴暗的马车里,她的眼睛直直地盯着前方,一动也不动。在前面的驾驶座里,史蒂维先把张着的嘴巴闭上,然后很认真地说出了两个字:"不要。"

车夫高举着缰绳,对此充耳不闻。他或许是真的没有听到。史蒂维深吸一口气。

"别抽鞭子。"

车夫慢慢地转过身来,浮肿的脸上五色杂陈,上面满是白色的胡楂。他那双潮湿的小眼睛闪闪发光,嘴唇狠狠地抿在一起。他没有开口说话,只用拿着马鞭的脏手背抹了把满是胡楂的下巴。

"你不可以,"史蒂维结结巴巴地大喊,"会疼。"

"不可抽鞭子?"车夫略有沉思地反问一声,随手又抽了一鞭子。他这么做,不是因为他心肠歹毒,而是因为他得赚钱吃饭。有那么一瞬间,在马车的叮当声中,整个圣史蒂芬街道的墙壁和塔楼都陷入了沉寂。马车还在前行,但是走到桥上的时候,却发生了一场混乱。史蒂维突然从驾驶座上跳了下来,人行道上的行人叫嚷着纷纷跑开了,车夫赶紧停车,既愤怒又震惊,低声诅咒着。温妮摇下窗玻璃,把头伸了出来,脸色惨白。她母亲坐在马车里面,大声惊呼:"那孩子受伤了吗?那孩子受伤了吗?"史蒂维没有受伤,也没有摔倒,只是因为太过兴奋而语无伦次了。他站在车窗前,一直结结巴巴地重复:"太重。太重。"温妮把手放在他的肩膀上。

"史蒂维！马上上车，不要再跳下来了。"

"不。不。走路。要走路。"

他结结巴巴，毫无条理地试图说明为什么一定要走路，似乎没有任何事能阻挡他的一时兴起。史蒂维可以轻松地跟上这匹瘦马拉着的马车，连大气儿都不会喘。但他姐姐坚决不同意他走路。"什么话！简直闻所未闻！谁会跟在马车后面跑！"她母亲惊恐又无助地坐在马车里面，不断地恳求道："哦，别让他走路，温妮。他会迷路的。不要让他走路。"

"当然不会。也得想想后果啊！我告诉你，史蒂维，弗洛克先生要是听说了这种荒唐事会很伤心的。他会不高兴的。"

史蒂维生性温良，想到弗洛克先生会对此感到伤心和难过，立刻就妥协了，满脸绝望地乖乖爬上了驾驶座。

车夫一脸怒火，看着他厉声说道："你再敢做这种蠢事试试，年轻人。"

他的话虽然严厉，但他自己刚才也紧张得要死。呵斥完史蒂维，他一边驾车，一边开始沉思。说实话，他自己现在还没有完全搞清楚状况。他长年驾车，身体已经不再灵活，但是智力上依然保持着理智和独立。他本以为史蒂维是一个爱酗酒的年轻人，但是琢磨了一会儿后，便否定了这个假设。

马车一路上摇摇晃晃，叮当作响。马车里面，两位女士始终肩并肩坐着，谁也不说话。但是史蒂维突然爆发，打破了这原有的沉寂。温妮抬高了声音说："你做了你想做的，母亲。以后要是过得不如意，那也怨不得别人。我觉得你不会过得如意的。我对此不抱希望。你在家里过得不舒服吗？别人会怎么看我们，就这样把你扔到救济院去？"

"亲爱的,"老太太掏心窝地说,"你是天底下最好的女儿。至于弗洛克先生,他那边——"

想到弗洛克先生的优秀,她竟想不出恰当的词语来表达自己。老太太泪眼婆娑,把头转向了马车顶。过了一会又把头转向车窗,假装去看马车走到了哪里。他们刚刚走了没多远,马车还在紧挨着路沿石往前走。这是她最后一次乘坐出租马车了。此时夜幕刚刚降临,伦敦南部险恶喧闹的夜晚让她感到绝望。马车外,煤气灯的亮光从商店前面的橱窗里传出来,黑色和紫色相间的软帽下,衬得她的脸微微泛红。

弗洛克太太的母亲早年婚姻生活不幸,后又没了丈夫,生活艰难,多有不易,再加上身体羸弱,随着年龄的日益增加,脸上慢慢呈现出蜡黄色来。此时她心中羞愧,反倒让蜡黄色的脸上显出些橘红的润泽来。老太太一生为人谦逊,又经历了生活的磨难和岁月的洗礼,按理说是不会轻易脸红的,没想到这次竟然在女儿面前羞愧得红了脸。此刻,她坐在这辆封闭的四轮马车里,去往她即将度过余生的救济院。救济院里的房间狭小,设施简陋,一看就是为那些比她的处境还要窘迫的老人安度晚年准备的。这让她在女儿面前感到懊悔和羞愧,所以只能尽量掩饰。

别人会怎么想?她很清楚他们会怎么想,那些温妮在意的人——她故去的丈夫的老朋友,还有其他人。在搬去救济院这件事上,她就是跑去恳求这些人的帮助,并成功引起了他们的兴趣的。她以前都不知道,自己竟然也能低声下气地去乞求别人。她大概能猜出来,这些人看到她递交的申请会怎么揣测她的处境。但是男人本就粗枝大叶,骨子里也都是既粗鲁又残暴,所以对于她的情况,并没有过多地逼问。面对他们的提问,她要么紧闭双唇,要么就摆出一副势要沉默到底的决绝。看到这副情景,他们多半就兴趣索然了,他们一贯就是如此。她不止一次地感到庆幸,自己无需跟女人打交道,她们喜欢寻根问底,必然会想尽办法弄清楚她的女儿和女婿到底做了什么丧尽天良的事,把她逼到如此绝境。但是那位担任下院议员和慈善管理委员会主席的啤酒制造商,他觉得自己有义务弄清楚申请者的真实情况,所以面对他的时候,老太太无计可施,便忍不住放声痛哭起来。这让儒雅的慈善会主席瞬间手足无措,放弃了自己原有的坚持,赶紧对她说了些安慰的话。她本可以不用表现得这么无助和绝望,慈善会并没有明确规定,收容对象必须是"无儿无女的寡妇",所以他们并不会因此取消她的入住资格。但是委员会在作决定之前必须要弄清楚申请者的情况。他们自然也理解她不想成为别人的负担的这种心情,还有她的一些其他顾虑。弗洛克太太的母亲却情绪激动地哭个不止,反而让他们很失望。

　　老太太身材臃肿,戴着满是灰尘的假发,穿着古朴的丝绸裙子,上面棉质的白色花边装饰看上去脏兮兮的。她哭得十分伤心,觉得自己的决定很英勇,很肆无忌惮,而且完全是出于对两个孩子深深的爱意。这个社会常常会为了男人而牺牲掉女人的利益,她的这个决定也恰恰选择了牺牲温妮。她不把真实情况说出来,无疑就会让温妮的声誉受损。当然,温妮是独立的,对于那些永远也见不到的人,她无需去介意他们的看法。但可怜的史蒂维,他在这个世界上什么也没有啊,只能依靠母亲这个英勇的肆无忌惮的决定。

　　随着时间的流逝,结婚给温妮带来的安全感也慢慢消失了(任何情感都不是永久的),弗洛克太太的母亲在她阴暗的卧房里,不禁又想起了那段作为寡妇的艰难生活。但是她的回忆里没有怨恨，她的隐忍已经可以上升到近乎高贵的境界了。她很平静地回忆着往事，并从中得出了结论：在这个世界上，所有的东西都会衰退，并最终消失。好人应该要有好报。温妮是个慈爱的姐姐，也是位非常自信的妻子。温妮对弟弟全身心的疼爱，让温妮的母亲无法视而不见。母亲认为女儿的这种情感是独特的存在的，不受万物衰退规律的支配，是神圣不可侵犯的。她忍不住这样想，因为如果事情不是她所想的那样，那她会感到恐惧和害怕。但考虑到她女儿的婚姻状况，她立刻抛开了所有不切实际的幻想。她冷静而客观地认为，只有减少施加给弗洛克先生的压力，才能让他的善意维持得更久一点儿。当然，那个出色的男人深爱着他的妻子，虽然事实证明他对她是有感情的，但他肯定也不希望过多地承担妻子的赡养义务。既然如此，那就最好让他把所有的精力都放在可怜的史蒂维身上。老太太毅然决然地选择了离开孩子们，搬去救济院生活，这是她作出的牺牲，也是为史蒂维所作的一个长远打算。

这个决定的"妙处"就在于（弗洛克太太的母亲在这件事上处理得相当不动声色），她从家里搬出去在道德上为史蒂维赢得更多的同情。对于那个可怜的孩子（虽然有点奇怪，但是个好孩子），别人并没有足够的理由去赡养他。她接管了抚养他的担子，就像把她的那些家具从贝尔格莱维亚区一起带走那般理所当然，仿佛孩子和家具都是她的专属财产。我死了之后，那孩子该怎么办，她问自己（弗洛克太太的母亲是个想象力丰富的人）。每次她一想到这个问题就感到害怕，就联想到死后无从得知那孩子的生活情况，也让她恐惧。但是她这样一走了之后，就可以把他托付给他姐姐，为他寻得一个永久的依靠。表面看来,她的这一举动是把儿子给遗弃了,但是实际上却是给他安排好了以后的生活。有的人会为此作出物质上的付出,她则是作出了精神上的牺牲。这是唯一的办法。而且,即便她搬走了,也能知道儿子以后过得好不好。不管他过得好不好,她以后在病榻上也都可以瞑目了。但这还是太残忍了,太残忍了!

马车摇摇晃晃地往前走,发出咯咯吱吱、叮叮当当的响声。马车的剧烈颠簸让车里的人完全感觉不到他们是在往前走,仿佛是在效仿中世纪惩罚犯人的做法,把人固定住,然后不停地摇晃,这马车也活像是专门发明出来对付那些懒到了极致的人的。这种感觉简直太痛苦了,弗洛克太太的母亲近乎歇斯底里地说:"我知道,亲爱的,你只要有时间,就会来看我的,是吗?"

"当然。"温妮直直盯着前方说。此时马车正从一间冒着蒸汽和油烟的店铺前驶过,透过车窗,传来了店铺里煤气灯的灯光和一股煎鱼的味道。老太太又提高嗓门悲痛地说:"还有,亲爱的,我每个星期天都要见见那个可怜的孩子。他不会介意和他的老母亲在一起待上一天的……"

温妮神情漠然地喊道:"介意?他当然不会介意。那个可怜的孩子会想你想到发疯的。我真希望你有想过这一点,母亲。"

没有想过!老太太艰难地咽下一口气,仿佛强行压下了一个试图从喉咙里跳将出来的台球。温妮沉默了一会儿,坐在马车前面噘着嘴,然后又用一种不同以往的语气突然说:"我想我得先给他安排一份工作,不然他会坐立难安的。"

"不管你打算做什么,亲爱的,只要不让你丈夫感到厌烦就行。"

她们心平气和地讨论了未来的打算。马车还在颠簸着前进。弗洛克太太的母亲告诉了女儿自己的一些顾虑，如可以让史蒂维一个人独自出门吗？温妮坚持认为，他现在已经好多了，没有那么心不在焉了。对此，他母亲也表示了认同，这确实是事实。他现在已经很少走神了，这个问题几乎已经不存在了。在马车的叮当声中，她们大声交流着，心情很愉快。但是母亲对儿子的担忧却又一次爆发出来了。史蒂维过来看她，路上需要做两趟公共马车，中间还有一段路要走。这太难了！老太太不禁又悲从中来。

温妮还是看着前面，没有回头。

"你不用这么自寻烦恼，母亲。我会让你见他的，这是当然。"

"好，亲爱的。我尽量不这样。"她擦了擦满是泪花的双眼。

"但是你没有时间陪他过来啊，万一他走神了，迷了路，再有人严词厉色地跟他说话，那他就会把自己的名字和住址都忘记的，我们就会好几天找不到他……"

想到可怜的史蒂维会被人带到某家救济院的医务室，即使只是对他进行简单的询问，老太太的心口就隐隐作痛。她是多么骄傲的一个人啊。温妮看她的眼神渐渐变得严厉，而且若有所思了。

"我没办法每周都亲自带他来。"她大声说，"但是你也别担心，母亲。我会想办法的，确保不让他走失太久。"

马车此时突然猛地震了一下，透过马车震颤的车窗，她们可以看到外面的几根砖柱。这个急刹车把马车里的两位女士弄得头昏脑涨。发生了什么事？她们吓了一跳，呆呆地坐着也不敢动弹了。直到车门被人打开，然后听到车夫沙哑着声音说："到地方了！"

马车外是一排三角形屋顶的房子，一楼房间的窗户都是暗黄色的，周围是黑漆漆的草坪，里面混杂着灌木丛，从宽阔的街道看上去光影斑驳，四周还有嘈杂的车水马龙声。马车就停在一座狭小的房屋前，从一楼的窗户看进去，里面黑漆漆一片，也没有点灯。弗洛克太太的母亲从马车上下来，手里拿着一把钥匙。温妮站在石板路边向车夫付了车费。史蒂维帮着往屋里拿了几件小包裹，然后走出来站在救济院的一盏煤气灯下。车夫低头看了看手里的银币。几枚小小的银币躺在他脏兮兮的大手掌里，仿佛在嘲弄人类辛辛苦苦地劳作一天，才得到这么点回报。

车费给得并不低：四个一先令的银币。银币放在手心里，他静静地盯着看了一会儿，仿佛若有所思，这些钱似乎可以帮助他解决一个很棘手的麻烦。他的衣服破破烂烂的，他的手在一个内口袋里摸索了好一会儿，才把这笔颇丰的车费放进去。车夫身材矮胖，行动也不灵活。站在一边的史蒂维则恰恰相反，他身材纤弱，微微耸着肩，两只手插在大衣两侧的深口袋里，噘着嘴站在路沿儿上。

车夫把车费放进口袋，沉思了一会儿，然后又突然想到什么似的："哦！你到地儿啦，小伙子。"他低声说，"你下次还会坐我的车的，是不是？"

史蒂维这会儿正盯着那匹马看，由于马匹太过消瘦，后面的两条腿看起来异常高大，马尾像是被谁开玩笑似的硬装上去的，前面的脖子薄而平坦，就像一块铺上了马皮的木板，瘦骨嶙峋的马头无力地低垂着。两只马耳朵随意地挂在马头上，高低不一。它静静地站在那里，让人感到毛骨悚然，在这潮湿沉闷的空气里，不断地从肋骨和脊背里吐着蒸汽。

车夫从油迹斑斑的破衣袖里伸出铁钩子来，轻轻地敲了下史蒂维的胸口。

"嘿,小伙子,你想在马后面坐到夜里两点吗?"

史蒂维神情茫然地看了眼那双眼角发红的凶恶的小眼睛。

"它不瘸,"车夫继续低声说着,声音却很有力度,"它身上也没伤病,你瞧瞧。你还想着……"

他拉着长音,说着半截话,好像在说什么机密事件一样。史蒂维茫然的凝视慢慢变得让人恐惧。

"你想看接着看!我可是得坐到凌晨三四点钟的。又冷又饿。拉客挣钱。还少不了会遇见酒鬼。"

他那愉快的紫色面颊上布满了白色的汗毛,就像维吉尔笔下的西勒诺斯,脸上抹着浆果的汁,向西西里岛上不谙世事的牧羊人讲述着奥林匹斯诸神的故事,他向史蒂维讲述着家里的琐事,以及那些受过伟大而不朽苦难的人们的故事,当然这些事是否属实可就无从知晓了。

"我是个三更半夜出来揽客的车夫。"他低声说,带着一种傲慢的恼怒,"他们给我哪辆马车,我就得用哪辆马车,我还有老婆和四个孩子要养活呢。"

那份父权声明的沉痛似乎让全世界都沉默了。寂静笼罩下来,宽厚的煤气灯光里,这匹昭示着人世苦难的老马的两侧冒着热气。

车夫咕哝了一声,然后又神秘地低声说:"在这个世上活着可不易。"

史蒂维的脸抽搐了一会,终于他的感情以一贯的简洁形式爆发出来:"可恶,可恶!"

他仍旧目不转睛地盯着老马的肋骨,腼腆而忧郁,仿佛害怕往四下打量会看到这个世界的恶劣。他纤细的身形、红润的嘴唇和苍白、明朗的肤色，明显是个孱弱的男孩儿，尽管他面颊上长满了金黄色的毛发。他撅着嘴，像个受惊了的孩子。这个矮小壮实的车夫，用锐利的小眼睛盯着他，眼神如同某种清透的腐蚀性液体一般。

"说我对马不好，可看看我这样的穷人是不是更惨。"他气喘吁吁地说。

"可怜，可怜，"史蒂维结结巴巴地表示同情，颤抖着把手伸进口袋深处。

他什么也说不出来。对所有痛苦和不幸的同情，希望马和车夫都能幸福的期盼，这些情绪竟然混杂在一起，达成了一个奇怪的愿望——带着他们一起上床睡觉。他知道这是不可能的，因为他没有发疯。这只是一种象征性的渴望，与此同时，它也截然不同，因为它来自经验，经验乃智慧之母。因此，当他还是个孩子的时候，他蜷缩在黑暗的角落里，害怕、纠结、痛苦，他的姐姐温妮常常会把他带到床上和她一起睡觉，就像进入了一个安静平和的天堂。史蒂维虽然很容易忘记一些事实，像他的名字和地址，但他对各种感受记忆颇深。放在床上进行安抚无疑是最有效的补救办法，只是这种方法操作起来有一个缺点，就是无法大范围的施用。看着车夫，史蒂维想明白了这一点，他还是理性的。

车夫继续不慌不忙地收拾着，好像史蒂维根本不存在似的。车夫好像本来要登上驾驶座，但在最后一刻，出于某种模糊的动机，也许仅仅是出于对马车运动的厌恶，他停了下来。他走到马车边，弯腰抓住缰绳，借助右臂的力量，把低垂着的疲惫不堪的大脑袋抬过肩头，像是完成了一项壮举。

"走喽！"他轻喝一声。

车夫一瘸一拐地赶着马车离开了。那匹瘦削的老马迈着沉重的马蹄，拉着马车前行，车轮在碎石路面上缓慢地转动，一路上都伴随着嘎吱嘎吱的响声。马车渐行渐远，终于驶入远处的一片黑暗之中，从远处还依稀能看到救济院三角形的屋顶和透着微光的窗户，它们共同勾勒出一幅忧伤的画卷。远处救济院大门两旁的路灯还亮着，马车驶过的时候，灯光照出车夫矮胖的一瘸一拐的身影，还有低垂着脑袋艰难前行的瘦马。黑暗的车厢在路灯下一闪，向左转了个弯消失不见了。道路尽头有家酒馆，距离救济院大门不到四十五米。

史蒂维一个人站在救济院灯柱下，双手插在口袋里，瞪着空洞的双眼。口袋里，他的双手愤怒地紧握着。任何能够直接或间接地勾起他对痛苦的联想的事情，都会让他变得暴躁不安。此时他心中满是怒火，那双坦诚单纯的双眼也愤怒地微微眯着。史蒂维很清楚自己对于这些事是多么无能为力，但是却无法控制自己的情绪。这是他普世的悲悯之情的两个方面，就像是一枚勋章的正反两面，不可分割地连接在一起。他无法控制自己痛苦的情绪，随后就必然会转化为无助的愤怒。内心的痛苦和愤怒会引起身体的躁动和痛苦，他的姐姐温妮虽然每次都能够安抚住他躁动不安的身体，却从来不曾真正了解他内心的痛苦。弗洛克太太是绝不会浪费有限的生命，去探寻这些深层原因的。她的这种处世之道倒也算得上是一种谨慎，毕竟，在这个世道，知道太多是没什么好处的。心里想得少，自然也就不会去多管闲事。

那天晚上，弗洛克太太的母亲永远地和她的两个孩子分开了，对她来说，剩下的生命已经变得没有任何意义了。史蒂维当然很不安，温妮·弗洛克却没有心思去体察弟弟的心理活动。他们在门口跟老太太告别的时候,她再次安慰母亲说,自己不会让史蒂维在来探望她的路上走失太久的,她知道该怎么做。说完她就拉着弟弟的胳膊离开了。史蒂维完全陷入了沉默的状态,温妮从小就和他亲近,自然察觉到了他内心的不安。她抱紧弟弟的胳膊,仿佛要把整个人都靠上去,心里想着要怎么安抚他。

"听我说,史蒂维,你是我的好弟弟,所以过十字路口的时候你得好好照看我,公共马车来了你得先上车。"

听了姐姐这种貌似在寻求他保护的请求,史蒂维顺从地答应了。这让他感到受宠若惊,他把头抬起来,胸脯也挺起来了。

"别紧张,温妮,一定不要紧张!公共马车上得去。"他结结巴巴地说,语气中透着股孩子的胆怯和一个男人的坚定。他挽着自己的姐姐,无畏地向前走着,嘴唇却往下耷拉着。在肮脏的宽阔街道上,生活中所有的窘迫都被暴露在一盏盏的煤气灯下。姐弟俩走在大街上,因为长得很相像,引起了很多路人的关注。

拐角处小旅馆门前灯火辉煌,却让人感到莫名的阴森。大门前,紧挨着路沿石停着一辆四轮马车,车厢里空无一人,像是被谁丢弃在这里的。这正是他们刚刚乘坐的那辆出租马车,弗洛克太太一眼就认出来了。马车破旧不堪,看上去既可悲又怪诞,给人一种毛骨悚然的感觉,仿佛是死神的座驾。这幅情景触动了弗洛克太太内心女性的柔软(来的时候她坐在马车里面,并没有注意到),轻声感叹一声道:"可怜的马呀。"

史蒂维突然停了下来,猛不丁地把他姐姐往后扯了一下。

"可怜!可怜!"他姐姐的话引起了他的共鸣,"车夫也可怜。他自己告诉我的。"

那匹瘦弱的老马孤零零地站在那里，触动了他敏感的神经。他的姐姐试图拉他走，他却固执地不肯移步。他突然领悟到，原来马和人一样，都是这么地悲惨，他为此感到痛心，但是却无法用言语清楚地表达出来，只能不断地重复一句话："可怜的马，可怜的人！"但是这句话似乎不足以表达他内心强烈的情感，于是又突然愤怒地大喊一声："羞耻！"史蒂维掌握的词语有限，或许正是因为他言辞匮乏，所以才无法清楚准确地表达自己内心的想法。但是此时，他觉得自己表达得已经很完整、很深奥了。一个人之所以不幸，是因为他给另一方带来了痛苦，"羞耻"这个词表达出了他对这种悲惨现象的所有愤怒和恐惧。那个可怜的车夫，就像他自己说的，也是为了家里那几个可怜的孩子才鞭打那匹瘦马的呀。史蒂维知道挨打是什么滋味。他自己就挨过打。这真是一个糟糕的世界！糟糕透顶！

弗洛克太太，这个他唯一的姐姐兼监护人和保护者，却无法洞悉他如此深刻的想法。当然，对于车夫那番滔滔不绝的"演说"，她也没有听到。她对整件事一无所知，对他说出的"羞耻"一词更是感到莫名其妙。她平静地说："走吧，史蒂维。这不是你能管得了的。"

温顺的史蒂维继续跟着姐姐往前走，但是步伐之间展现出的自豪感已经荡然无存。他摇摇晃晃地走着，口里断断续续地嘟囔出一两个单词，仿佛这些零碎的单词拼凑在一起，就会形成一个完成的句子。他自己也试图借助这些词语来表达他内心所想，幸运的是，他最后终于拼凑出了一个完整的句子。他停下脚步说：

"这个世界对穷人来说太糟糕了！"

这句话说完，他立刻意识到，对于穷人在这个糟糕的世界上所经历的种种不幸，他早已熟知。这让他内心的想法更加坚定，也因此变得更加愤怒。他想,有人应该为此受到惩罚——很严重的惩罚。

他并非怀疑主义者,而是道德的坚定拥护者,此刻他已经完全被心中的正义感所占据。

"可恶!"他再一次准确地表达出了内心的愤怒。

弗洛克太太很清楚他现在非常激动。

"这事没人管得了。"她说,"走吧。你就是这么照顾我的吗?"

史蒂维只好听话地继续走。他是个好弟弟,为此他感到很自豪。他所秉承的道德也要求他必须这么做。他的姐姐温妮是个好人,但是她的话却让他感到痛苦。这事没人管得了!他沮丧地往前走,没过多久,脸上便又恢复了光彩。跟世界上的任何一个人一样,一旦受到了世界性难题的困扰,他也本能地去寻求那些特殊权力机构的帮助。

"警察。"他胸有成竹地说道。

"警察才不管这些事。"温妮很敷衍地回答说,继续匆匆忙忙地赶路。

史蒂维的脸又阴沉下来了。他在思考。他的思绪越专注,下巴就垂得越低,最后终于还是很无奈地放弃了这项智力活动。"他们不管吗?"他嘟囔一句,无助又惊讶,"不管吗?"在他眼里,大城市的这些警察就是为了镇压邪恶势力而存在的正义机构。他心中的正义跟这些穿蓝制服的警察也是密切相关的,他喜欢所有的巡警,喜欢得毫无保留。所以此刻,他感到无比痛苦。他开始质疑警察的表里不一,开始感到愤怒。史蒂维是多么坦诚和纯净的一个人啊。他们刻意假装是什么意思?他们为什么要假装自己管得了这些事?温妮是只在乎表面的人。他与姐姐不同,所有的事情他都希望深挖到底。

他愤怒地继续发问:"那他们是干什么的,温妮?他们是干什么的?告诉我。"

温妮不喜欢被人质疑。但是由于担心史蒂维会因为太过思念母亲而大吵大闹起来,所以才勉强继续回答他的问题。

"你不知道警察是干什么的吗,史蒂维?警察就是为了防止那些一无所有的人拿走那些拥有一切的人东西的。"她说这话不带一丝讽刺,简直太符合弗洛克太太这个身份了。弗洛克先生可是中央红色委员会的代表,私下里还跟一些个无政府主义者有来往,而且还是社会革命的拥护者。

她没用"偷窃"这个词,一听到"偷窃",史蒂维总是会很难受,他弟弟太诚实了。他脑子里被灌输了一些简单的原则,简单而强烈(就其所表现出来的"怪异"来看),强烈到只要听到某些描述罪行的词语,他就会感到惧怕。那些激情澎湃的演说总能轻易牵动他的情绪。他现在已经被触动了,整个人就如惊弓之鸟,脑子也变得活络起来。

"什么?"他立刻焦急地问,"要是他们饿了怎么办?他们不会饿吗?"

两人都停下了脚步。

"即使他们饿了也不行。"弗洛克太太言简意赅,丝毫也不关心社会财富的分配是否公平。她此刻正盯着街道上的车辆,根据颜色来判断哪辆是他们应该乘坐的那趟公共马车。"当然不行。说这些有什么用?从来也没让你挨饿过呀。"

她轻轻瞥了一眼身旁的这个男孩儿,他看起来已经像个大人了。史蒂维不仅亲切、有爱心,而且十分迷人,只是有点儿不同于常人,稍微有一点儿不同于常人。在她眼里,这就是弟弟的全部,在她平淡如水的生命里，史蒂维所展现出来的激情是她唯一的生活调味剂：他强烈的愤怒、勇敢、同情心和自我牺牲。还有一句话，她没有说出口："只要我活着，就不会让你挨饿。"她大可以这么告诉他的，因为她已经采取了有效的措施来确保弟弟以后不会挨饿。弗洛克先生是个好丈夫。她自己也坚信，这个孩子是招人待见的，没人会不喜欢他。她突然大声喊道："快点，史蒂维。拦下那辆绿色的公共马车。"

史蒂维一只胳膊微微颤抖地挽着姐姐，把另一只胳膊高高举过头顶，朝着马车挥舞，成功地把车拦了下来。

他俩到家已经是一个小时后了，弗洛克先生正坐在柜台后面看报纸，听到门口铃铛的响声，他抬起头往门口看了眼，只见妻子温妮走进来，后面跟着他的小舅子史蒂维。温妮从店铺走过去，径直上楼去了。看到妻子总是让他感到心情愉快，这已经成为他的本能反应了。对于后面进来的小舅子，他却视而不见。弗洛克先生最近十分忧虑，他感觉眼前似乎隔着一层面纱，让他看不清这个世界的意义何在，苦思冥想，却不得其解。他眼睛定定地追随着妻子的身影，也不开口说话，仿佛她只是一个幻影。他在家说话时，声音沙哑而平和，但是现在，他连话也不说了。晚饭的时候，妻子照常喊他："阿道夫。"听到喊声，他起身走到餐桌旁坐下，把帽子往后推了推，就心不在焉地开始吃饭了。戴着帽子就餐并不是因为他热衷于户外生活，而是经常出入国外咖啡馆落下的习惯，不仅是吃饭的时候，就连平时坐在炉火旁，他也想不起要把帽子摘下来。门口的铃铛响了两声，他默默地站起来，走到店铺去，过了一会儿又沉默地走回来。在这期间，弗洛克太太盯着右手边空着的椅子，心里十分想念刚刚搬走的母亲。史蒂维更是如此，他在地板上来回地搓着双脚，似乎是因为地板热得不行。等到弗洛克先生又沉默地在餐桌旁坐下,弗洛克太太不动声色地收回了盯着空椅子的眼神,史蒂维也不再搓脚了。姐姐温妮(在公共马车上)已经暗示过他,如果看到弗洛克先生心情不好,一定不要担心。小时候,他父亲动不动就发火,后来家里的房客们也都阴晴不定,而弗洛克先生这种时时流露出来的悲伤,反而更能让他克制自己的情绪。

父亲的怒火,还有房客们阴晴不定的情绪都是一触即发的,却很难让人理解,唯有弗洛克先生的悲伤最能引起他的共鸣,因为弗洛克先生是个好人啊!这是他的母亲和姐姐灌输给他的一个坚不可摧的认知。私下里,她们尊敬弗洛克先生,把他奉若神明,究其原因,却跟所谓的道德没有丁点儿关系。弗洛克先生本人并没有意识到这一点。客观来讲,他并没有刻意去善待史蒂维。尽管如此,在史蒂维有限的认知里,弗洛克先生依然是唯一一位值得他膜拜的人。至于其他那些房客,他们在他生命里停留的时间都太短暂,他对他们并没有形成很清晰的认识,当然,这些人的靴子除外。还有就是他那位动不动就拳脚相加的父亲,在他这位受害者面前,他母亲和姐姐实在说不出什么好听的话来。对史蒂维来说,那会非常残酷。即使她们为父亲说好话,他多半也是不信的。弗洛克先生则不同,史蒂维坚信他是善良的,没有什么能动摇这一点。虽然他总是神神秘秘,但毋庸置疑,他是个好人。一个好人所表现出来的悲伤是让人敬畏的。

史蒂维崇敬地看着他的姐夫,眼睛里满是怜爱。弗洛克先生不高兴。温妮的弟弟以前不知道,这位好人的情绪竟然如此牵动着他的心绪。他能够理解他的悲伤。他自己也感到悲伤了。他感到无比悲伤,与弗洛克先生同样的悲伤。受到这种悲伤情绪的影响,他又不自觉地开始搓脚。他心中的情绪需要通过身体表现出来。

"不要搓脚,亲爱的。"弗洛克太太严肃地提醒他,语气却很温柔。然后她转向自己的丈夫,用一种漠然的声音问道:"你今晚还出去吗?"

听到妻子问他出不出门,弗洛克感到十分厌烦。他烦躁地摇了摇头,然后垂下眼,看着盘子上的那块奶酪,盯了足足有一分钟。随后他起身走了出去——店铺门前的铃铛又响了。他的行为一反常态,并不是故意让妻子感到不愉快,只是他心中实在是太过不安。现在出去一准没什么好事。在整个伦敦,他都找不到自己想要的东西。但他最后还是出去了。他走过一个个的街道,或黑暗阴森,或灯火通明,心中思绪万千。他走进两家酒馆,又走出来,似乎只是心不在焉地打发时间。最后他又回到家,疲惫地在柜台后面坐下,所有的思绪又都像饿犬一样围绕着他打转,凶猛地朝他扑来。他锁了门,把灯熄灭,心事重重地上了楼。他妻子已经上来好一会了。他看到妻子躺在床上,一只手托着脸颊枕在枕头上,床单下丰盈的身体曲线分明。妻子此刻刚刚睡醒,浑身散发着安详和宁静。她瞪着大大的眼睛,瞳孔黑白分明。看到他进来,她没有动。

她的内心是宁静的。她深信,任何事情都经不起推敲,她所有的力量和智慧也都建立在这种思想之上。但是最近几天,弗洛克一直沉默寡言,让她感觉很沉重。事实上,这已经让她的神经变得敏感起来了。她斜躺在床上,一动不动,用平静的口吻说道:"你不穿鞋这样走来走去会感冒的。"

这句话体现了一位女性的细心,还有妻子的关怀,让弗洛克感到很意外。他把靴子脱在楼下了,却没想起来穿拖鞋,就这样穿着袜子在房间里不停地走动,像是一头被困在笼子里的黑熊。听到妻子的声音,他停了下来,梦游似地盯着她看了好久,在他空洞的眼神的注视下,弗洛克太太不自在地动了动床单下的胳膊。她的头还枕在白色的枕头上,托着脸颊的手没有动,黑色的大眼睛一眨也不眨。

在丈夫呆滞的注视下,她又想起了母亲之前的卧室,现在已经空无一人了,一种强烈的孤独感突然袭上心头。她以前从来没和母亲分开过,母女俩一直相依为命。她告诉自己,母亲已经离开了,永远离开了。弗洛克太太对未来没有任何不切实际的幻想。但是史蒂维还在。她开口说道:"母亲做了她想做的。我不知道她为什么要这么做。我知道,她肯定不是因为误会你受够她了才选择离开的。就这样把我们扔下,她太残忍了。"

弗洛克先生书读得不多,也不善于引经据典,但是对于目前的情况,他不禁联想到鼠群从一艘即将沉没的轮船上逃离的场景。他几乎就要脱口而出了。心中的疑惑越来越重,随之怒从中来。老太太的鼻子真有这么灵敏吗?但是他的猜测毫无根据,所以就忍住了没说。不过,也不是没有一点儿根据。他最后很沉重地说了一句:"这样或许也好。"

他开始脱衣服。弗洛克太太又陷入了沉默,眼神迷茫,有那么一瞬间,她的心仿佛也陷入了停滞。那天晚上,她"很反常",弗洛克的那句话似乎也意有所指,让她心里很不舒服。怎么会这样?或许也好。为什么会好?当然她并没有让自己陷入无端的猜测。她很确信,任何事情都经不起推敲。

她是个务实的人,做事也足够精细。她立刻把注意力转移到史蒂维身上,史蒂维才是她唯一需要关注的人,把注意力放在他身上是不会错的,这会给她力量。

"未来几天,我真不知道要做什么才能让那孩子高兴起来。母亲就这样一走了之,他肯定一整天都会闷闷不乐的。他是多么乖巧的孩子啊!我根本离不开他。"

弗洛克先生还在脱衣服,他心不在焉,仿佛自己此刻正置身于一片广袤无助的荒漠之中。人类共同生活的这个美好地球,此刻在他眼中是如此的荒凉。房间里很安静,他的内心也如一潭死水,只有楼梯口的钟表还不甘寂寞地滴答滴答地走着,似乎是要给他做伴。

弗洛克先生在另一侧上了床,侧躺在弗洛克太太的背后。他的胳膊无力地垂在床单外,像是被丢弃的武器。那一瞬间,他几乎就要向妻子敞开心扉,把一切都告诉她了。那个瞬间是个绝佳时机。他斜着眼看着妻子,他看到她裹在白睡衣下高耸的肩膀,看到她头上的三股头发辫,每股后面都绑着黑色的发绳。他终于还是没能说出口。弗洛克深爱着自己的妻子,以一种丈夫特有的方式,因为从婚姻的角度来讲,妻子是归他所有的。她的头发是在睡前特意打理过的,高耸的肩膀散发着神圣的光芒,一种象征家庭和睦的神圣光芒。她斜躺着一动不动,仿佛一尊还未完工的巨大雕塑。他脑中浮现出她的眼睛,睁得大大的,盯着空无一人的房间。她身上散发着一种神秘色彩——一个鲜活的人类所特有的神秘色彩。他曾是已故的斯托特·瓦腾海姆男爵手下威名远扬的间谍,却看不透自己的妻子。别人稍一威胁,他就招架不住了。而且他还很懒惰,很多温厚之人在本质上都是懒惰的。出于对妻子的爱恋,以及他自己的胆怯和懒惰,他克制着自己不去探究那种神秘。以后总会有时间的。房间里的气氛让人昏昏欲睡,他就这样躺了几分钟,内心无比煎熬。最后还是决定打破这份沉默："明天我要去欧洲大陆了。"

妻子现在可能已经睡着了。他不知道。实际上，他的话，弗洛克太太听到了。她的眼睛睁得大大的，静静地躺着，心里还在不断地暗示自己：任何事情都经不起推敲。出发去欧洲大陆对弗洛克来说是常事。店里的货物都是从巴黎和布鲁塞尔进口过来的，而且一般都是他亲自去采购的。在布雷特街道的这家小店铺里，几个业余革命者秘密地在此聚集，弗洛克经营的表面营生为其提供了很好的掩护。弗洛克生性懒惰，又迫于生计，竟然做了一辈子的间谍。

他等了一会儿，又补充说："我可能要出去一星期，也可能两个星期。白天让尼尔太太过来帮忙吧。"

尼尔太太是布雷特街上的打杂佣人。她的丈夫是个放荡的工匠，由于婚姻不幸，家里几个嗷嗷待哺的孩子都要靠她养活。她两只胳膊红肿着，粗布围裙一直围到腋下，身上散发着肥皂泡沫和朗姆酒的气味，喜欢在一片刺耳的洗涤声和锡桶的碰撞声中吐槽着穷人的不幸。

弗洛克太太心中有自己的打算，所以用尽量温和的语气回应说："没必要让她一整天都在这里帮忙。我有史蒂维给我帮忙就可以了。"

她听着楼梯口的钟表响了十五声，才问道："要关灯吗？"

弗洛克先生用沙哑的声音不耐烦地说："关吧。"

第九章

　　弗洛克先生在欧洲大陆熬过了十天，便返程回家了，显然这趟国外之旅的新奇并没有使他精神焕发，他的脸上也没有流露出回家的喜悦之情。他看起来筋疲力尽，满脸忧郁和懊恼，在店铺门前嘈杂的铃铛声中进了家门。他手里提着行李袋，耷拉着脑袋，三两步走到柜台后面，一屁股坐在椅子上，他劳累的样子像是在从多佛回来的途中饱受蹂躏。那时候天才蒙蒙亮，史蒂维将陈列在柜台前窗的物件儿擦得一尘不染，转头看到弗洛克，目瞪口呆，心里却满是敬畏。

　　"这个拿走！"弗洛克用脚轻踢了一下地上的手提包。史蒂维扑上去一下子把手提包抓在手里，满心欢喜地提走了。他动作麻利，一气呵成，看得弗洛克又惊又呆。门前的铃铛响起的时候，尼尔太太正弯着腰给壁炉涂铅，透过玻璃门看到弗洛克，连满是油污的围裙也没顾得解下来，慌忙跑去厨房通报太太，"老爷回来了"。

　　还没走到店铺里面，温妮就停下了脚步。

　　"该用些早点了。"她站得远远的，说道。

弗洛克的手微微动了一下,好似被一个不可能的建议说服了。一旦经受不住诱惑进入客厅,他就不会拒绝摆在面前的食物。他吃饭正正经经的,就像在外面吃饭一样,把帽子推到后脑勺,沉重的大衣下摆挂在椅子两边,成三角形状。桌子上铺着棕色的油布,对面坐着他的妻子温妮。温妮俨然是一个贤妻形象,和丈夫谈论的话题也很应景儿,就是关于这次返程途中的事儿,就像是珀涅罗珀对于远游回来的奥德修斯说的那些话一般。丈夫离开后,弗洛克太太就没做任何针线活儿,不过她将楼上的房间都彻底打扫了一遍,卖掉了一些杂物。中间米凯利斯先生来过几次,最后一次过来的时候,他告诉弗洛克太太,他要搬到乡下的一间农舍去住了,农舍坐落在去往伦敦去查塔姆和多佛的路上。卡尔·尤特也来过,有一次还是被他那位"邪恶的老管家婆"挽着手过来的,他是"一个令人恶心的糟老头"。至于奥西庞,她很草率地接待了他。这个老头在柜台后面守着,面无表情,眼神游离恍惚。她什么也没有说。当她谈及这位健壮的无政府主义者时,总会稍稍停顿一下,脸上微微泛红。而当她谈及家里的琐事时,她就会说到她的弟弟,她说这个孩子经常闷闷不乐。

"母亲就这样把我们撇下了。"

弗洛克先生既没有说"该死",也没有说"应该绞死史蒂维",而弗洛克太太也没有考虑他此时的心理状态,自然不会因为他的克制而心怀感激。

"这并不是说他不能像以往那样工作,"她继续说道,"他一直在努力,好让自己变成一个非常有用的人,你可能会认为他为我们做得不够。"

史蒂维坐在弗洛克的右边,穿着精致,但脸色惨白,本来红润的嘴唇此刻毫无生气。弗洛克先生此刻身心疲惫,满不在乎地看了史蒂维一眼。这并没有批评的意思,也没有任何目的性。即使这个小舅子让弗洛克觉得极其无用,那也只是一闪而过的想法,绝不具备那种足以撼动世界的强大力量和耐力。弗洛克先生沉住了气,把头举了起来。

"你可以尽情地管教他,阿道夫,"弗洛克太太说道,她尽量使自己看起来镇定,但语气并没有那么自然,"他会为你赴汤蹈火,他还……"

弗洛克太太突然停了下来,看向厨房门口。

是尼尔太太在擦洗地板。看到史蒂维,她竟悲伤地哀怨起来。史蒂维的姐姐会时不时地给史蒂维几先令的零花钱,而史蒂维因为怜悯尼尔太太家那几个嗷嗷待哺的孩子,转手就把钱赏给了她。此刻,她跪爬在地上,手和脚都泡在水里,浑身湿漉漉的,就像是一个生活在垃圾箱和脏水池里的两栖动物。她开始发话了:"你可倒是自在啊,啥活儿也不干,还天天摆出一副绅士的样子。"她接着说道,用那种贫穷人一贯的哀怨语气,楚楚可怜,假声假气,身上散发着难闻的廉价朗姆酒和肥皂水的气味。她卖力地擦着地板,一边还吸着鼻涕,嘴里喋喋不休地嘟囔着。在憋得通红的鼻翼两侧,泪水早已模糊了双眼,泪花儿不住地在眼里打转儿。她真的觉得自己需要点刺激,好支撑她度过这漫长的一天。

弗洛克太太在客厅里观察了良久,说道:"尼尔太太肯定又在说他孩子的悲惨故事了。他们并没有她所说的那么年幼吧,年长的已经可以生活自理了。天天讲这些事,只会让史蒂维生气。"

他们说话间,就听见从厨房传来砰的一声,像是谁在用拳头敲打厨房的桌子,果然不出弗洛克太太所料。尼尔太太的故事唤起了史蒂维的同情,但是他却发现口袋里一个子儿也没有,就懊恼起来了。尼尔太太说孩子因为太小,所以这不能做,那不能做,对于他们所面临的贫困现状,史蒂维自己却又无能为力,于是就萌生了应该有人为此负责的想法。弗洛克太太赶紧起身跑到厨房,去"制止这种无意义的行为"。她态度很坚定但又表现得很温和。因为她了解尼尔太太,只要手里一有钱,尼尔太太铁定就会跑到哪个角落处,在某个散发着霉味的低劣的小酒馆里,买了烈酒来喝。这个小酒馆是她走向人生"悲伤之路"的必经处。弗洛克太太本来是一个不愿意对一件事情寻根问底的人,但针对尼尔太太的惯用伎俩发表的一番言论却出奇地深刻。"当然了,她为了维持生计又能做些什么呢?倘若我是尼尔太太的话,也不会比她做得好。"

同一天的下午,弗洛克先生一直坐在客厅的火炉旁边打盹,之后突然惊醒过来对妻子说他要去外面散散步,温妮在店铺里说道:"出去散步也带着那孩子吧,阿道夫。"

弗洛克先生又吃了一惊,这已经是第三次了。他一脸茫然地盯着自己的妻子。弗洛克太太仍然很坚定。那孩子只要一歇下来,就会在房子里郁郁寡欢。对此她感到特别不舒服,坦白说,他让她的精神太过紧张了。这对于平常性格沉着的温妮来说,似乎显得有些夸张。但是,事实上史蒂维表现得完全就像是一只不开心的家畜,行为无比古怪。他时而跑到漆黑的楼梯平台上,在高高的大钟下面席地而坐,把头深深地埋到膝盖下面。苍白的脸上,一双大眼睛在夜幕中闪闪发光,着实令人心神不安。一想到他在那里,都会让人特别不舒服。

妻子总会有一些特别新奇的想法,对此弗洛克先生已经习惯了。他非常爱自己的妻子,作为男人,应当如此——像绅士一般。但此时他的脑子里想的却是要怎么拒绝,暗自思忖一番后,说道:"他要是跟不上我,就该走丢了。"

弗洛克太太很自信地摇了摇头。

"不会的,你还不了解他。这孩子特别佩服你。但是如果他真走丢了的话……"

弗洛克太太稍稍停顿了片刻,也就是片刻的时间。

"你放心出去吧。不要担心。他会很乖的,即使走丢那么一会儿,他也会安全回来的。"

"是吗?"他自言自语地咕哝着,表示很怀疑。但是或许他的妻弟并不似看起来那般呆傻。对此妻子是最有发言权的。他挪开疲惫沉重的眼睛,声音沙哑着说:"那好吧,一会儿就让他跟着吧。"自己却又再度陷入焦虑的魔掌之中。这种焦虑或许偏爱坐在骑马者的身后,但对如何紧跟这种根本养不起马的人身后也同样了如指掌——比如弗洛克先生。温妮站在门旁,并没有发现伴随着丈夫的那种令人窒息的焦虑。她看到两个人在肮脏的大街上行走,一个高大结实,另一个矮小瘦弱。史蒂维脖颈细长,两只耳朵被照得微微透明,两侧的肩膀高耸着。他们穿着同样材质的大衣,帽子也都是黑色的圆帽。看到如此情境,弗洛克太太不禁又浮想联翩。

"可能更像父子吧。"她自言自语道。想到弗洛克确实多少有点像可怜的史蒂维的父亲。她突然意识到这都是自己的功劳,一种自豪感顿时油然而生,这种自豪感来源于几年之前所作的决定。她为此拼尽了全力,也洒下过热泪。

在接下来的日子里,看到弗洛克似乎与自己的弟弟相谈甚欢,她更加佩服自己了。如今,但凡是弗洛克出门,他总会叫上弟弟一起去。弗洛克每次都像是在呼喊蹲在门槛边的家犬,尽管呼喊的方式不一样,但在本质上是相同的。在屋里的时候,她发现弗洛克有时会十分好奇地盯着史蒂维看。他本身的气质已经悄悄发生了改变。虽然他依旧沉默寡言,但已经没有那么无精打采了。弗洛克太太认为他偶尔还是会神经兮兮的,但是已经改善很多了。至于史蒂维,他也不会独自蹲在大钟下面闷闷不乐了,但是有时还是会在角落里喃喃自语,听起来有点恐怖。当别人问起"你在说什么呀,史蒂维?"他也只会张开嘴巴,斜眼看着自己的姐姐。有时候他还会毫无缘由地攥紧自己的拳头,偶尔还一个人孤零零地在墙角处盯着墙壁看,厨房的桌子上散落着给他画圆圈用的纸和铅笔,只不过上面空空如也。这也算得上是一种改变,但实在谈不上是进步。近来弟弟所有的异常表现,弗洛克太太都觉得是他精神太过兴奋的原因,她开始担心弟弟是听到了丈夫与他那些朋友之间的谈话才这样的。丈夫在散步的时候,难免会遇到他的那些朋友,碰上了少不了就得交谈几句,而这些谈话远不是史蒂维所能接受得了的。除此之外,弗洛克太太想不出还有什么原因会让弟弟这么不安。弗洛克先生的散步是他户外活动不可或缺的一部分,他的妻子也从不深究。弗洛克太太觉得这种境地很是微妙,她用自己一贯的不可撼动的镇定对待这种局面,店铺里的客人对此印象深刻,甚至对此十分惊奇,就连店外的客人也不免远远地驻足观看,脸上满是好奇。不!她开始害怕,史蒂维可能是听到了什么不好的事情,她告诉丈夫说。这些事只会刺激到那可怜的孩子,因为这都不是他所能掌控的。谁也掌控不了。

他们当时是在店铺里,弗洛克听到妻子的话闭口不言。他虽然没有明确地进行反驳,但是能看出来他是打心里抗拒的。让史蒂维跟着弗洛克外出散步完全是她自己的主意,当然这句话弗洛克并没有说出来。这绝不是一般人所能做到的,当时如果有某位客观公正的外人在场,肯定会觉得弗洛克先生是个高尚无私、宽宏大量的人。他从书架上拿下来一个纸盒子,透过上面的小缝窥到里面的东西完好无损,然后又小心翼翼地将其放回原处。做完这些,他才开口说话,大意是,如果把史蒂维送出城镇去,哪怕是让他在外面待上很短的一段时间,对他也是大有好处的,但他又担心妻子会离不开他。

"离不开他!"弗洛克太太慢条斯理地重复了一遍,"如果真是对他好,我当然没有问题。关键是,没有地方让他去啊!"弗洛克先生拿出来一些棕色的纸和一团绳子,嘴里低声说,米凯利斯就住在乡下的一个小农舍里,他是不会介意给史蒂维腾出来一间房子的。他在那里写书,很安静,既没有串门的,也没有聊天的。

弗洛克太太表达了他对米凯利斯的仰慕之情;还顺便提及了那个她所痛恨的卡尔·尤特,称他为"讨厌的糟老头";对于奥西庞,她没发表任何评价。至于史蒂维,他对此除了满意,还能怎么样呢。米凯利斯先生总是对他很好,也很亲切。他似乎很喜欢那个孩子。是啊,那孩子是个好孩子。

"你最近似乎越来越喜欢他了呢。"她接着说道,稍停顿了一下,语气很肯定。

弗洛克先生把那个纸盒子撕成了一个可邮寄的包裹,猛地一扯,竟将绳子拉断了,他嘴里又开始咕咕哝哝,自言自语地说了些脏话。

接着他提高了嗓门,用平常沙哑的声音嘟囔道,自己愿意将史蒂维送到乡下,确保他跟着米凯利斯安然无恙。第二天,他就开始了自己的计划。史蒂维也没有反抗,看起来似乎还很期待的样子,就是有点疑惑。他时不时地扭头看一眼面色凝重的弗洛克,尤其是在姐姐不注意的时候,姐夫的神情让他很好奇。他看起来很自豪,但又显得紧张不安,仿佛自己是个小孩子,大人第一次允许去触碰火柴,还能试着去划着一根。弟弟对自己俯首帖耳,让弗洛克太太感到满意,她特意嘱咐他,在乡下的时候不准把衣服弄得乌七八糟。姐姐叮嘱他的时候,史蒂维抬头看姐姐一眼——这个他一直以来的监护人和保护者,平生第一次感觉自己不再像孩子那般全然信赖自己的姐姐了。他既有点犹豫,也为自己感到自豪。弗洛克太太微笑了一下。

"哎哟!你用不着生气,史蒂维。一有机会,你铁定就把自己弄得浑身脏了。"

这时候弗洛克先生已经在大街上走了有一段路程了。

由于母亲果断决定搬离自己的家,而弟弟也搬去了安静的度假之地,丈夫呢,每天都要去散步,弗洛克太太发现自己更加孤独了,无论是在店铺里,还是在自己家里。格林尼治公园爆炸案发生那天,丈夫很早就出去了,直到傍晚才回来。她不介意一个人待着,但是也不想出门去。天气也很糟糕,店铺里比外面舒适多了。丈夫回来的时候,她正坐在柜台后面做针线活儿。弗洛克先生走到门外人行道的时候,她就听出来是他回来了,所以门口的铃铛丁零零地响的时候,她眼都没抬一下。

她依旧低头忙自己的事情。弗洛克先生往下推了推帽子,盖住了前额,径直走到客厅的大门。她这时才开口说话:"天气太坏了。

你是去看史蒂维了吧?"

"不是啊。"弗洛克先生语气轻柔,关闭身后客厅的门时却很用力,让人有些意外。

弗洛克太太把手头的活儿放到膝盖上,沉默了一会儿,然后把它放到柜台的后面,起身去点亮了煤气灯。做好了这些之后,她本来是去厨房的,却又走进了客厅。弗洛克先生回家后是需要喝茶的。温妮自信于自己一直以来的魅力,她并没有期望丈夫在婚后的日常生活中能给她仪式上的浪漫且还能与自己相敬如宾——这充其量是个传统的、无用的形式,很可能从来不被遵守,在上流社会都不流行了,对她所处的阶层来说就更不用说了。她从来没有要求丈夫对她曲尽礼节。但是他确实是一个好丈夫,她一直很尊重丈夫的权利。

弗洛克太太本该穿过客厅,去厨房里尽自己作妻子的本分,做一些家务活儿的,她对自己端庄的女性魅力很有信心。但是这时她耳边响起了一个轻微的声音,是一种轻轻却又快速敲打的声音。很令人费解啊!这让弗洛克太太起了疑心。这种敲打声愈来愈清晰,她停下了脚步,既心惊,又很担心。她从手上拿着的火柴里抽出来一根划着,点燃了客厅桌子上的一盏煤气灯,好像是煤气灯出毛病了,一直在呲呲的响,似乎是受了惊吓似的,持续了好一会儿才正常,随后却又发出小猫打呼噜的声音。

弗洛克先生有点反常。他匆匆脱下大衣,放在沙发上。帽子也被摘下来,帽口朝上,被放到沙发边上。他拖了一把椅子放在火炉前,把脚伸进火炉围栏里,双手抱着头,低头靠近灼热的壁炉。牙齿不自觉地上下碰撞着,整个宽大的后背也微微颤抖着。弗洛克太太惊住了。

"你身上都湿透了。"她说道。

"还好吧。"弗洛克先生打着寒战,结结巴巴地说出话来。用了好大的力气,他才努力克制住自己,不让牙齿打战。

"我扶你去床上吧。"她说,心里面很不安。

"不用了。"弗洛克先生抽着鼻子,声音嘶哑。

早上七点就出去了,直到下午五点才回来,现在染上了感冒自然也不奇怪。弗洛克太太看了看他蜷缩着的后背。

"你今天都去哪里了?"她问道。

"哪里也没去。"弗洛克回答说,鼻音很重。他的态度里藏着他的委屈和气愤,或者他确实头很痛。他回答得既不完整,也不够坦率,在这个死寂的房子里,却显得非常清晰。他满怀歉意地抽着鼻子,又补充说:"我去了银行。"

弗洛克太太这才开始留意听他说。

"去了银行!"她不动声色地问,"去银行干什么了?"

弗洛克先生开始支支吾吾,鼻子凑到了火炉旁,显然不情愿说。

"去取钱!"

"什么意思?所有的钱都取出来了?"

"是的,所有的钱。"

弗洛克太太小心翼翼地将本就不大的桌布扑平,不慌不忙地从桌子的抽屉里拿出来两套刀叉,然后突然停了下来。

"都取出来干吗?"

"也许很快我们就用得着了。"弗洛克先生说得含含糊糊,眼看着自己的不明智之举就要被戳穿了。

"我不知道什么意思。"妻子的语气相当随意,但是在桌子和橱柜之间,声音突然静止了。

"你知道你可以相信我的。"弗洛克对着壁炉说,声音嘶哑。

弗洛克太太慢慢把头转向橱柜,深思熟虑地说道:"是的,我可以相信你。"

她继续有条不紊地干着手头的活儿,放两个盘子在桌上,又取了些面包和黄油,在桌子和橱柜之间不声不响地来回走动。从柜子里拿果酱的时候,她心想:"在外面待了一整天,他想必是饿了。"于是她又从橱柜里拿出来一些凉牛肉,放在呜呜作响的煤气嘴上面,顺便瞥了一眼抱着火炉的丈夫,然后迈下两个台阶,走进了厨房。从厨房出来的时候,她手里拿着切肉刀和叉子,又继续说:"如果我不相信你,就不会嫁给你了。"

弗洛克弯着腰蹲在壁炉下面,双手抱着头,看起来像是睡着了。温妮沏好了茶,小声喊了声:"阿道夫。"

弗洛克立刻站了起来,摇摇晃晃地走到桌子旁边坐了下来。弗洛克太太检查了一下切肉刀的刀刃,把它放在盘子上,提醒他吃冷牛肉。他的下巴还贴在胸前,并没有理会妻子。

"你冷就该多吃些。"弗洛克太太武断地说。

他这才抬起了头,摇了摇,眼睛里都是红血丝,脸也通红。他把十根手指头都插进头发里,来回地挠,把头发弄得乱七八糟。他现在浑身上下看起来都是邋里邋遢的,一脸不舒服的样子,不仅极其不修边幅,还一脸愤怒和忧愁。要知道,弗洛克本不是不修边幅的人。可能是发烧引起的,三杯茶下肚他就已经饱了,根本不想吃什么东西。经弗洛克太太一提醒,他突然又清醒过来,还真感觉有些饿了。弗洛克太太又说道:

"你的脚不是湿了吗?最好穿上拖鞋,今天晚上可不能再出去了。"弗洛克先生又开始忧郁地咕哝起来,意思是自己的脚根本没有湿,即使湿了,他也不会在意的。所以妻子让他穿拖鞋,他是不会听的。看来今天晚上是出不去了。不过弗洛克现在想的也不是出去的事。他在计划着更宏伟的想法。从他现在的情绪和词不达意中可以明显看出,他在考虑移民的事情,可能是去法国,也可能是去加利福尼亚州,现在还不确定。

关于这件事,这完全是不可能的,是明令禁止的,也是不可能被理解的,它的可实施性本就悬而未决,这下直接没想头儿了。弗洛克太太表现得很冷静,就像是她丈夫在吓唬她,说世界末日将要来临。

"什么!"

弗洛克先生说他自己病了,不想做任何事情,而且——他的话被太太打断了。

"你感冒很严重啊!"

弗洛克显然是不在状态,精神和身体反应都很反常,这是事实。他沉默了一会儿,对于移民的想法又变得很不确定,接着又自言自语地说了些关于移民的必要性。

"必须这样吗?"温妮问道,镇定地在丈夫对面坐下,双臂交叉着。"我想知道是谁让你作了这个决定。你不是奴隶,这个国家根本也没有奴隶——你不要把自己想成是一个奴隶。"她停下来了,用不可反驳的沉着的语气接着说,"咱们的生意做得也不是很差,你还有一个如此温馨的家。"

她扫了一眼客厅,从角落的橱柜到壁炉里熊熊燃烧着的炉火。

店铺里有很多可疑的货物，昏暗的窗户显得特别神秘，在狭窄昏暗的大街上那半掩半开的门也令人怀疑。从家庭财物和家内的舒适感来看，这还算得上是一个受人尊敬的家庭。她心心念念的还是自己的弟弟啊！他还在肯特郡那个潮湿的农舍中，由米凯利斯照看着。一直以来，她都全心全意地呵护着自己的弟弟，此时更加想念他。这也是弟弟的家啊——房顶的一砖一瓦、房里的橱柜，还有填满煤的壁炉。想到这里，她站起身来，走到桌子的另一端，发自肺腑地说："你也没有厌倦我吧。"

弗洛克没有回答。温妮从后面走过来靠在他的肩膀上，用力亲吻他的额头，她陶醉于其中，对屋外的一切声音都听而不闻，街道上行人的脚步声渐行渐远。屋子里一片寂静，只有桌上的煤气灯发出的呲呲声。

温妮绵长的吻来得出乎意料，弗洛克先生的双手紧紧抓住椅子，一动不动。等温妮的唇移开，他立刻松开了抓着椅子的双手，起身走到壁炉前。他转过身来，看起来异常兴奋，像是刚刚吸了毒，目不转睛地看着妻子的一举一动。

弗洛克太太静静地走到餐桌旁，开始收拾桌子上的杂物，同时心平气和地发表她对这个主意的看法，理由在情在理。这个想法经不起考验。她从各个方面对它进行了否定。其实她最关心的还是史蒂维的幸福。她认为每个人独有的人情关系是无法轻易被带到国外去的，说的无外乎就是这一类话。但是在谈这一点的时候，她的言辞尤为激烈。她边说边粗暴地穿上围裙去洗刷杯碟。她似乎为自己那种不容别人质疑的嗓音感到特别兴奋，说着说着，语气竟变得有些尖刻。

"如果你要去国外,你就自己去吧。"

弗洛克先生沙哑着声音说:"你知道我不会自己去的。"妻子低沉的声音中带着一种让人费解的情绪。

弗洛克太太已经为自己说出口的话感到后悔了。那些话听起来比自己原本预想的要刻薄得多,还说了很多显得自己很愚蠢的废话。其实,她本意并非如此,她当时一定是着了魔了。幸好,她想到了补救的方法。

她转过头,瞟了一眼站在壁炉前的弗洛克,眼神里夹杂着心机和残忍。以前住在贝尔格莱维亚区阁楼里的那个温妮,是不会拥有这样的眼神的。当时她本就天真无邪,而且还会顾忌自己的尊严。但是,现在这个男人是她的丈夫,并且她也不再那么天真无知了。她注视了他几秒钟,面色凝重,仿佛戴了一张面具,一点儿表情也没有。她随后开玩笑似地说:"你不会一个人,因为你会很想念我的。"

弗洛克先生往前走了两步。

"没错。"他声音洪亮地回应道,说着便伸出胳膊向她走过来。他的表情疯狂而诡异,让人弄不清他到底是要掐死自己的妻子,还是要去拥抱她。这时商店门前的铃铛突然响了起来,吸引了弗洛克太太的注意。

"店里来人了,阿道夫。你去看看。"

他停了下来,慢慢把胳膊放下。

"你去呀,"弗洛克太太又催了他一声,"我还系着围裙呢。"

弗洛克表情麻木,眼神黯淡,满脸通红,像是一个脸上涂了红漆的机器人。他和机械的形体如此相像,以至于内心都有了机械人的荒谬意识了。

他关上客厅的门,弗洛克太太麻利地将盘子拿到厨房。她清洗了杯具和一些其他的东西,然后停下来去听店里的动静,但是却什么都没听到。顾客在店里待了很长时间。那人肯定是一个顾客,否则弗洛克会把他带到里面来。她解下围裙,嗖的一下扔到椅子上,悄悄回到了客厅。恰好弗洛克这时候也进来了。

他出去的时候还面色通红,现在整张脸却苍白无比。就这短短一会儿的工夫,之前表现出的激动和疯狂已经荡然无存,取而代之的是困惑和痛苦。他径直走向沙发,站在那里呆呆地看着沙发上的外套,好像不敢去触碰它一样。

"发生什么事了?"弗洛克太太温和地问道。门半掩着,她看到那个顾客还没走。

"我今晚必须得出去一趟。"弗洛克先生说。他并没有尝试去拿那件外套。

温妮什么都没说,关上身后的门,走到商店柜台后面。坐好之后,她才正眼去看这位顾客。温妮注意到他又瘦又高,胡子两端向上挑着。事实上,胡子是他刚刚才卷起来的。衣服的领子向外反着,脸又长又瘦。他身上看起来被水溅湿了。他肤色黝黑,两鬓稍凹,颧骨很高,轮廓分明。这是一个完全陌生的人。他也不是来买东西的。

弗洛克太太平静地看着他。

过了一会儿,她才问道:"你从欧洲大陆那边来?"

这个又瘦又高的陌生人,看都没看弗洛克太太一眼,只是诡异地笑了笑。

弗洛克太太注视着他,显得沉着又冷漠。

"你听得懂英语,对吧?"

"是的,我听得懂。"

单从他的口音听不出来他是外地人,只是说话有点慢,还很费劲儿。弗洛克太太阅历丰富,她知道一些外地人说的英语比本地人都好。她盯着客厅的门,说道:"你不会在英格兰长住的,对吗?"

陌生人只默默地笑了笑,轻轻摇了摇头,看起来有点悲伤。他嘴巴很好看,眼睛深邃有神。

"我丈夫会帮你的。与此同时,你最好到古哥廉尼先生那儿住上几天,叫'五洲大酒店',私人的,很安静。我丈夫会带你过去的。"

"那太好了。"对方回答说,眼神突然变得很坚定。

"你之前就认识弗洛克先生,对吧?或许是在法国认识的?"

"我听说过他。"他说话很慢,也很谨慎,听起来像是带着某种目的。

停了一会儿,他又漫不经心地说道:"或许,你丈夫没去外面的街上等我吧?"

"去街上!"弗洛克太太吃惊地重复道,"不可能,只有这一个门。"她呆呆地坐了一会儿,然后站起来走到玻璃门那儿,透过门向里看了看。突然,她打开门走了进去。弗洛克只把外套穿上了,之后就一直用两个胳膊支撑着自己靠在桌子上,看起来疲惫不堪,似乎很不舒服。温妮却不明白为什么。

"阿道夫。"她喊了一声。等弗洛克站起身来,她又问了一句:"你认识那个人吗?"

"我听说过他。"弗洛克很不自在地小声回答说,往门外瞟了一眼。

弗洛克太太原本友好却淡漠的眼神突然闪过一丝厌恶。

"卡尔·尤特的朋友,可恶。"

"不,不。"弗洛克赶紧纠正,一边忙着找他的帽子。但是,等他从沙发下面拿到帽子,却似乎又忘记了要拿帽子干什么。

"好吧,他还等着你呢。"弗洛克太太最后提醒他道,"我说,阿道夫,他不是最近让你心烦的大使馆的人吧。"

"让我心烦的大使馆的人?"弗洛克先生重复一句,有些吃惊,还有一丝恐惧,"谁告诉你大使馆的事的?"

"你自己。"

"我!我!我把大使馆的事告诉你的!"

弗洛克先生看起来既害怕,又困惑。只听见妻子解释道:"阿道夫,你最近晚上会说梦话。"

"什么,我说了什么?你都知道了什么?"

"也没什么,大部分都是废话。但是足够让我了解到你所担心的事情了。"

弗洛克拿着帽子往自己的头上砸,脸上因愤怒而变得猩红。

"废话,嗯?大使馆的人!我真想把他们的心一个个都挖出来。他们以后可得小心了,我头上可长着嘴巴呢。"

他怒气冲天,在桌子和沙发之间走来走去,大衣衣角来回摆动着。

弗洛克太太从现实情况出发,又恢复了冷静说:"好吧,"她说道,"不管他是谁,尽快摆脱掉那个人,然后回家来。你需要休息一两天。"

弗洛克冷静下来,苍白的脸上多了一丝坚定。他已经走过去把门打开了,却又听到妻子小声喊他。

"阿道夫!阿道夫!"他吓了一跳,赶紧折回来。"你取出来的钱在哪儿?"她问道,"是不是在口袋里装着呢?你最好还是……"

弗洛克先生呆呆地盯着妻子伸出来的手看了好一会儿,然后挑了挑眉。

"钱！对！对！我没反应过来。"

他从上衣口袋里拿出一个新的皮革钱包。弗洛克太太接过来一句话也没说，站在那儿一动不动，直到门口铃铛的声音慢慢平息下来，她才把钞票往外抽了抽，看了看一共有多少钱。看完之后，她若有所思地看了看四周，空气中弥漫着怀疑和孤独的气息。婚后的住所一直让她觉得危险而孤独，仿佛身处森林深处。房子里的家具尽管有重量，还很结实，但对于她想象中的小偷来说，依然显得单薄易碎。那是一个过度的想象，想象小偷有着超人的能力和洞察力。一旦有小偷进来，放在抽屉里的现金绝对会是他的首先目标。她不敢往下想了。弗洛克太太拆开钱包上的扣子，把它藏在衣服下面。听到门口铃铛再次响起的时候，她已经安置好了丈夫的钱，所以心情很愉快。她走到柜台后面，脸上又摆出她一贯坚定且无所畏惧的眼神。

店铺中央站着一位先生，已经面无表情地快速环顾了店铺一周，从墙上到天花板，再到地板。他的下巴上长着长长的胡须，看到弗洛克太太出来，冲她笑了笑，像是遇见了一位老相识。弗洛克太太记得之前好像在哪儿见过他。他不是来买东西的。弗洛克太太的眼神里只剩下冷漠，她站在柜台后面看着他。

他不着痕迹地走上前来："弗洛克太太，你丈夫在家吗？"他很随和地问了一句。

"不在家，他出去了。"

"那太不巧了，我本想向他打听一点儿私人信息呢。"

他说得倒是真话。希特总督察在回家的路上一直在斟酌这事儿，到家换上拖鞋后还在想。他告诉自己，他已经没权利再插手这个案子了。对此他既轻蔑又气愤,他觉得自己这个职业让人很不如意,所以想出去走走,好换个心情。不管怎么样,我都要去友好地拜访一下弗洛克先生,这本来也是件再平常不过的事。他像一个普通公民外出办事一样,采用最常用的步行方式,朝着弗洛克先生的家出发了。希特对于自己的特殊身份一向很看重,所以路上特意躲开了布雷特大街及附近地区司职的巡警。不同于那些默默无闻的总督察,他声名在外,必须要时刻保持警惕。普通公民希特偷偷摸摸地进入了布雷特大街,如果这要是让那些罪犯看到,一定会把他当作是潜逃的犯人。希特的口袋里装着那块从格林尼治捡回来的领口布条。他不打算凭借一己之力去探查这背后的真相,相反,他想知道弗洛克会主动交代些什么,然后凭借这些话,最好能给米凯利斯定罪。他的这种想法完全是一个警察下意识的期望,而绝非站在道德的至高点上来考虑的。总督察希特可是一位维护正义的人民公仆。发现弗洛克不在家,他很失望。

"如果他很快回来的话,我就等他一会儿。"他说。

弗洛克太太没有吱声。

"我需要的信息是非常私人的。"他再次强调,"你明白我的意思吧?能告诉我他去哪了吗?"

"我不知道。"

她转过身去整理柜台后面货架上的盒子。希特若有所思地看着她。

"我想你应该知道我是谁吧?"他说。

弗洛克太太扭过头扫了他一眼。希特看到她如此冷漠,有些吃惊。

"得了吧!你知道我是警察局的人。"他厉声说道。

"我不爱想这些事情。"弗洛克太太回答说,接着整理她的盒子。

"我是希特——特别刑事部的总督察希特。"

弗洛克太太把小纸盒放好,转过身来对着他,眼神凝重,双手懒懒的垂着。房间里一时间很安静。

"你丈夫是一刻钟之前走的!他没说什么时候回来?"

"他不是一个人去的。"弗洛克太太漫不经心地说了句。

"和朋友一起?"

弗洛克太太捋了捋后面的头发,弄得整整齐齐。

"那个人我不认识。"

"我明白了。那人长什么样?不介意跟我说说吧?"

弗洛克太太一点儿也不介意。她告诉希特,来人皮肤黝黑,身材瘦弱,长脸,胡子卷起。总督察听完,整个人变得很不安,惊呼道:"见鬼,我竟然没想到!他真是一点儿时间也不耽误啊!"

直属上司这样私下里开展调查,让他心里很厌烦。但是他也不蠢。希特现在已经没兴趣等待弗洛克回来了。他不知道他俩出去干什么去了,但是不用想也知道,他们肯定会一起回来的。这个案子调查得一点儿也不顺利,还被这般强加干涉,他苦涩地想。

"我恐怕没时间等你丈夫回来了。"他说。

弗洛克太太依然神情漠然,总督察希特注意到,她自始至终都是这副冷漠的表情。他突然来了兴趣。总督察此刻就像大多数普通人一样,整个人悬在空中,被自己的激情操控着左右摇摆。

"我在想,"他坚定地看着她,"你能不能告诉我,现在事情进展到哪一步了?"

他的咄咄逼人让她一时很迷茫,她低声反问道:"进展!什么事情的进展?"

"怎么,就是我今天要来跟你丈夫讨论的事情啊。"

那天,弗洛克太太照旧只扫了一眼早报。但是她没有出门,报童也从来不到布雷特大街来,因为在这里卖不出去报纸。他们在车水马龙的大街上叫卖,中间被脏兮兮的墙壁层层阻隔,声音自然也传不到她这儿来。她丈夫晚上回家的时候也没带晚报来,反正她是没看到晚报的影子。弗洛克太太根本就不知道发生了什么事。她很诚实地告诉希特自己不知道,声音里还透着一丝好奇。

总督察一开始并不相信她一点儿也不知情。于是他直言不讳地把事情说了一遍,语气并不温和。

弗洛克太太翻了个白眼。

"我认为这很愚蠢,"她慢条斯理,顿了下又接着说,"我们可不是受人压迫的奴隶。"

总督察耐心地等她往下说,但是弗洛克太太却不再说话了。

"你丈夫回来后没跟你说什么吗?"

弗洛克太太轻轻摇了摇头,表示没有。店铺里再次陷入了一片死寂。总督察希特终于忍无可忍了。

"还有一件小事,"他冷静地说,"也是我今天要来问你丈夫的。我们手上有一件——一件大衣,我们觉得是被人偷出来的。"

弗洛克太太那天晚上对小偷特别警惕,听到这话,她不着痕迹地摸了摸自己的衣襟。

"我们没丢大衣。"她平静地说。

"这就有意思了,"普通公民希特说道,"我注意到你店里有很多作标记用的墨水……"

他拿起一小瓶墨水,走到店铺中间,对着煤气灯看了看。

"紫色的,是吧?"说完,他把墨水瓶放下,"我刚说了,这很奇怪。因为大衣里面缝了一个标签,上面用墨水写着这里的地址。"

弗洛克太太靠到柜台上低呼一声。

"那应该是我弟弟的。"

"你弟弟在哪儿?我能见见他吗?"总督察立即问道。弗洛克太太又往前探了探身子。

"不能。他不在这里。标签是我写的。"

"你弟弟现在在哪里?"

"他离开去和——和一个朋友住了,在乡下。"

"那这件大衣就是从乡下过来的。这位朋友叫什么名字?"

"米凯利斯。"弗洛克太太低声说,心里有些打怵。

总督察忍不住吹了声口哨,目光突然变得炯炯有神。

"果然如此。证据确凿。那么你弟弟,他长什么样子?身材强壮,皮肤黝黑,是吗?"

"哦,不,"弗洛克太太连连否认,"那人一定是小偷。史蒂维是很消瘦的。"

"好的。"总督察对这个回答似乎很满意。弗洛克太太还惊慌失措地盯着他,他却在思考其他谜团了。为什么要把地址缝在外套里?他听说,那天早上被炸成碎片的是一个年轻人,心不在焉,神情紧张,有点儿奇怪。而且据跟他交谈过的女证人描述,他给人的感觉就像是个孩子。

"他是不是很容易激动?"他问道。

"哦,是的。他是很容易激动。但是他怎么会把外套弄丢了呢?"

总督察突然把他半小时前刚买的一份玫瑰色报纸拿出来,他对马很感兴趣——由于他对人类有种本能的怀疑,所以只好把自己的轻信投注到报纸上关于赛马的报道。他把报纸放在柜台上,又把手伸进口袋里,把那片从一堆尸体碎块和衣服碎片中找到的布条拿出来,把它一起递给洛克太太,让她查看。

"我想你认得这个吧?"

她呆滞地伸出双手接过来,盯着看了一会儿,眼睛睁得越来越大。

"认得。"她小声说,然后抬起头,踉跄着后退了一步。

"怎么会被扯成这样?"

总督察从她手里把布条拽出来,弗洛克太太重重地坐在了椅子上。希特心想:身份已确认。那一刻他也窥探到了惊人的真相:弗洛克就是"另一个男人"。

"弗洛克太太,"他说,"我觉得,对于这件爆炸案件,您知道的远比自己预想的多得多。"

弗洛克太太呆呆地坐在那里,内心震惊无比。到底有什么关联?她身体僵直,门口铃铛响起的时候都没扭头看一眼,总督察却是迅速地转过身来了。弗洛克先生进来关上门,两个人对视了一会儿。

弗洛克没有去看妻子,径直走到总督察跟前。看到他一个人回来,总督察松了口气。

"你在这儿!"弗洛克语气沉重,"你来找谁?"

"不找谁。"总督察希特低声说,"听我说,我想跟你谈谈。"

虽然弗洛克此刻依然面色苍白,浑身却散发着一种决然。他还是没有去看自己的妻子。

"那就进来吧。"说着,便带总督察进了客厅。

客厅的门没有关好,弗洛克太太从椅子上跳起来,跑到门边,似乎想要把门推开。但她并没有这样做,而是跪在了地上,把耳朵贴到锁孔上。这两个人肯定一走进客厅就停下来了,因为她能清楚地听到总督察的声音,不过却看不到总督察压在丈夫胸前的手。

"你就是另外那个男人,弗洛克。那两个走进公园的男人,你是其中一个。"

只听弗洛克说道:"那么,现在就逮捕我吧。为什么不逮捕我?你有这个权力。"

"哦,不!我很清楚你现在投靠了谁。他必须自己来处理这件小事。但是你别搞错了,是我先找到你的。"

后面她就只听到一阵细语声。总督察一定是在给弗洛克看史蒂维大衣上的领口布条,因为史蒂维的姐姐——他的监护人和保护者听到了自己的丈夫抬高了声音说:"我都不知道,她竟然想出了这么个法子。"

之后又是一阵窃窃私语,那些话语对她来说,是个噩梦,由此产生的联想更是让人心惊。过了一会儿,弗洛克太太只听见总督察希特在门的另一边抬高了嗓门说:"你一定是疯了。"

弗洛克愤怒地回答道:"我已经疯了一个多月了,但我现在已经冷静下来了。一切都结束了。我会让一切都浮出水面的,管他会有什么后果。"

他们俩各自沉默了一会儿,总督察希特又低声问道:"让什么浮出水面?"

"所有的事。"弗洛克大声说,随后声音又低了下去。

过了一会儿,他又抬高声音说:"你认识我好几年了,而且也认为我很有用。你知道我是个正直的人。是的,正直的人。"

这番话让他的老熟人总督察感到反感,他警告他说:"不要太过相信他给你的承诺。如果我是你,我会远走高飞的。我想我们是不会去追捕你的。"

弗洛克笑了一声。

"啊,当然,你希望利用别人摆脱我,是吗?不,不,你现在摆脱不掉我的。一直以来,我对他们那些人都太诚实了,现在必须让所有的事都浮出水面了。"

"那就都说出来吧。"总督察声音冷漠,"但是现在先告诉我,你当时是怎么离开那里的?"

"我当时正在去往切斯特菲尔德公园的路上,"弗洛克太太听到丈夫说,"突然听到一声爆炸声,我受了惊,就开始跑了。当时大雾弥漫。一直走到乔治街的尽头才看到有人,在那之前,我应该一个人也没碰上。"

"这么简单啊!"总督察惊叹道,"爆炸声让你受到了惊吓,是吗?"

"是的,一切都发生得太突然了。"弗洛克的声音低沉而沙哑。

弗洛克太太把耳朵往锁孔上使劲儿压了压,她嘴唇发青,双手冰凉,在苍白的脸上,一双眼睛仿佛两个黑洞,被火焰包裹住了。

门的另一边,谈话声又几不可听。她一会儿听到丈夫断断续续的声音,一会听到总督察希特平稳快速的说话声。最后她听到总督察说:"我们猜想他是被树根绊倒了?"

然后传来的那个低沉的声音,滔滔不绝地说了好久。总督察似乎是在回答他的疑问,咬着字回答道:

"当然。被炸成碎块了:四肢、沙砾、衣服、骨头、碎片——都混在一起了。知道吗?他们用了一把铲子,最后才把尸体收集完整。"

弗洛克太太突然站了起来，用手堵住耳朵，在柜台和靠墙的书架之间摇摇晃晃地来回走动，最后又朝着椅子那儿走去，不小心撞到了柜台。她看到柜台上总督察留下来的那张玫瑰色的体育报纸，一把将它抓了起来。她倒在椅子上，愤怒地想打开报纸来看，却不小心将其扯成了两半，于是便把它扔在了地板上门的另一边，总督察对弗洛克说："那么，你的辩护会把所有事实都招认出来吗？"

"会的。我会把所有事都说出来的。"

"人们是不会那么轻易就相信你所说的话的。"

总督察还在沉思。案件的这次转机，会把很多事都揭露出来，不管是对个人还是整个社会，都有着重要意义。但那些由这个能力出众的间谍收集来的很多信息却要宣布作废了。真是一团糟。米凯利斯这次会躲过一劫了，教授在家私造炸药的事要遭到曝光，整个监管系统的秩序会遭到破坏，各家报纸会陷入无休止的争论。说到报纸，他突然意识到，报纸上的东西，都是一群弱智写出来给那些愚蠢的人看的。他心里也赞同弗洛克最后说的那句话。

"他们或许不会相信。但是很多事情却不会再那么顺利地进行下去了。我是个正直的人，在这件事上也会保持正直……"

"如果他们让你，"总督察带着嘲讽说，"毫无疑问，在他们将你推向被告席之前，一定会好好对你进行一番说教的。最后或许还会给你判刑。刚才跟你谈话的那位先生，我对他可没那么信任。"

弗洛克皱着眉静静地听着。

"我的建议是，趁现在赶紧一走了之。我这次并不是受命而来，他们中的有些人，"总督察特意强调了"他们"，"以为你已经不在人世了。"

"是啊!"弗洛克感触颇深。虽然打他从格林尼治回来后,大部分时间都待在一家不起眼的小酒馆,却没想到能传出对他这么有利的传言。

"这就是他们对你的印象。"总督察朝他点了点头,"消失。一走了之。"

"能去哪儿?"弗洛克大喊一声。他抬起头,盯着着客厅的门,激动地说:"我唯一的希望就是你今晚能把我带走。我不会反抗的。"

"你当然不敢反抗。"总督察讽刺地说,顺着他眼睛的方向看过去。

弗洛克先生的额头渗出了些细微的汗珠。他压低了声音,对面前一脸冷漠的总督察说。

"那孩子智力有缺陷,做事是不用承担法律责任的。这一点,任何一位法官都能看得出来。他能去的地方只有救济院。这种事发生在他身上是最糟糕的,如果……"

总督察的手已经握住门把手了,又低声对弗洛克说:"他智力可能是有点儿问题,但你才是真疯了。到底是什么让你作出如此疯狂的举动?"

弗洛克先生想到了弗拉基米尔先生,在用词的选择上毫不犹豫。

"一只来自北方乐土的猪,"他声嘶力竭地说,"一个你称其为绅士的东西。"

总督察目光沉着,微微点了点头,表示理解,然后开门出去了。弗洛克太太还坐在柜台后面,她听到了总督察离开时门口铃铛的响声,但是并没有抬头去看。她僵硬地坐在柜台后面的椅子上,脚边散落着两片脏兮兮的玫瑰色报纸。她双手痉挛了一样,用力捂着脸,弯曲的指尖用力压在额头上,仿佛脸上戴着一张人皮面具,猛地一扯就能扯下来。她笔直地坐在那里,一动不动,心里满是怒火和绝望,仿佛所有的潜在的悲伤情绪都要喷薄而出了,远比歇斯底里地尖叫,或者猛烈地用头撞墙更具有感染力。总督察希特步履匆忙地大步从店铺走过,只匆匆扫了弗洛克太太一眼。挂在弯曲的铁绳上的破门铃慢慢停止了颤动,弗洛克太太坐在那里还是一动没动,仿佛她的情绪具有冰封万物的魔力,就连店铺里那盏架在T型支架上的煤气灯的蝴蝶状的火焰也似乎被凝固住了,停止了跳动。店铺里面,深棕色的货架上满是些见不得光的东西,货架阴暗的颜色似乎要把微弱的灯光吞噬掉,而弗洛克太太的左手上戴着的金戒指却是熠熠生辉,仿佛一件珍贵的珠宝,不小心掉进了垃圾桶里。

第十章

　　副局长坐在一辆飞快的双轮马车里,穿过苏活区的大街小巷,赶往威斯敏斯特,然后在这个日不落帝国的心脏停了下来。几个壮硕的治安警察站在那儿,看上去对于看守这座宏伟建筑的职责心不在焉,朝他敬了敬礼。穿过一道朴实无华的大门,他来到了万千民众崇敬的英国下院。在那儿,他终于又跟那个活泼又有活力的"多来"见面了。

　　这个漂亮又和气的年轻人看到副局长这么早就过来,而不是原先说好的午夜前后,心里就不禁吃了一惊。他估计,副局长这么早来,说明肯定发生了些糟糕的事情。和气的年轻人往往充满乐观的气质,而且怀有莫大的同情心,他看到副局长脸上的表情比以往还要僵硬,而且一张脸拉得很长,内心里就为那位自己称之为"大人"的大人物感到遗憾,也为这位副局长感到遗憾。

　　"他看上去真像一个怪异的外国佬。"他心里想着,脸上却露出了友好的微笑。一见面,他就开始滔滔不绝说起话来,试图遮掩任务失败的尴尬局面。他说政敌要发起大规模攻击的威胁已然告吹,

"冷血奇斯曼"的一个拙劣模仿者拿着几份粗制滥造的数据,在人数稀疏的下院里上蹿下跳。他——"多来",一直期盼这个小丑能把大家都搞烦,然后因为法定人数不足而休会。但要是那样子的话,他也只是让那个暴饮暴食的奇斯曼安逸地吃顿晚餐而已。不管怎么样,谁也说不动自己的大人回家休息。

"我想他会马上见你的,他一直一个人坐在屋里,考虑渔业的事情,""多来"轻快地说,"来吧。"

尽管有着温和的性情,但这位年轻的私人秘书(不拿薪水)还是有着常人共同的弱点。在他眼里,这位副局长很像是已经把工作给彻底搞砸了,自己还是尽量不要给他添堵为好。可他那点儿同情心,又压不住心里强烈的好奇心。两个人一起走着,他终于忍不住,轻轻抖了抖肩膀:"你的那条小鱼呢?"

"逮着了。"副局长嘴里就蹦出了这几个字,口气倒是不讨人厌。

"太好了。你不知道这些大人物最讨厌在小事上听到坏消息了。"

说了这句意味深长的话后,老道的"多来"似乎陷入了沉思,停顿了几秒后,他又说:"我很高兴。但是——我说——这件事真的像你理解的那么微不足道么?"

"你知道一条小鱼能够拿来做什么吗?"副局长反过来问道。

"有时候你可以拿来做沙丁鱼罐头。""多来"咯咯地笑了,他对渔业的知识是刚刚开始接触的,不过比起他对其他产业的无知,已经算是学富五车了。"在西班牙海岸线上,有很多做沙丁鱼罐头的厂子……"

副局长打断了这位见习政治家的话。

"嗯,是的。但有时候,一条小鱼也可以扔到海里去,然后引来一条鲸鱼上钩。"

"鲸鱼,啊!""多来"吃了一惊,呼吸都屏住了,"这么说,你在追踪一条鲸鱼。"

"也不能这么说,更确切地说,是一条狗鱼。你或许还不知道狗鱼长什么样吧?"

"不,我知道。我们整天都埋在那些专业书堆里——所有的书架上都是这种书——书里有插图的……那玩意有毒,长得又丑又恶心,滑溜溜的鱼头上还长着小胡子。"

"千真万确啊!"副局长赞道,"只不过我要抓的这条,可是连胡子都刮光了的。你见过这个人。这可是条狡猾的鱼。"

"我还见过!""多来"的话里带着问号,"我想不起来在哪儿会见过这个人。"

"我要是猜得没错的话,应该是在探险者俱乐部。"副局长颇为肯定地说。一听到这家极为著名的俱乐部的名字,"多来"心里有点害怕,一下子愣住了。

"不会的,"他表示反对,但语气显得怯弱,"你是什么意思?难道他是里面的会员?"

"是名誉会员。"副局长从齿缝间露出来四个字。

"老天啊!"

看着"多来"像是被雷劈了一下的样子,副局长露出了似笑非笑的表情。

"这件事情只能你知我知。"他嘱咐道。

"我这辈子都没听过这么骇人听闻的事情。""多来"无力地说道,他全身心的活力似乎刹那间被吓得全都消失了。

副局长默默地看了他一眼。直到他们来到大人物的房门前,"多来"一直是一副愤愤而肃穆的模样,似乎是被副局长透漏的这种恶心事给惹恼了。因为这件事,探险者俱乐部那种极为挑剔的准入机制,那种社交关系的纯洁性,在他心目中彻底变了样。"多来"只是在政治上有点激进,至于自己的社会观和个人情感,他倒希望有生之年都能保持不变。毕竟,他还相信这个世界是个不错的居所。

在房门前,他站到一侧。

"进去吧,不用敲门。"他说。

房间里的灯都罩上了绿色丝绸的罩子,映得整个房间都蒙上了类似森林里的那种昏暗色彩。大人物那双傲慢的眼睛,正是他身体的一个弱点。这个弱点绝不能轻易让人知道。所以,只要一有机会,他就要认真地休息下双眼。

一进门,首先映入副局长眼帘的是一只又肥又白的手,正在那儿撑着一个大脑袋,顺便还遮住了上半张脸。一个敞开的文件箱就被放在写字桌上,旁边摞着一堆长方形的文件夹,羽毛笔散落得到处都是。在宽阔平坦的桌面上,除了这些,再就是一小尊穿着古罗马宽袍的青铜雕像了。它杵在那儿,神秘地观望着。副局长受到邀请,拿过一把椅子,坐下了。在昏暗的灯光的掩映下,他身上那些显著的地方,长脸、黑发、细长的身躯,让他看起来更像是一个外国佬了。

大人物没有表现出任何的惊讶,或者急切,一点儿情绪都没有露出来。他正全心全意地休养自己那双脆弱的眼睛,一点儿都不想改变自己这个状态。但他说话的口气可不迷糊。

"好吧!你有什么发现了?你刚开始就遇到了一些意想不到的东西吧!"

"也不能说全是意料之外,埃塞雷德爵士。我遇到的事情更像是一种心理状态。"

大人物微微动了下身子,"麻烦你说得详细些。"

"是的,埃塞雷德爵士。毫无疑问,您肯定知道,大部分犯罪分子有时候会产生一种压抑不住的坦白的需要——他们要向别人一吐为快——向任何人。这就是他们经常会向警察坦白的原因。希特很想保护的那个弗洛克,我发现他正处于这个状态之中。这个人,说得形象些,真是迫不及待地向我做了坦白。我只是轻轻地跟他说一下我是谁,再加上一句'我知道你也只是个小人物而已'。我们这么快就掌握了事情的真相,对他来说,本来应该是一件不可思议的事情,但在那个状态下,他一下子就相信了。这么做的妙处就在于,他坦白的时候不会有所隐瞒。我只向他提了两个问题:谁指使你做的?又是谁去引爆的炸药?回答第一个问题时,他语气很重。对于第二个问题,我推断携带炸药的是他的小舅子——还是个毛头小伙子——头脑不是太正常……整件事相当离奇——头绪太多,很难彻底讲清楚。"

"那你从中了解到了什么?"大人物发问。

"首先,我了解到那个前科犯米凯利斯跟此事无关,虽然那个小伙子跟他一起住在乡下,一直住到今天早上八点。但可以确定的是,到目前为止,米凯利斯对此还一无所知。"

"你确定是这样吗?"大人物问道。

"我对此深信不疑,埃塞雷德爵士。这个叫弗洛克的家伙今早上赶到米凯利斯那儿,假装要一起去小路上散步,把小伙子给领走了。他这样子不是一次两次了,所以米凯利斯根本一点儿都不起疑。至于其他,这个弗洛克怒火中烧也是毫无疑问的。很明显,他被一次虚张声势的会面给唬住了，那种把戏对于我们来说，不会放在心上，但对于他，无疑是一种巨大的压力。"

大人物仍然静坐在那儿，用那只大手掌遮掩着眼睛。副局长简短地陈述了一下弗洛克对于弗拉基米尔先生的行动指示和领导角色的理解。副局长似乎不觉得这件事做得很幼稚。但那位大人物开口了："听起来真是不可思议。"

"是吧？有人会觉得这就是一个残酷的笑话。但事实上，我们这位主人公却是上了心。他感到了威胁。您知道的，在过去，他是直接跟那位已故的斯托特·瓦腾海姆接头的，而且觉得自己的贡献无人可替。但跟弗拉基米尔的见面，对他来说无疑是当头一棒。按照我说，我认为他心里觉得那些大使馆的人不仅想把他踢出局，说不定还要出卖他……"

"你跟他谈了多久。"大人物透过那只大手，发问道。

"差不多有四十分钟，埃塞雷德爵士。有一家臭名昭著的五洲大酒店，我们在里面的一间小屋里见的。那屋里黑咕隆咚的，就像晚上一样。我觉察到他整个身心都处于犯罪后的混乱状态中。这个家伙不能说是个坚定的犯罪分子。很明显，那个可怜的小伙子——也就是他的小舅子——的死，不是他故意设计的。那对他是沉重的打击——我看得出来。说不定他还是个很重感情的人。也说不定他事实上很喜欢那个小家伙——谁知道呢？他很可能希望那个小家伙能够全身而退；如果这样子，那谁也不会拿他们怎么着。他良心上不会有任何愧疚的地方，唯一冒险的就是可能被抓起来。"

副局长停了一下，思索了一会儿。

"但是即使那样子，在最后，这位弗洛克如果被我们抓起来，他会如何掩藏自己的罪责，我就不得而知了。"他说道。副局长不知道小可怜史蒂维对于弗洛克（这是个大好人）是多么的忠诚。就拿很早之前在楼梯里放鞭炮那件事来说，就能看出来这小家伙的嘴巴是多么紧。那几年里，他最爱的姐姐用尽了一切手段，哀求、哄骗、发火，统统不管用。史蒂维绝对忠心可靠……"嗯，我还真想象不出来。可能弗洛克根本没想到会变成这样。埃塞雷德爵士，可能听起来有些夸张，在我看来，他那副失魂落魄的样子，就像是原先觉得去自杀就可解决一切问题，但后来又发现自杀根本于事无补。"

副局长以近乎道歉的声调作着陈述，虽然话语有些夸张，但描述的事实真相清晰明了，大人物没有丝毫的不快。大人物的庞大躯体几乎隐没在绿绸灯罩发出的暗光里，还是那只大手撑着自己的大脑袋，身子突然轻轻抖了一下，接着断断续续地发出了受压抑而又洪亮的声音。原来他憋不住笑了。

"那你最后是怎么处理他的？"

副局长早就想好了答案："他看上去很着急地要去店里找自己的老婆，我就让他走了，埃塞雷德爵士。"

"真的吗？可是这个家伙可能会逃掉啊。"

"请原谅。我认为他不会跑。他还能逃到哪儿？而且，他还得考虑到来自他的同志们的危险。他要坚守在自己的岗位上。如果一下子离开了，他没法解释。哪怕他行动自由，他也不会这样子做。他现在已经身心俱疲，根本没有能力采取任何行动。而且请恕我直言，如果我要逮捕他的话，必须首先得征得您的同意，然后才能执行整套执法程序。"

大人物猛地站起身来，在暗绿色的昏暗房间里，撑起来一个硕大的轮廓。

"我今天晚上会跟司法部长见面,具体怎么办,明天早上会通知你的。你还有其他要说的事情吗?"

修长的副局长立马也站了起来。

"没有了,埃塞雷德爵士,除非您想听一下这件事的细节……"

"算了。千万不要说细节。"

好像被"细节"这个词给吓住了,那个硕大的轮廓看上去往后缩了一下,然后又靠前来,膨胀出又大又沉的样子,接着伸出一只大手。"你说这家伙还有个老婆?"

"是的,埃塞雷德爵士。"副局长充满敬意地握住那只大手,回答道,"他有一个温柔的妻子,两个人相敬如宾。他跟我说,那次从大使馆出来以后,他就想把一切都抛开,卖掉那家商店,然后去别的国家生活,只因他妻子不同意而作罢。就这点来说,他们还真的是非常尊重对方的。"说到这儿,也有一个不愿去外国的妻子的副局长,换了严肃的口吻继续说道:"是啊,一个忠心的妻子,还有一个忠心的小舅子是受害者。从这点来看,可真是一出真实的家庭悲剧啊!"

副局长笑了一下,但大人物的思绪似乎飘到了别的地方,似乎忘记了副局长的存在,可能是在思虑这个国家内政的问题,他筹谋的改革大计正在跟异教徒奇斯曼的顽固头脑做着殊死奋斗。看到这个情形,副局长就悄无声息地自己出去了。

本质上,副局长也是一个改革派。这件事情,不管怎么样,让总督察希特的形象在他这儿打了折扣,让他觉得这正是施展改革拳脚的天赐良机。至于怎么开始,他可要好好用点儿心思。一路上,他一边在琢磨着自己的事业,一边以既恶心又满意的情绪揣测着弗洛克的心理状态。他一路步行回到家。家里的客厅黑着,他走上楼去,在卧室和更衣室里消磨了一阵,换了换衣服,像梦游似的在房间里来来回回地走动。最后他停下来,决定再出去一趟,去米凯利斯的那位女贵人家中跟妻子汇合。

他知道自己在那儿肯定会受欢迎的。一进到两个会客厅中比较小的那个,他就注意到妻子正跟一小群人围在钢琴那儿。一个年轻的刚成名的作曲家正坐在钢琴凳上跟两个粗壮的人高谈阔论,这两个人从身后看年纪不小了。还有三个女人,从身后看她们倒是一副很年轻的身形。一座屏风后面,那位贵夫人正在跟两个人聊着天:一个男子,一个女人,他们紧挨着坐在贵夫人沙发边上的扶手椅里。一看到副局长,贵夫人伸出手来。

"我没想到今晚上还能见到你。安妮跟我说……"

"是的。我也没想到自己的工作这么早就搞定了。"

副局长又拉低声音说:"我很高兴跟您说一下,米凯利斯跟这件事丝毫不相干……"

那位前科犯的女资助人却被这句话给激起了怒火。

"什么?你的手下居然会笨到去联想到他……"

"不是笨,"副局长连忙打断她,谦恭地解释道,"是很聪明——他们在这件事情上处理得很聪明。"

彼此都陷入了沉默中。那个坐在沙发边上的男子停止了跟旁边那位夫人的谈话,似笑非笑地旁观着。

"我不知道你们俩认不认识。"贵夫人打破了沉默。

弗拉基米尔先生和副局长彼此作了自我介绍,都彬彬有礼地向对方互致问候。

"他一直挺让我害怕的。"坐在弗拉基米尔先生旁边的那位女士突然发话,头微微侧向那位绅士。副局长认得她。

"但你看来好像没受过惊吓啊!"他只是用疲惫得眼神看了她一眼,然后评论道。自己心里却在想,只要你经常来这座宅子,早晚会跟所有人都混个脸熟。弗拉基米尔先生是个聪明人,那张红扑扑的小脸上一直堆砌着着微笑,但一双眸子里满是严肃,那副眼神跟一个伏法的犯人一般无二。

"好吧,那也差点吓到了我。"那位女士自我纠正道。

"可能是习惯的问题。"副局长内心突然有一股不可控的冲动,脱口而出。

"他一直用各种各样的恐怖手段威胁这个社会,"那位女士轻声慢语地接着说,"就像格林尼治公园的这次爆炸。如果这个世界不把那些恐怖分子都控制起来,肯定会后患无穷,我们也会被吓得心惊胆战。我根本不知道那次爆炸居然那么吓人。"

弗拉基米尔先生假装没有在听他们说话的样子,身子倚向沙发,压低声音温和地跟贵夫人说这话,但副局长的话语这时传到了他的耳朵里:"毫无疑问,弗拉基米尔先生肯定意识到了这件事的严重性。"

弗拉基米尔先生心里嘀咕着,这个讨厌的警察插进这么一句话究竟用意何在。祖祖辈辈受到暴力机构的迫害和压迫,弗拉基米尔先生不管从民族性上,还是国民性上,还是作为个人来说,对警察都有一种天然的畏惧。这是他骨子里的弱点,他的判断力、他的理智和他的经验,都无法克服这一点。天生如此。有些人对猫都会有一种荒唐的恐惧感,他的情感跟这个也差不多,但这丝毫没有妨碍他对英国警察彻头彻尾地鄙视。他跟贵夫人说完话之后,然后回身在椅子里坐正了。

"您的意思是我们跟这些人打过很多交道。确实如此。事实上,我们深受其苦,而你们……"弗拉基米尔先生犹豫了一下,嘴角显出令人困惑的笑容,"而你们却将他们包容进自己的队伍。"他说完了,光洁的双腮嵌了两个小酒窝出来。然后他就重重地加了一句:"我甚至可以说——这就是你们的原因。"

弗拉基米尔先生说完之后,副局长沉下了自己的目光,整个对话戛然而止。这时候,弗拉基米尔先生起身离开了。他刚起步,副局长也站起身来要离开。

"我还想你会留下来跟安妮一起回去。"米凯利斯的女资助人挽留道。

"我突然想到今晚上还有一点儿小事要去处理。"

"这件事是跟……"

"是的,有点儿关系。"

"跟我说,这件事到底有多严重。"

"很难说,但很可能是一件滔天巨案。"副局长说。

他急匆匆走出了会客厅,看到弗拉基米尔先生还待在大厅里,身后站着一个仆人,手捧着他的外套,另外一个仆人站在那儿,准备随时给他开门,他自己拿了一块很大的丝质围巾,细致地围到脖子上。副局长也在帮助下,赶紧穿戴整齐,走了出去。走下门前台阶的时候,他停住了,似乎犹豫着该走哪条路回去。弗拉基米尔先生从敞开的门里往外看着,掏出了一根雪茄,在大厅里徘徊着找人借火。一位面色庄重、身着制服的老仆人给他点着了烟。燃烧的火柴转眼即熄。仆人关上了大门,弗拉基米尔先生享受地抽着他那支大大的哈瓦那雪茄。

然而当他最后终于从宅子里出来的时候，他恶心地发现那位"讨厌鬼警察"依然站在路上。

"他不会是在等我吧。"弗拉基米尔先生心里嘀咕着，眼睛四处张望，希望能够看到一辆双轮马车，结果一无所获。几辆四轮马车停靠在路边，车上的挂灯稳稳地发着亮光，马匹都站着纹丝不动，好像石雕像一般，赶车的马夫都披着毛皮斗篷坐在车上一动不动，手里粗大的鞭子的白色鞭梢连抖都没抖。弗拉基米尔先生开步走起来，那个"讨厌鬼警察"居然也走了过来。他没有说什么。走出了大概三四步的样子，弗拉基米尔先生感到了一丝愤怒和难受，不能再这样子下去了。

"天气可真糟啊！"他很粗鲁地抱怨道。

"还不错。"副局长冷冷地回复道。他稍微沉默了一会儿，然后很轻松地说："我们抓到了一个叫作弗洛克的人。"

听到这句话，弗拉基米尔先生没有绊倒在地，也没有朝后倒去，更没有改变自己的步伐，但他还是忍不住惊叫了一声："什么？"副局长没有重复自己之前的话，仍然轻松地说："你知道他！"

弗拉基米尔先生停住了脚步，声音变得严厉起来："你凭什么这么说？"

"不是我说的，弗洛克承认的。"

"一条撒谎成性的野狗。"弗拉基米尔先生用东方人特有的形容方式骂道。但他内心里，却被英国警察犹如天助般的聪明才智给折服了。自己对英国警察的看法刹那间发生了转变，让自己有那么一会儿都觉得恶心了。他扔掉了雪茄，继续往前走。

"这件事最让我高兴的是，"副局长也跟了上来，慢悠悠地说，"这给我要亲自抓的工作提供了一个完美的起点，这个工作就是，把这个国家里一切的外国政治间谍、秘密警察和各种各样的——走狗，都清除出去。在我看来，他们都是些恐怖分子，是危险的潜在根源。但我们做不到一个一个地全给揪出来。最好的方法就是让他们的后台老板对他们的作为感到厌烦。让大家看到这种行为的卑鄙，看到对我们的危害。"

弗拉基米尔先生的脚步又停住了一会儿。

"你这话是什么意思？"

"对这个弗洛克提起公诉，让公众看到间谍行为的危害和卑鄙之处。"

"没人会信那种人说出的话的。"弗拉基米尔先生的语气中带着不屑。

"他只要说得详细又真实，社会上绝大多数人都会相信的。"副局长礼貌地回应道。

"那就是你决定要去做的事情？"

"我们抓到了这个人，我们别无他法。"

"你这么做，只能助长这帮革命派无赖的撒谎本性，"弗拉基米尔先生不同意他的说法，"你公开制造这么一桩丑闻是为了什么？为了道德感？还是什么？"

弗拉基米尔先生的急躁愈发明显起来，副局长心里有数了，看来之前弗洛克在跟他的交谈中还是说了些实话的。想到这儿，他就冷冷地回复道："我们这么做还有现实的必要性在里面。我们要抓住里面的大鱼，还要做大量的工作。你不能说我们工作效率低下。我们不想给别人找到任何借口来羞辱我们。"

弗拉基米尔的口吻一下子变得崇高起来。

"从我的角度来看,我可不同意你的说法。这是自私之举。我对我的祖国的感情当然毋庸置疑,但我总觉得,我们既然身在欧洲,都应该是文明的——不管是政府,还是个人。"

"的确,"副局长坦率地说,"只不过你是从欧洲的另外一端出发而已。只是……"他依然是一副轻松温和的强调,"外国政府不能批评我们英国警察效率低下。拿这次的暴行来说吧,因为恐怖分子要的那些伎俩,本来极难追踪到其中的痕迹。但我们只用了不到十二个小时,就通过一些爆炸后残存的碎片,确认了受害人的身份,还找到了这次事件的策划者,还通过这个策划者发现了他幕后老板的影子。接下来,我们会发现更多。当然,我们只会在我国领土上行使职权。"

"那么说,这起敲响警钟的犯罪事件是在国外谋划的,"弗拉基米尔的语速一下子快了起来,"你说这是在国外谋划的?"

"理论上,只是理论上,是在外国的领土上。至于国外嘛,只是一个假想而已。"副局长这么说,其实是在暗指大使馆,因为大使馆从名义上来说是属于外国领土的,"但那都是细节问题了。我之所以跟你说这件事情,是因为你们政府对我国的警察抱怨最多。你现在可以看到我们做得并不糟。我要向你展示一下我们的成绩。"

"对此我表示非常感激。"弗拉基米尔先生从齿缝里露出这么几个字来。

"我们能够控制住一切无政府主义分子,"副局长继续说着,总督察希特的话被他在这儿给引用了,"现在全力要做的事情,就是扫除一切间谍分子,维护社会安全。"

弗拉基米尔招手拦住了一辆经过的双轮马车。

"你不是去这里面吧?"副局长观望着一座看起来既精美又怡人的建筑问道,富丽的大堂里,灯光从玻璃门里散漫出来,铺洒在门前的台阶上。

弗拉基米尔上了车,坐好了,双眼无神,默不作声地随着小马车离开了。

那就是著名的探险者俱乐部。副局长自己也没有进去,他心想,弗拉基米尔先生这位荣誉会员,估计将来不会出现在这家俱乐部里了。他看了一眼手表,才刚过十点,今天晚上可真是够充实的。

第十一章

总督察希特离开以后,弗洛克先生一个人在客厅里来回踱着步子。透过敞开的房门,他时不时地看一眼妻子。"她什么都知道了。"一想到这儿,自己心里不禁为她的痛苦感到同情,同时心里多少也轻松了一些。弗洛克这个人,可能缺少一些伟大的品质,但细腻的柔情确是有的。如何向她委婉地说出这件噩耗,一直让他一筹莫展。而如今,总督察希特替他说了,让他得到了解脱。到目前为止,这是唯一一个好的进展。他现在该好好地去处理她的伤痛了。

弗洛克从来没想到要处理他人死亡后的这种场面,这可不是凭着缜密的逻辑和雄辩的口才就能搞定的。他原本无意让史蒂维去送死,况且还是那么惨烈的死状。他真的没有想让他去死的念头。史蒂维生前顶多算是个小麻烦,但如果死了,那可绝对让人头疼得多。弗洛克之所以把这个孩子拉进自己的计划里,倒不是因为史蒂维有多聪明,这从他跟别人有时候耍的那些小把戏能看出来,而是因为这孩子能够盲目地顺从自己,甚至不惜牺牲自己。虽然不是一个心理学者,但弗洛克对史蒂维的心理把握得很到位。他这次对史蒂维格外放心，他希望这个孩子能够按照他之前教的那样，放好爆炸装置，稳稳当当地从观望台的墙边走出来，然后再找到那条跟他预先走了很多次的路，就能来到公园的外围，跟他那智慧又好心的姐夫——弗洛克先生会合。弗洛克留出了十五分钟的时间，他觉得这足够这个笨小伙放好爆炸设备，然后轻松离开。教授下了保证，引爆时间绝对会超过十五分钟。但是没想到，史蒂维一个人走出去不到五分钟，就不小心给绊倒了。见到此情此景，弗洛克简直就是魂飞魄散，他想到了一切可能的事情，唯独忘了这事。他想到史蒂维可能会心智混乱，找不到正确的路线，迷路了——这是应该的——最终去警察局或救济中心才能找到他。他甚至还想到史蒂维可能会被警察给抓起来，这倒没什么，弗洛克对小舅子的忠心毫不怀疑，而且自己这几天也给他灌输了不少保密的必要性。如同一个在搞田野调查的哲人一样，弗洛克带着史蒂维在伦敦的大街小巷走来逛去，巧言令色地说着警察的坏话，成功地改变了小舅子原来的看法。从来没有一个智者会有如此投入又敬仰自己的学徒。小舅子虔诚的崇拜感让弗洛克不由地对他产生了一丝喜欢。不管怎样，他还是没有想到警察这么快就找上门来。妻子居然会在那个孩子的外套上缝上家里的地址，这也是让他始料未及的。人不可能预料到一切。他明白了，为什么以前妻子说自己不用担心史蒂维在散步的时候丢了怎么办。她向他保证，即使史蒂维走丢了，最终也会找到的。好吧，他现在回来了，来找自己复仇来了！

"好吧，好吧。"弗洛克嘟囔着，心里还思索着，她那么说是什么意思呢？是让他不用全身心地去看住史蒂维？她无疑是对自己好意的，但她真的应该把缝地址这件事告诉他。

弗洛克从商店的柜台里走了出来。他一点儿都不想去责备自己的妻子。弗洛克一点儿都不生气。这件事已经把他折磨成一个宿命论者了。现在，干什么都不管用了。他说："我真没想给那孩子造成任何伤害。"

弗洛克太太听到丈夫的声音，身子不禁颤抖了一下。她没有露出自己的脸。这位深受已故的斯托特·瓦腾海姆男爵信任的间谍，目光沉重，呆滞地凝视着她。一张没有提供更多细节的报纸，被撕得粉碎，散落在她的脚边。弗洛克觉得有必要跟妻子谈一谈。

"都是那个该死的希特——嗯……"他说，"他让你难过了。他怎么能不假思索地就跟一个女人全说出来。我一直在琢磨怎么跟你说才好。我在柴郡起司店里坐了好几个小时，就是想怎么说才好。你知道的，我真的没想给那孩子造成一丁点儿伤害。"

弗洛克，这个间谍，说的倒都是实话。炸弹提前爆炸，给他的婚姻关系造成了难以估量的冲击。他又说："我坐在那儿难受得很，心里一直想着你。"

妻子又轻微地颤抖了一下，这一点没有逃过他的双眼，不禁心里有些触动。看到她在那儿一直捂着自己的脸，弗洛克觉得最好还是让她独处一会儿比较好。刚出现这个念头，他就又折回了客厅里。煤气灯的火焰发出咕噜咕噜的声音，就像一只安逸的小猫一样。作为一个家庭主妇，弗洛克太太提前为弗洛克在桌子上准备好了凉牛肉、刀叉，还有半条面包，让他做晚餐用。他现在才注意到这些，于是就坐下来，给自己切了一片面包和牛肉，开始用餐。

这倒不是说他这个人情感上麻木不仁。弗洛克没有吃早餐就匆匆出门了。但他不是一个元气饱满的人，一旦开始执行自己的行动，整个人都感到无比紧张,是那种快要濒临被扼死的感觉。他根本咽不下任何东西。米凯利斯住的小屋困乏得就跟间牢房一样,这个假释在家的布道者每天就靠一点儿牛奶和硬皮面包度日。而且,早上弗洛克到的时候,他早已经吃完了艰苦朴素的早餐,跑到楼上去了,沉浸到自己辛苦而令人陶醉的文学创作事业之中去了,弗洛克在楼下大声招呼,他也根本没听到。

"我要把这个年轻人带出去一两天!"

事实上,弗洛克根本没等他回复,就急匆匆地带上顺从的史蒂维,立刻从小屋里走出去了。

现在,行动早已经解决了,而且事态的瞬息万变已经让他束手无策,弗洛克感到万念俱灰。他站在桌前,切下一块肉,再割下一片面包,努力咀嚼着自己的晚餐,顺便看了一眼自己的妻子。她在那儿一直都是不动,这让他更加不舒服。他又走回店里,使劲儿地向她靠近。她遮掩的脸,是无声的剧痛,使得弗洛克颇为不安。当然,他的妻子肯定要十分伤心的,但,他期望的是,她能够振作起来。在他命中注定要面对这些新的危机的情况下,他需要妻子奉献出自己全部的努力和忠诚。

"这样子不行的。"他的话里带着悲伤的同情,"过来,温妮,我们得为以后想想。在我被逮捕以后,你得想办法照顾好自己。"

他停住了。弗洛克太太的胸脯像痉挛一样喘息起来。在弗洛克看来,这可不是好征兆,在目前这种形势下,需要两个人同时都保持头脑冷静、决策正确,而如果要做到这点,就绝不能消沉在一味的痛苦中。弗洛克是一个有良心的男人,他之所以回到家里,就是要从各方面来抚慰妻子对弟弟死亡的苦痛。

但妻子对弟弟真挚感情的本质和深厚程度,却不是他能想象的。这是情有可原的,如果一个人不能放弃自我地去心爱他人,是不可能理解的。他既感到震惊,又深深地失望,于是就换了一种生硬的语气:"你应该看着我。"他等了一会儿说道。

弗洛克太太从捂住脸的指缝间流出一句话,麻木死气得让人怜悯:"我死也不要再看你的脸。"

"啊?什么?"弗洛克被这句话的表面意思给彻底惊呆了。简直就是不可理喻,这是过度悲伤的后果。他觉得这是自己在婚姻关系中过度纵容的后果。

"听着!你不能老是那样子坐在店里。"他装作一副很严肃的腔调,不过也真的有点儿不耐烦了。他们这样子熬上一夜,怎么能好好地商量一下目前的棘手事情呢?"有人可能会随时进来。"他又说了一句,等着妻子的反应。但妻子依然默不作声,这让弗洛克绝望地想到了唯有一死才能彻底解决这个难题。他口气软和了,"过来吧。你这样子不会让他起死回生的"。一副柔情似水的样子,准备随时把她拥入怀中,紧贴到自己又急又爱的心胸上。但弗洛克太太只是轻微颤抖了一下,依然不为这套糟糕的说辞所动。倒是弗洛克把自己给感动到了。他以为跟她强调一下自己的地位,就可以改变当前的形势。

"你要理智些,温妮。如果你连我也失去了,那该怎么办!"

他有点儿希望妻子大声哭出来。但她还是无动于衷,只是稍微往后倚了倚,然后就陷入了更彻底的沉默之中。弗洛克心里感到一丝恼怒,心跳得厉害,脑子里嗡嗡作响。他把一只手放到她的肩膀上,说:"不要犯傻了,温妮。"

她沉默不语。如果女人把自己的脸掩起来,你就根本没法跟她讲道理的。弗洛克紧紧捉住妻子的两个手腕。她努力地把双手并在一起,用尽全力往前倾着,一心想摆脱他的束缚,都要从椅子上站起来了。万万没想到妻子是这么柔弱无力,弗洛克又努力地想让妻子坐回椅子上。但妻子突然站直了身子,甩开他的双手,从店里跑了出去,穿过客厅,冲到了厨房里。这一切都在电光火石间。她的面容一闪即逝,不过他也看得出来,她对自己看都没看。

看起来,似乎两个人是在拼力争夺一把椅子,因为现在弗洛克立刻坐了上去。他倒没有把脸埋在手里,只是笼上了一层惨淡的愁云。一点儿牢狱之灾是躲不过去的。他本来也没希望能够逃之夭夭。跟坟墓一样,监狱能够帮助自己躲避那些不法分子的报复行为,而且还比较好的是,在里面你还能有一丝对未来的希望。过去,考虑到行动可能失败,他提前设想到了会去坐牢,然后被提前释放,然后离开这个国家开始新的生活,这都是事先想好的解决方案。好吧,行动的确失败了,但却不是自己所担心的那种失败。这次行动差一点儿就成功了,而且执行的功效如此骇人听闻,足以让那位弗拉基米尔先生为自己的冷言冷语感到脸红。至少在弗洛克看来是这样子的。他在大使馆的声望会如日中天,如果——如果他妻子没有在史蒂维的外套上缝上那该死的家庭地址。弗洛克,他是个聪明人,早就发现了自己对史蒂维的那种不同寻常的影响力,但他对影响力的根源却摸不着头脑——事实上,是那两位内心焦虑的女士不停地向小家伙描绘他的超人智慧和无比善良。在自己所设想的所有可能性里,他准确无误地把握住了史蒂维的耿耿忠心和糊涂头脑。但是作为一个充满人性的男人,作为一个富于情趣的丈夫,他却没有预料到最终的后果,而这让他心惊胆战。但从别的角度来看,这说不定还是好事。没有什么能跟永恒的死亡相比较。弗洛克,茫然无措、惴惴不安地坐在柴郡起司店的小小客厅里,虽然他多愁善感,但他的理智不得不让他承认这一点。史蒂维的粉身碎骨,虽然想起来让人难受,但也算是某种意义上的成功。虽然弗拉基米尔先生本意不是希望他们只炸毁一堵墙,但至少也造成了恐慌。弗洛克虽然麻烦缠身、压力重重,但至少产生了一定的效应。然而,不成想,这个效应居然也不请自来,住进了弗洛克在布雷特街道的栖身之所。他过去那些日子里就像一个为了保住地位整夜在噩梦中挣扎的人一样,如今他已然接受了命运的安排。自己的位子已经不保,这怪不得任何人。他在一件微不足道的小事上摔了跟头。就像是走夜路的人,踩在了橘子皮上,把腿给摔断了。

弗洛克疲惫地深深地呼了一口长气。他一点儿都没有抱怨自己的妻子。他只是在想:如果我被抓起来了,她就得自个照顾这家店了。他也想象得到,妻子在起初的一段日子里,会多么思念史蒂维,他很为她的身心健康感到忧虑。她一个人——形单影只的一个人,在这个房子里会多么孤独?如果他进了监狱,她整个人会不会都垮掉?这家店铺是否会关张?这家店可是一笔资产。虽然宿命论让弗洛克觉得自己的间谍生涯就此结束,但他自己还有未来的路要走,这家店必须得保留着,哪怕只是为了妻子着想。

还是死寂一般,她躲在厨房的一角,远离了他的视线,这让他心里惴惴不安。要是她母亲跟她待在一起就好了。但是那个可恶的老太婆——一想到她,一股怒意就占据了弗洛克的大脑。他必须要好好跟妻子谈一下。他要告诉他,任何一个人,在某些特殊的情况下,都可能会变得绝望。但他控制住了,没有说出来,毕竟,他意识到今天晚上还不是谈正事的时候。他站起来,关上了店铺的大门,把店里的煤气灯熄灭了。

确保自己能够在壁炉边安静地独处以后,弗洛克就走到了客厅里,顺便往厨房里瞥了一眼。弗洛克太太正坐在可怜的史蒂维在以前晚上长待的地方——他会拿着纸张和铅笔,在那儿画着一些象征着混乱和永生的无数圆圈。她两只胳膊抱在一起,伏在桌上,头枕着手臂。弗洛克凝视着她的背部和发型,看了一会儿,然后就从厨房门边走开了。弗洛克太太的处事思想就是从不好奇,这也是他们和睦生活的基础和保障,本来就很难真正地去跟她交流,现在碰上这桩令人悲怆的事情,无疑更加没法交流了。弗洛克无可奈何,他在客厅里绕着桌子转来转去,就跟笼子里的猛兽一样。

好奇心是一个人向外表达的方式,一个基本上不怎么好奇的人经常会让人觉得神神秘秘。每当他靠近厨房门的时候,他就不安地看上妻子一眼。倒不是说他害怕妻子。他以前觉得这个女人是爱自己的,但这也并没有让他能够说出自己的心里话。他现在要吐露的心声是高级心理学层面上的东西。他究竟该怎样向妻子模糊地陈述那些他知晓的事情:那些置人于死地的阴谋诡计,那些在头脑中闪现的念头如何日渐膨胀,具备自己的能量,甚至发出向人发出暗示的指令?反正他不能告诉她说,自己深受一个肥腻、狡猾、脸颊光洁的家伙的困扰,最终他要靠一个孩子的智慧,来解决自己的心腹之患。

脑子里一想到大使馆的那位第一秘书,弗洛克不禁在过道里停住了。他怒气冲冲地瞪着厨房,双拳紧握,朝妻子喊道:"你不知道我要对付的家伙是多么混蛋!"

他又转身围着桌子转了一圈,然后回到厨房门前站住,站在两级台阶上朝里面看着。

"简直就是一个变态、恶毒又危险的畜生,我这辈子就没见比他更恶心的!我这样的才算是真男人!在这场游戏里,我一直是把脑袋别在裤腰带上。你根本就不懂。不过这是好事!如果告诉你,咱们结婚的这七年里,我随时都可能被捅刀子,这有什么好处?我不是那种让心爱的女人为自己牵肠挂肚的人。你根本没必要知道这些。"弗洛克气喘吁吁,又在客厅里转了一圈。

"简直就是一头恶毒的畜生,"他又在过道里说,"他为了取乐,想把我赶到臭水沟里,活活饿死。我明白这对他来说只是个该死的笑话。像我这样的人,好好看一眼吧!这个世界上多少达官显贵是因为我的存在,才能放心地迈开腿走路。你嫁的就是这样的男人,我的妻子。"

他看到妻子坐起来了。但弗洛克太太的胳膊依然伏在桌子上。弗洛克注视着妻子的背部,觉得自己的话语起了作用。

"过去七年里的每一次暗杀,不都是我冒着生命危险谋划的。我曾经派出去数十名革命者,他们把炸弹藏在该死的口袋里,结果还没到边境就被抓住了。老男爵知道我对他的国家的价值。现在,不明不白地就出现了这么一个蠢猪——一头傲慢无知的蠢猪。"

弗洛克,慢慢地跨下两级台阶,进到厨房里,从抽屉里拿出来一个玻璃杯,直直地向水龙头走过去。"居然让我上午十一点过去找他,老男爵就不会干这种缺德的蠢事。镇子上有那么两三个家伙,如果让他们看到我那时候去大使馆,早晚会把我给弄死的。毫无理由地暴露身份——比如我,简直就是丧心病狂的蓄意谋杀。"

弗洛克拧开水池上方的龙头，一杯接一杯地连灌了三杯水下肚，试图扑灭心中的熊熊怒火。弗拉基米尔先生的所作所为，就像一块滚烫的烙铁，烧得他全身欲焚。他没法容忍这种兔死狗烹的行为。作为一个本不愿意向下层人民那样出苦力劳作的人，弗洛克却不休不眠地完成了自己的秘密工作。弗洛克尽了自己的本分职责，对雇主、对社会的稳定，还有对自身的感情，他都尽忠尽责了。他把杯子放在水池里，转过身来，对着妻子说："如果不是考虑到你，我会掐住那个混蛋的喉咙，把他的脑袋塞到壁炉里去。我对付那个粉嫩的小白脸绰绰有余……"

弗洛克说到这儿就停了，好像别人都知道他最后要说什么似的。他主动跟不好奇的妻子说起自己的秘密，这可是破天荒第一次。他说的这件事荒唐可笑，而且在告白的过程里，他整个人的思想都被个人的情绪所环绕着，以至于都忘了史蒂维遭受的命运了。那个孩子结结巴巴、既害怕又易怒的形象，连同那悲惨的死状，眼下都不在弗洛克的脑子里。也因为这个，当他抬头看的时候，一看到妻子那古怪的凝视，他被吓了一跳。她的眼神并不粗鲁，但也不迷离，只是有些特别的感觉，而且让人不舒服，似乎是在看弗洛克身后的某个人。这种感觉如此强烈，以至于弗洛克歪过头，往后侧看了一眼。后边什么都没有：只是一堵白墙而已。温妮的好丈夫弗洛克也没在墙上看到有什么。他又转过来对着妻子，加重语气，说道："我绝对会掐住他的脖子。不跟你说假话，要不是考虑到还有你，我不把那个混蛋弄个半死，绝不放手的。你是不是想他会气急败坏地去报警，他没那个胆子。你知道答案的，对不对？"

他故意朝妻子眨了眨眼睛。

"不知道。"弗洛克太太低声说道，目光还是在别处。"我不知道你在说什么？"

一股巨大的失落，连同疲惫的感觉，一下子向弗洛克袭来。他忙碌了一整天，整个人的神经都绷到了最紧。一个月的殚精竭虑，换来今天这种出乎意料的结局，身心俱疲的弗洛克急需要休息一下。自己的间谍生涯以意想不到的方式结束了，只是，现在，他还能努力地好好享受最后一个安宁的夜晚。但他看着自己的妻子，心里又觉得够呛。他觉得她看起来相当沉重，完全不像她自己了。他鼓足气说道："你要振作起来，亲爱的。"他同情地说，"事已至此，已是无法挽回了。"

弗洛克太太稍有一丝触动，但那张苍白的脸依然纹丝不动。弗洛克没有看着她，生硬地继续说："去床上躺着吧！去把自己的难受都哭出来！"

他说的这话，只不过是世人常用的白话空话而已。每个人都认为女人的情感如同空中漂浮的水蒸气，最终要变成一场雨水落下。如果史蒂维是躺在床上，蜷在她温柔的臂膀中过世，那么弗洛克太太的伤感会在一场痛快淋漓的哭泣中获得疏解。跟众人一样，弗洛克太太对于正常的人生命运，具备一种天然的接受能力。那根本不需要"伤脑筋"，就能意识到"事已至此，无需深究"。但史蒂维的死却是这么惨烈，而它在弗洛克的心目中只不过是一幕短景而已，对于弗洛克太太无疑是一桩惊天噩耗，瞬间榨干了她的泪水，如同那白烫的烙铁抹过了她的眼睛。她的心冷硬得如同冰块，让自己的身体从内到外不住地打着寒战。她茫然地、一动不动地盯着那堵空无一物的白墙。此时的弗洛克太太已经没有了平时的那种隐忍性格，她的内心躁动着，充满了母性的暴烈，虽然脑袋一动不动，但无数的想法在其中来回冲撞着。她想象着、审视着，但却没说出来。不管是在公开场合，还是私下里，弗洛克太太一直是个沉默寡言的人。作为一个被丈夫背叛的女人，她怒火中烧。在很小的时候，她就把照顾史蒂维这个小可怜放在了人生意义的第一位上。这种人生的目的单纯而又高尚，满含激励性，绝不落后于那些在人类思想和感情上留下深刻印记的少数伟人。当然，在自己看来，没有高尚伟岸那么惊心动魄。她想象着自己在一座"大厦"的废弃阁楼里，轻轻地把那个男孩儿放在微弱烛光笼罩的床里。虽然阁楼里漆黑一片，但被街道上的亮光和雕花的玻璃映衬得如同仙宫一般。只有在想象中，她才能看到如此华彩壮丽的景象。她记得之前给那个孩子梳头发，记得自己小时候穿围裙的时候，还要给他系围裙；一个不怎么害怕的小孩子，要去安慰另外一个吓得要死的小孩；她还记得自己为他挡下拳头（拿自己的小脑袋），在父亲滔天的怒火中绝望地关上房门（当然挡不了多久）；还有一次，在一声震天怒吼后，父亲朝他们扔过去一根烧火棍（扔得不是很远），然后是一阵死一般的吓人沉默。这些暴力的景象不加分辨地一幕幕袭来，里面掺杂着乱糟糟的叫骂声，父亲总是觉得自己的尊严受到了伤害，声称自己是受到了老天的诅咒，自己生的孩子一个是"流口水的"怪物，另外一个"像女巫一样邪恶"。是的，那就是自己多年前被骂的话。

弗洛克太太就像见了鬼一样，又听到那个恶毒的声音，然后贝尔格莱维亚区大厦的噩梦般的影子又降临到她的肩膀上。那段记忆不堪回首，她印象深刻的都是端着无数的早餐盘子在高高的楼梯上来来回回，自己辛辛苦苦地打扫着从地下室到阁楼的所有屋子，扫地、拖地、整洁，还要为了一两个便士跟雇主讨价还价。母亲拖着浮肿的双腿，在阴暗的厨房里洗菜做饭。可怜的史蒂维——她们辛苦劳作的意义载体，在餐具间里给绅士们的靴子上色。在这幅场景中，她又浮现出伦敦那一年的夏天来，一个年轻的小伙穿着最漂亮的衣服，浓密的黑发上顶着一顶草帽，嘴里叼着一个木制烟斗，呈现在她的脑海中。他对自己一往情深，人又充满乐趣，不失为共度一生的最佳伴侣。可惜他的人生之船太小了，只容得下一个共同划船的女孩儿，根本没有其他乘客的位置。他最终只能从贝尔格莱维亚区大厦的门前离开，温妮也只好默默地流眼泪。他不是房客。房客是弗洛克这个懒惰、赖床的人。他老是在大早上躲在被窝里开着玩笑，厚重的眼皮下是一双闪着亮光的眼睛，而且口袋里总是不缺钱。他这种懒惰的人生当然没有激情可言，而且他行事隐秘。但他的船只看上去空间宽广，沉默寡言的性格和宽宏大量的心胸，足以容得下其他乘客。

弗洛克太太回想起这七年来，她舍弃自己为史蒂维营造一种安定生活。从安定到亲密，从亲密再变成家庭，她让这个家的生活如平静的湖水一样波澜不惊。哪怕那位偶尔来访的奥西庞同志，这位体格强健、目无羞耻的无政府主义分子，经常会送上那种显而易见的勾人眼神，但在弗洛克太太的心里也没能带起一丝涟漪。

自从弗洛克在厨房里说完最后一句话以后，时间仅仅过去了几秒钟，弗洛克太太的脑海中又浮现出不到两周前的一幅景象。她的瞳孔扩大了，眼睛盯住了一个画面，那是丈夫和可怜的史蒂维肩并肩地从商店里走出去。这是弗洛克太太内心里自我创造的最后画面，既不优雅，也不引人注目，既不美丽，也无高尚可言，但却是出自持之以恒的情感和坚忍不拔的意志，这点足以让人敬佩。这幅最后的景象如同塑料浮雕一样，在细节上简直就是形真意切，让弗洛克太太瞬间萌生了这辈子最荒唐的幻觉。她发出一声微弱又痛苦的喃喃自语，这令人心惊的声音一离开颤颤的嘴唇就消失不见了。

"本该像父子一样的。"

弗洛克站住了，抬起疲倦的那张脸。"嗯？你说什么？"他问道。没有得到答复，他继续狠狠地走起来。然后他气急败坏地挥舞着拳头，怒喊道："是的。大使馆的那些家伙们，都他妈不是东西！过上一个星期，我就会让他们过得生不如死。嗯？什么？"

他低下头，四下里瞅瞅。弗洛克太太依然盯着那堵外墙。一堵空白的墙——空空如也的墙，白得让人想冲过去把头撞上去。然而弗洛克太太依然一动不动。她的样子，如同世界上的大多数人在盛夏时节，突然看到太阳违背自然规律熄灭、消失掉，整个人的身心都陷入了巨大的恐惧和失望之中。

"大使馆。"弗洛克恶狠狠地咬着自己的牙齿，面目狰狞，又开始发泄怒火了。"我真希望我能拿着棍子在那儿待上半小时。不把那帮混蛋打得没一根完好的骨头，我不会住手。但无所谓了，我会让他们明白，出卖我这样的人会有什么后果。我嘴里还有舌头呢。全世界都会知道我给他们干的那些事。我不害怕，也不在乎。我会全抖出来的，全他妈抖出来。让他们等着瞧吧！"

从这些话里，弗洛克表达了他对复仇的渴望。他的复仇也合情合理，而且符合他的天性。他的人生经历，会经常地出卖自己同伙那些隐秘非法的行动，那么复仇这件事情，既在自己的能力范围之内，而且做起来也没什么心理障碍。他集无政府主义者和外交家双重身份于一身。他对人没有太多的崇敬心，对于他经营范围的所有人都抱着嗤之以鼻的态度。但是，作为一名无产阶级的革命者——当然这也不是真的——他对社会阶级的存在报以最大的敌意。

"现在谁也别想拦住我。"他补充了一句，然后闭上了嘴，直直地看着妻子，妻子直直地盯着那堵白墙。

厨房里的寂寂无声，让弗洛克心里感到失望。他原本希望妻子能说句话。但弗洛克太太的嘴唇像平时那样紧闭着，整张脸也如同雕塑一样面无表情。弗洛克真的失望至极。但他有意识到，目前情境下是不能要求她长篇大论的。她本就是个话不多的女人。出自自己的某种心理，弗洛克喜欢信任那种能完全奉献出自身的那种女人，所以他很信赖自己的妻子。夫妻两个人配合得很完美，但还不精致。这种配合和默契感靠的是弗洛克的懒惰和保密的习惯，靠的是弗洛克太太不好奇的处世态度。他们都控制住了自己，都不去触碰深藏底部的事实和动机。

从某种意义上来说，这种心照不宣的默契，既是彼此信任的基础，同时更让他们的关系变得更加亲昵。没有哪家的夫妻关系是完美无缺的。弗洛克虽然觉得妻子是理解自己的，但如果她现在能把所想给说出来，他会开心些，会让自己良心上有些许安慰。

他得不到安慰是有原因的，这里首先有一个物理障碍：弗洛克太太无法控制自己的声音。她不知道尖叫和沉默有什么区别，所以她本能地选择了后者。温妮·弗洛克本身是一个沉默不语的女人。而现在，她整个人都沉浸在对这件惨事的思绪中。她的面颊苍白，嘴唇干灰，枯坐无神。她看都不看弗洛克，心里有一个念头不停地响着："这个人把那个孩子带出去并害死了他。他把那个孩子从家里带出去害死了。他把那个孩子从我身边带走并害死了!"

弗洛克太太整个人的身心都被这个萦绕不定的揪心想法折磨着。这个想法流在血管里,渗进骨头里,长在发根里。潜意识里,她遵循了《圣经》指导的哀悼行为——遮住面容,衣衫褴褛,头里面全是哭泣哀悼的悲音。但她牙关紧咬,干涸的双眼抑不住如火的怒气,她从来就不是逆来顺受的造物。她之所以强烈地保护自己的弟弟,本身就是处于某种义愤的心理。对弟弟的爱,是可以为之斗争的爱。她为他而斗争——甚至不惜同自己作对。弟弟的死,给她带去了人生失败的痛苦,人生的激情也被当头浇灭。这不是普通的亲人亡逝之痛。严格地说,从她身边夺走史蒂维的,不是死神,而是弗洛克。她当时在场的。她眼睁睁地看着他,连招呼都没打,轻而易举地把那个孩子带走了。更甚的是,她就这样让他们离开了,就像——像一个傻子——彻头彻尾的傻子。他害死了那个孩子,然后回家来到她的身边,就如同任何一个男人回家来,满不在乎地回到妻子的身边一样。

在咬紧的齿缝间,弗洛克太太朝着墙蹦出几个字来:"我还以为他是感冒了。"

弗洛克听到了这话,顺势接过来说:"这没什么。"他有点心神不宁,"我有点儿郁闷,为你感到烦心而已。"

弗洛克太太听到这话,慢慢地转过头来,把凝视白墙的目光投射到她丈夫身上。弗洛克把手指头摁在嘴唇上,盯着地面。

"别人没法帮你。"他放下指头,喃喃说着,"你必须坚强起来,变得机灵些。是你把警察引到我们家的。不过没关系了,我也不想再说这个了。"弗洛克宽宏大量地说。"你本身也不懂这些事。"

"我是不懂。"弗洛克太太有气无力地说，听起来像具僵尸。弗洛克又开始长篇大论了。

"我没有怪你。我会把一切都搞定的。一旦我被抓起来，那我就可以无所顾忌地把事情说出去了——你懂的。你必须要考虑到我要离开两年的可能。"他语气里满是真挚的关切之情，"不过，对你来说会相对容易一些。你还有事情可做，而我——看着我，温妮，你要做的，就是维持这家店至少经营两年。你有的是主意，你的头脑很灵光。如果到了需要卖掉的时候，我会给你捎信的。你一定要千万小心。那些同志们会一直盯着你的。你知道怎么跟他们虚与委蛇，一定要对他们敬而远之。没人知道你究竟在做什么。我可不想刚被放出来，脑袋就被抡上一拳，或者直接被人从背后捅了刀子。"

弗洛克一边说着，脑子里一边精心琢磨着未来的那些问题。他对局势有着准确的敏感，这使得他声音显得阴郁。他不想发生的事，都一件件发生了。未来变得扑朔迷离。因为对弗拉基米尔先生那个跳梁小丑的愤怒，让他的判断力暂时性地失准了。一个四十出头的男人被雇主抛弃，不可避免地要陷入一团乱麻的状态中，这是情有可原的，更不要说原先他还是一个自以为深受器重的政治警察的间谍人员。他这样子的确情有可原。

现在一切都戛然而止了。弗洛克还算冷静，但他一点儿也不快乐。如果一个间谍处于复仇和炫耀的目的，把自己的所作所为都公之于众，那无疑会成为普罗大众愤怒的焦点。弗洛克并没有将面临的危险夸大其词，只是清晰地说给妻子听。他再次强调，自己并不想被革命者们给弄死。

他直直地看着妻子的眼睛，妻子的瞳孔扩散得大大的，深不可测。

"我实在太喜欢你了。"他说，嘴角浮现出一丝不安的笑容。

弗洛克太太惨白、无神的脸上漾起了一丝红晕。回忆完脑海中的那些往昔画面后，她现在不仅能听到，还能理解丈夫说的那些话的意思。她的心神极度紊乱，这些话进入她的耳朵，让她多少有些窒息的感觉。弗洛克太太的头脑向来简单，缺乏建设性。她整个人现在就一个念头，这个念头填满了自己大脑的每一条回路：这个男人——她心甘情愿地与之生活了七年的男人，把那个"可怜的孩子"从她身边带走，就是为了害死他——这个她身心都熟悉的男人，这个她信任的男人，把那孩子带走并害死了他！在形式上，在本质上，在影响力上，如同一切念头那样，只要你肯静坐下来永远不停地想啊想啊，它甚至都能改变那些非生命体的形态。弗洛克太太就那样静坐着。在她的这个念头里（不是在厨房里），弗洛克戴着熟悉的帽子，穿着外套，走来走去，把靴子沉重地踩在她的大脑上。他真人在那儿说着话，但弗洛克太太心里的念头压过了他的声音。

然而，时不时地，丈夫的声音还是能传到她的耳朵里。有几个相关的词语还会引起她的一点儿注意，无外乎是那些希望的托词。一旦听到这种话，弗洛克太太那大大的瞳孔，往往就会脱离远处的焦点，跟随着丈夫的身躯移动着，散发着忧郁和迷离的神情。基于自己间谍生涯的种种经历，弗洛克周详地谋划着自己的计划。他确信，自己会轻而易举地从愤怒的同志们的刀口下逃之夭夭的。

他以前经常会夸大同志们的怒火和本领（职业需要嘛），结果说得太多，自己现在居然也信了。一个人若是不想夸张事实，就必须仔细掂量一下。他也清楚，再过上一两年的时间，自己的功过是非都会烟消云散。这是他第一次真正跟妻子掏出心里话，而且是发自心底的乐观话。他还觉得把自己能下的保证都说出来，的确是个不错的主意。因为这能打动这个可怜的女人的内心。他后面肯定会被秘密释放，这倒是跟自己的职业生涯相符合的，而一旦出了大牢，他们就立刻一块消失掉。至于如何掩盖行踪，他请求妻子务必相信他。他知道该怎么行事，这样一来那个魔鬼——

他挥着手臂，夸夸其谈。他希望给她打气加油。他的本意是好的，然而不幸的是，他的听众却听不进去。

这些满是自信的话语都是弗洛克太太耳边匆匆的过客而已。还有什么话对她是有用的？在她深执一念的冷漠面孔下，这些话又如何能让她为之动容？她的目光冷冷地追随着丈夫的身影，这个身影不断强调着自己是无罪的，这个男人把可怜的史蒂维从家里带走，然后在什么地方害死了史蒂维。弗洛克太太不知道这桩谋杀案的发生地点，但她的心脏已经跳得厉害。

带着轻柔的、夫妻间的那种语气，弗洛克陈述着自己对未来生活的信心，在他们眼前还有长长的安静日子要度过。虽然没有说怎么去实现这种生活。但既然是安静的日子，就要深居在人群嘈杂之处，遮掩身份；就要如紫罗兰般，过得从容而朴实。用弗洛克的话就是："尽量低调一些。"当然，一定要远离英格兰。弗洛克还没想好究竟是去西班牙还是南美洲，但肯定是要移居外国的。

最后的话，终于进入了弗洛克太太的耳朵，引起了她的注意。这个男人说要搬到国外去。这瞬间打断了她的执念，她固有的思维习惯立刻激发了大脑中的一个问题："那史蒂维该怎么办？"

这是暂时性的失忆。她马上回过神来，意识到这不再是整个问题的核心焦点了，以后再也不需要考虑这个问题了。那个可怜的孩子被带走且被害死了。那个可怜的孩子已经死去了。

这段失忆极大地刺激了弗洛克太太的理智。她开始生发一些会让弗洛克大惊失色的念头。她已经没必要继续留在那儿了,留在厨房里,留在房子里,和这个男人待在一起,既然那个孩子已经永远地离开了。没必要了。一想到这些,就像下面坐着一根弹簧,弗洛克太太一下子站起来。但她又不知道自己在这世界上还有何意义。无力的感觉攫住了她。作为丈夫,弗洛克关切地看着她。

"你现在看上去好多了。"他不安地说。然而,妻子眼神中某些暗淡的东西让他心里不禁一沉。但这个时候,弗洛克太太却感到一种前所未有的轻松感。

她自由了。她跟现实的、眼前站着的这个男人签署的契约,到此失效了。她现在是一个自由的女人了。如果弗洛克知道她的心理变化的话,肯定是会无比震惊的。在感情问题上,弗洛克向来是马马虎虎、不大在乎的,只要有人爱慕自己就行了。在这个问题上,他的道德感和虚荣心是一致的,积习难变。他对贞洁和法律的意识也是如此。他已经年纪不小了,变胖了,变重了,但还有一种不缺乏异性吸引力的自信。当他看到弗洛克太太一言不发地走出了厨房,心里感到极度的失望。

"你要去哪儿?"他尖叫道,"上楼吗?"

听到叫声,弗洛克太太在过道里停住了脚步。出自天生的恐惧感,她怕这个男人追上来再拿手碰到她,于是不自觉地朝他轻轻点了点头(站在两级台阶上),嘴角也微微动了一下。对婚姻关系仍保持乐观的弗洛克把它当作了一个惨淡的微笑。

"这就对了。"他大声肯定着,"你现在就需要休息和安静一下。

去吧！我过会儿也过去陪你。"

可怜的弗洛克太太，刚刚获得自由的女人，却根本不知道自己该往何处去，只是机械般地顺从了这个建议。

弗洛克注视着她的身影。她上了楼，转身就不见了。他心里感到失望。在他心里面，更希望妻子能够冲向他张开的怀抱。还好他是个宽宏大量的人。温妮本身就不善言辞，弗洛克自己也不是那种情话绵绵的男人。只是今晚不同。今天晚上这个男人更需要明白无误的同情和爱怜，才能让自己保持坚强。弗洛克叹了一口气，把厨房里的煤气关掉。弗洛克对妻子的同情在他的心里肆虐，当他站在客厅里，一想到她将来要忍受的孤独冷漠，眼泪不禁要流出来。这种心情下，弗洛克无比思念远离尘世的史蒂维。他为史蒂维的过世感到哀痛。要是那个孩子没有那么愚蠢地害死自己，该多好！

不可遏制的饥饿感向弗洛克袭来，哪怕一位坚忍不拔的探险者，在完成了一段惊心动魄的冒险经历后，也会饥饿难耐。桌上的那块烤牛肉，静静地躺在那儿，就像是为史蒂维的葬礼准备的祭品，此时再度引起了弗洛克的注意。他再次享用起来。顾不上什么讲究和优雅了。他拿起锋利的小刀，把厚厚的牛肉切成小块，连面包都用不着，直接一块块嚼起来咽下去。在狼吞虎咽的时候，他突然意识到，楼上卧室里根本没有妻子走动的声响。一想到妻子可能正一个人坐在床上，忍受着黑暗，弗洛克立刻就失去了胃口，连原先想到楼上睡觉的欲望都没有了。他放下手中的餐刀，忧心忡忡地仔细聆听着楼上的动静。

还好，他最后听到她走动的声音，让他大为欣慰。突然，他听到她穿过卧室，打开了窗户。然后安静了好一会儿，他猜想妻子把头探出去观望着,然后他又听到窗户被缓缓放下,接着又听到她的一阵脚步声,然后坐下了。这座房子万事万物的声响,弗洛克都了如指掌,因为他成天都在家里待着。接下来,他听到妻子在头顶上发出脚步声,就像亲眼所见一样,他知道妻子正在穿自己的步行鞋子。这是个不祥的预兆,弗洛克轻轻地晃了晃肩膀,离开了餐桌,背向壁炉站在那儿,头歪向一边,嘴里咬着手指头。他的注意力紧紧跟着妻子的声响。她野蛮地走来走去,一会儿冲到抽屉柜那儿,一会儿走到大衣柜那儿。一整天了,惊骇和惊奇的事情接连不断,这让弗洛克感到无比疲惫,简直就要熬不住了。

直到听到妻子下楼的声音,他才抬起头来。他猜得没错,妻子一身都是外出的行头。

弗洛克太太现在是个自由的女人了。她打开卧室的窗户,可能是想大声尖叫"杀人了!救命啊!",也可能是想一跳而下。她不知道该拿自己的自由作何用途,似乎整个人被分成了两个极端,彼此互相对立着。她看到外面的街道冷冷清清,于是只好关上窗户,重新回到那个坚称自己无罪的男人身边。她想喊叫,但又怕无人靠前。这是显而易见的。而她自我保护的本能,又阻止了她跳入那泥泞湿滑的街渠里。她关上窗户,从头到脚穿戴好,要从家里走到街上去。她自由了。她从头到脚穿戴好,脸上蒙上了面纱。当她出现在客厅里的时候,弗洛克甚至注意到她左臂上还挎了小包……要跑去找她母亲,这不用说了。

弗洛克立刻疲惫地意识到,女人都是些令人痛苦的造物。但还好,自己是个宽容大度的人,立刻就原谅了这一行为。虽然自己的内心十分苦痛,但外在的表现一定要宽容,绝不允许一丝苦笑,或者轻视出现。这个有着伟岸精神的弗洛克，只是抬头看了一眼墙上的木制钟表，沉静而威严地说："这都八点二十五分了，温妮。这么晚出去是不理智的。你出去了，今晚就没法回家了。"

一看到他伸出手来，弗洛克太太就站住了。他加重语气说道："你还没到，你妈妈肯定都睡着了。这个消息可以等等再告诉她。"

其实弗洛克太太本没有想到要去投奔自己的母亲。一听到这话，她就退缩了，看到身后有一把椅子，就顺从地坐了下来。她原本只是想永远地离开这儿。如果这是她的真实想法，也不过是内心深处涌发的心理活动，根本没有好好斟酌。"我宁愿一辈子都流落在街头。"她心里这么想。然而这个可怜人，刚刚经历人生中最惊骇的心理打击，甚至跟历史上最剧烈的地震对比起来都相形见绌的打击，居然被这些琐碎的家常话弄得没了主见。她坐在那儿，还戴着帽子，蒙着面纱，就像一个匆匆前来拜访弗洛克的客人。看到她这么听话，弗洛克心里多少有些欣慰，但再看她那沉默不语的神态，多少又让他心里不爽。

"我跟你说，温妮……"他威严地说，"今晚你哪儿也不能去。见鬼！是你把警察引到家里来的。我都没有怪你——但你还这么做。你最好把这讨厌的帽子摘下来。我不会让你出去的，老姑娘。"他的口气慢慢松下来。

弗洛克太太误解了丈夫的话。这个人把史蒂维从她的眼皮底下带走，然后在某个她不确定的地方把他害死了，所以他禁止她走出去。

既然他害死了史蒂维，就当然不会放自己出去，哪怕自己无所事事地待着。根据这个刻板的推理，弗洛克太太的大脑陷入了疯狂漩涡，开始毫无严谨可言地高速运转。她可以从他的身边溜开，打开大门，一下子冲出去。但他肯定会在后面追她的，然后抓住她的身体，把她拖回店里。那样子的话，她就挠他，踢他，咬他，或者拿刀子捅他，但她得先有一把刀子在手。弗洛克太太一边想象着，一边安静地在自己的房子里坐着，还蒙着黑色的面纱，看上去就像一个让人捉摸不透的神秘访客。

弗洛克的耐心并不比常人更多些。他终于感到恼怒了。

"你就不能说点儿什么吗？你可真能把人搞烦啊！是的！你这装聋作哑的本事，我是一清二楚。我原先就领教过。但今天这个把戏不管用了。你先给我把这东西摘下来。如果搞不清对象究竟是一个木偶，还是个活的女人，那还怎么交谈？"

他上前一步，伸出手，一下子把面纱给摘了下来，一张平静而不可测的面容露了出来，他神经质般的恼怒立刻就像一个玻璃罩砸到岩石上一样，瞬间碎了一地。"这样子好多了。"他说着，尽量掩饰住自己的不安，然后又退回原先壁炉旁边的位置。他脑子里还觉得妻子不会放弃自己，只是多少为自己感到脸红，因为他一向招人喜欢，又宽容大度。不过他还能怎么办呢？该说的他都说了。他又开始激动地说起来。

"上帝啊！你知道我当时四处搜寻合适的人。我冒了暴露身份的风险，去找能够胜任那件该死的任务的人。我跟你实话实说，我根本就找不到那种丧心病狂或者饿得要死的人。你觉得我是什么人——谋杀犯，还是什么？那个孩子已经走了。你觉得我是故意让他把自己炸上天的么？他已经走了。他的苦恼已经烟消云散了。我跟你说，咱们的苦恼才刚刚开始，就因为他把自己给炸飞了。我不怪你。但你要想明白啊，这就是一件单纯的事故——就像是过马路被公共汽车撞了一样的事故。"

他再怎么宽宏大度，也是有底线的，毕竟他只是个人类而已，并不是弗洛克太太认为的那样，是头怪物。他停了一会儿，然后又咆哮起来，嘴唇的胡须提了起来，露出了一口白牙，看起来像是一头野兽，不算危险的那种——那种顶着圆脑袋、比海豹还黑的慢吞吞的野兽，还发着沙哑的声音。

"事已至此，我们都逃脱不了干系。就是这样子的。你尽可以一直瞪着我。我知道你能干出什么事来。如果我真的存心弄死那个小家伙的话，你尽可以打死我。可是在我绞尽脑汁、想着如何才能让我们摆脱困境的时候，是你把他推给我的。那就是你干的好事。别人知道了，会说你是故意那么做的。如果你不是故意的，那就是我混蛋。你就这样漠不关心地坐在那儿，一言不发，脑子里偷偷想着自己的事情，谁也不看，什么也不说……"

他沙哑的声音停了一会儿。弗洛克太太依然一言不发。在沉默中，他对自己的话感到一丝羞愧。就像所有在口角中试图保持平和的男人一样，他羞愧地转向下一个话题："你有时候可真有闭紧嘴巴的能力啊！"他又开始说了，声音还是在原先的调子上。"估计能把很多人逼疯掉。不过你比较幸运，我不是那种很容易就被你的装聋作哑搞疯的人。我喜欢你。但绝不允许你走得太远。这不是时候。我们应该好好想想接下来该怎么办。今天晚上我不允许你跑出去，跑到你母亲那儿，跟她说些风言风语，或者关于我的什么话。我不允许。你绝不能在这上面犯任何错误——如果你出去说是我害死了那个孩子，那么，你也有份在里面。"

这段话说得情真意切，可能是在这个家里说过的最动听的话了，因为这个家庭本身就是靠着经营秘密的营生来维系的——这种营生是由某个平庸的人类发明出来的，用以保护这个不完美的社会，避免受到精神和肉体的双重腐蚀。之所以说出这些话来，是因为弗洛克已经出离了愤怒；但虽然如此，这个坐落在阴暗街道里、背靠着小店的阴暗居所，平日里就有着沉默的气质，如今依然不为这话语所动。弗洛克太太很礼貌地听着丈夫说话，然后从椅子上站了起来，手里拿着帽子和外套，就像一个要起身告辞的访客。她走向自己的丈夫，一只胳膊伸了出来，好像要做无声的告别。她左侧的网状面纱摇晃着，将她僵硬的肢体动作表现得更加杂乱。但当她走到壁炉跟前的时候，弗洛克已经不站在那儿了。他根本没有注意到自己的长篇大论产生的效果，他朝着沙发走过去。作为一个丈夫，他真的已经筋疲力尽了。他内心深处的那个弱点刺伤了自己。如果她要继续沉浸在那种过分的沉默中生闷气，她肯定会的。她是家庭生活艺术的大师级人物。弗洛克把自己重重地扔到沙发上，也顾不得头上戴着帽子。帽子似乎心有灵犀，知道如何照顾自己，一下子钻到桌子下面去了。

他真的累了。一个月不眠不休的精心谋划，换来今天接二连三的失败打击，已经耗尽了他的最后一点儿精力。他累了。人不是石头做的。让一切都见鬼去吧！弗洛克以他特有的方式休息着，身上还是那套出门的行头，敞开的外套的一角拖在地上。弗洛克仰卧在那里，但他更希望享受一种完美的休息方式，比如睡觉，忘掉一切睡上几个小时。可是过会儿再去吧！他要先将就着躺一会儿，心里还嘀咕着："真希望她不要再这样无理取闹下去。太让人生气了！"

弗洛克太太的心理上重获了自由，但总觉得不是那么满意。她没有夺门而走，而是留下来，把肩膀靠在壁炉台上，就像一个旅人靠着篱笆歇息一样。在她那碎布一样的面纱下面，在她那于漆黑一片中冷冷凝视的神情里，一种发自内心的野性气息油然而生。这个女人，是有能力来实现一笔交易的，而这笔交易无疑会让弗洛克的爱情观受到极大的冲击。但她还在犹豫不决，似乎为了自己最后的出价谨慎掂量着。

弗洛克在沙发里舒服地蠕动着自己的肩膀。他感到心满意足，不由地发出了一个虔诚的愿望。

"我祈祷上帝，"他沙哑地说，"愿我从未踏足过格林尼治公园，或者任何与之相关的地方。"

这句朦朦胧胧的声音轻柔地飘荡在这个小房间里，声调恰如祈祷一般温和动听。恰到好处的波长，如同精确的数据公式，使得声波完美地抚过房中所有的物件，萦绕在弗洛克太太石头一般的脑袋四周。不可思议的是，弗洛克太太的眼珠子瞪着更大了。从弗洛克饱满的内心深处涌出来的那句祈祷，瞬间填入了妻子记忆中的一处空白角落。原来是发生在格林尼治公园。一个公园！那个孩子就是在那儿被害死的。一个公园——支离破碎的灌木丛、烂叶子、沙砾石，还有弟弟零碎的血肉白骨，都像是烟花一样爆得到处都是。她现在记起自己当初听到的消息了，这些消息在她脑海里开始形成一幅幅画面。他们拿铁锹一点点儿把他收集起来。她止不住地浑身发抖，眼前呈现出一把铁锹，正在吓人地从地上一锹一锹地铲起血肉。在这副景象里，残碎的肢体如同落雨一样从天而降，史蒂维的头颅孤零零地飘在空中，最终像一只烟花一样消失不见了。弗洛克太太悲痛欲绝，她紧紧地闭上了自己的眼睛。过了一会儿，她又睁开双眼。

这时，她的面容终于活泛起来。任何人都能看出她表情的本质变化，她凝视的深邃眼神，赋予她一股崭新而又惊奇的气质。这种气质,哪怕在充分的时间和充足的保证环境下,进行详细的分析,也难以分辨出来。但这种气质下蕴藏的个人心意,一眼就能看出来。弗洛克太太对于心目中的最后交易的疑虑,此刻已荡然无存,她的心智,不再支离零散,已经开始正常运转。但弗洛克根本没有注意到这点。他还处在过度疲劳下的乐观情绪中,在那儿休息着。他不想再招什么麻烦了,哪怕是对自己的妻子,或是跟世界上的任何人。他认为自己的辩护完美无缺。他相信妻子还是深爱着自己的。妻子的沉默,让他觉得一切还好。现在该跟她彻底解决这个问题了。大家都沉默够长时间了。他低声地叫着妻子,打破了屋里的宁静。

"温妮。"

"嗯。"自由人弗洛克太太顺从地应道。她现在重新控制了自己的心智,包括自己的发声器官;对于身体的每一根肌肉纤维,她也觉得控制自如了。现在,全靠自己了,因为这笔交易就要结束了。她现在目光如炬,聪慧狡猾。她存着自己的目的,应答了丈夫的叫声。她希望丈夫不要离开沙发,他的姿势在整个环境里,再合适不过了。太好了,这个男人没有动弹。但应答了以后,她依然满不在乎地倚在壁炉台上,一副中途歇脚的旅人的样子。她不着急,眉毛也不皱。弗洛克的头和肩膀都被沙发给挡住了。她就盯着他的双脚。

她一直神秘又冷静地站在那儿。这时,弗洛克以丈夫的威严口气跟她说了一句话,而且轻轻地把身子往一边挪了挪,给妻子在沙发边上腾出一些空间来。

"来这儿!"他的口气很特别,听起来有些粗暴的口吻,但在弗洛克太太看来,却是一种哀求的语调。

一听到这话,她便立刻向前走去,似乎整个人还忠实地服从着自己的婚姻关系。经过桌子的时候,她的手轻轻地掠过了桌面。当她走向沙发的时候,那个盘子旁边的小切刀悄无声息地消失掉了。弗洛克听到地板咯咯作响的声音,心里十分高兴。他在等着。弗洛克太太正走过来。似乎史蒂维那无处落脚的鬼魂飞入了他姐姐——他的守护神和保卫者——的胸膛,她每迈出一步,她的面容就更加呈现出史蒂维的形象来,甚至连那低垂的下嘴唇,连那微微分散的双眼,都变得越来越像。但弗洛克没有注意到这一点。他在那儿仰着,朝上盯着。在天花板和墙上,在那个正朝自己走过来的身影上,他隐约地看到那手里紧握着一把切刀。它上下闪着冷光,镇静自若地晃动着。终于,弗洛克把那条胳膊和那把武器认出来了。

一切都发生得镇静自若,他终于明白了此前所有预兆的真实含义,也品尝了发自脏器的死亡气味。他的妻子发疯了,竟然要谋杀亲夫。他原本有足够的时间从震惊状态中缓过神来,下定决心跟这个手持凶器的"疯子"搏斗一番,并将她制服。他原本也有足够的时间意识到,自己可以冲到桌子后面,拿一把重重的木头椅子,把这个女人打倒在地。但现在已经来不及了,他的手脚连动都还没动,那把刀子已经插入了他的胸膛,直直地插入进去了。这一击致命地精准。弗洛克太太站在沙发的一边,用力地插了进去,这重重的一击源自她古老卑微的血统的力量,带着古穴居人的野蛮劲儿,又掺杂着酒吧屋时代的精神狂暴。弗洛克,这位间谍,在这一重击之下,身子轻轻地转向一侧,除了嘴里吐了一个"不要"以示抗议外,肢体动也没动,就死去了。

弗洛克太太松开了刀子,脸上酷似弟弟的那种神情逐渐消失掉了,开始变回原本模样。她深深地呼吸了一口气,这还是在总督察希特给他展示史蒂维外套上那个缝制标签后，她第一次放松的呼吸。她抱着双臂，倚靠在沙发的一侧。这个舒服的姿势，并不是说她对弗洛克的死感到心满意足。是因为这间客厅里短短的时间里风云变幻，如同海上的狂风暴雨一般。她虽然冷静，但还是有些眩晕。自从史蒂维的噩耗传来，自己的养护使命已然终结，而眼下，自己最终彻底地变成了个无欲无求的自由女人。弗洛克太太坐在那儿，脑中有许多画面，但她不为所动，因为她已经不去思考了。这个正在享受彻底地被解放和无穷的闲逸的女人，一直静坐着，看上去跟一具尸体一样。她就坐着，脑子空着。弗洛克的躯壳也是如此躺在沙发上。要不是弗洛克太太还能呼吸，这两个人现在看上去真是完美的一致：行事谨慎而保守，不苟言笑，无需过多暗示，这都是他们相敬如宾的家庭生活的基础。在这种令人尊敬的关系下面，他们谨言慎行地遮掩自己的秘密事业和灰色的生意。哪怕到结束，这种礼仪一直没有被放肆的吼叫和恶意的行为所扰乱。哪怕发生了这沉重的一击之后，这种和谐的状态也一直被安静和沉默所维持着。

　　客厅里静悄悄的，直到弗洛克太太慢慢地抬起头，纳闷地看着那座钟表。她注意到房间里响了滴答声。这声音变得越来越明显，但她清楚地记得，墙上那座钟是不发声的，发不出滴答声的。它突然间发出这么大的滴答声，是怎么回事？钟表显示已经八点四十五分了。弗洛克太太不关心时间，只是那滴答声继续响着。她猜这声音不是钟表发出的，就郁闷地在墙上搜寻着，试图找到声音的源头，但过一会儿，她的视线就没那么专注了。但声音还在响着，滴答、滴答、滴答。

　　仔细听了一会儿后，弗洛克太太把视线转移到自己丈夫的身体上。他的姿势如同往常在家休息一样，是那么的熟悉，她现在的注视跟平时居家的样子没什么两样,所以两下里倒也不怎么尴尬。弗洛克如同往昔一样休息着,看起来非常惬意。

但因为他身子姿势的原因,他的未亡人——弗洛克太太,没法看到他的面容。她那双漂亮又发沉的双眼,开始朝四周搜寻那声音的来源。她看到沙发边缘露出了一个扁平的物体,她沉思了一下。那是家里那把切刀的刀柄,没什么奇怪的,只不过它正好在弗洛克的马甲上,而且正有一些东西从上面滴下来。黑色的东西一滴一滴地落到地板布上,滴答的声音越来越紧凑,越来越响亮,就如同钟表的指针在疯狂地走动着。到最后,这个滴答声开始连成一体,变成了连续不断的流淌声。弗洛克太太注意着这一变化,恐惧袭上了她的面容。原来那流淌着的、黑乎乎的、涓涓激流般的——是血!

一旦看清这意外的景象,弗洛克太太立刻丢掉了自己安逸的、置身事外的心神。

那涓涓的流淌声如同狂暴洪水的前兆,吓得弗洛克太太一声尖叫,她赶紧敛起裙子,逃到门口。跑的时候,她把挡住路的桌子用力一推,似乎那也是个大活人一样。她的力气如此之大,整张桌子被推得挪开了好长一段距离,四条腿在地上划出巨大的刮擦声,桌子上的大盘子重重地砸碎在地上。

接下来,一切又都安静下来。弗洛克太太在门口停下来。地板中间落着一顶圆帽,那是桌子移动时露出来的,她狂奔时候带起来的风,还在轻轻吹动着它。

第十二章

温妮·弗洛克——弗洛克的未亡人、忠实小伙史蒂维（天真地以为自己参与的是解放人类苦难的事业，却被火药炸成碎片）的姐姐，并没有躲到客厅门的后面去。她的确是被涓涓的血流吓得跑出很远，但那只是一个本能的排斥反应。她停下来，眼睛盯着，头低下来。似乎是用了积年累月的时间才穿过那间小客厅，弗洛克太太站在门旁，整个人已经跟那个曾经靠在沙发上的那个女人彻底不一样了。她的头有点儿晕乎乎的，已经不再享受脱离苦海后的镇静自若的感觉。她的双眼不再模糊，她的头脑沉重无比。或者说，她已经没那么镇静了，她心里涌起了恐惧。

她没有去看躺在那儿休息的丈夫，倒不是因为自己害怕他。弗洛克的样子一点都不吓人，反而还有些让人放心的感觉。况且，那只是一具尸体而已。弗洛克太太对已死之人没有什么虚幻的想法，死亡是永恒的，爱与恨都无法让人起死复生。人死了，就什么也做不了，等同于虚无。她内心里对丈夫有一丝轻蔑，这个大男人居然轻而易举地就被自己给杀死了。他曾经是一家之主、一个女人的丈夫、杀死她的史蒂维的凶手。现在，他一文不值了，甚至连自己身上的衣服都不如，连他的外套、他的靴子、地上的帽子都不如。他什么都不是了，连看都不值得看。他甚至都不算是杀死可怜的史蒂维的凶手。当人们以后来这个屋子里找弗洛克的时候，这儿就会只有一个杀人犯——就是她自己！

她想去正一下自己的面纱，可是手抖得厉害，弄了两次都没弄好。她现在已经不再是那个闲逸又负责的人了。她害怕了。杀死弗洛克，捅一下就搞定了。她那压抑在喉头无法发出的苦痛尖叫，她那一双热眼中干涸的泪水，她那对有着杀弟之仇的男人——如今已一文不值——的滔天巨恨，都已彻底得到了解脱。

当时她刺出那一刀，并不是多么清醒理智。刀柄上的血液流下来，在地上流淌着，整个就是一副谋杀案的现场。从来对事情都不愿往深里想的弗洛克太太，此时哆哆嗦嗦地想象着这件事的最终后果。她的想象里没有熟悉的面孔，没有申斥的身影，没有同情的目光，也没有理想的未来。她的脑海里只出现了一样东西。这个东西就是绞刑架。弗洛克太太害怕绞刑架。

她对绞刑架怕得要死。但她其实从来没有在伸张正义的最后流程中看到过这个东西，只是见过一些生动展示这些事情的木版画。她第一次看到绞刑架的画面，那玩意儿立在一个阴暗的暴雨天里，周身拿铁链和人骨头装饰着，起起落落的乌鸦啄食着死人的眼珠子。那个场景真是吓死人。虽然弗洛克太太的知识不多，但对这个国家的司法制度还是了解得比较多的，现在他们已经不再浪漫地把绞刑架立在凄凉的河岸或者荒凉的岬角里，而是直接放在监狱的院子里。四周高墙矗立，就像是进了一个大矿坑，黄昏时分，杀人凶手从牢房里被带出来，在一片死寂中受绞而死，就像那些报纸经常说的那样，"以法律的名义伸张正义"。她的眼睛盯着地板，鼻孔因为恐惧和羞愧而颤抖着。她想象着自己孤孤单单地站在那儿，一群戴着丝织帽子的陌生绅士们，正在按部就班地把绳索套到她的脖子上，准备行刑。绞刑——不！绝不要！怎么能这样的结局？对这种安静处刑方式的细节不可遏制的想象，徒增了她内心的极大恐慌。那些报纸向来不会报道那些细节的东西，但哪怕是很小的一篇文章，也会把那个恐怖的细节给还原出来。弗洛克太太记得报道里说的。报道里写道"绞刑架的落板有十四英寸高"，这些文字一出现在头脑中，就像一根烧红的针在里面搅动，让她痛苦不堪。

这些文字也让她的身体感到极度不适。似乎正处于绞索的束缚下，她的喉咙发出一阵阵剧烈的痉挛。喉咙的动作如此之大，让她不得不双手抱住头，怕它脱离自己的肩膀。"绞刑架的落板有十四英寸高"。不要！死也不要！她受不了那样子。甚至想都不能去想。一去想，她就痛不欲生。所以，她最终想到了一个办法，那就是立刻跑到外面，从一座桥上一跃而下，自尽了事。

于是，她努力地又紧了紧自己的面纱。她的整张脸似乎蒙着面具，从头到脚一身黑色的打扮，只有帽子上还插着几只花。她抬起头，机械地看了看钟表。她觉得它一定是不走了。她不相信自从她上一次看表之后，时间才过去了两分钟。当然不是。这座钟早就不走了。然而事实上，从她刺杀结束后第一次长长的深呼吸算起，到她现在打定主意要投身到泰晤士河中，时间也总共过去了三分钟。但弗洛克太太不会相信这点。她似乎隐约想起来，自己曾经听过或者看到过一个说法，当杀人凶手被处决的那一时刻，钟表或者手表都会停住不动,以示天理昭彰。她觉得这无所谓。"到桥上去,我去跳。"她心里这样想着,脚步却如铁般沉重。

她痛苦地拖着沉重的身躯,穿过店铺,她的手一直紧紧地握着门把手,直到攒足了勇气,才把门打开。夜色的街道让她心生胆怯,因为这街道,不是把她引到绞刑架上,便是带她去河里。她在门槛那儿挣扎着,头伸了出去,然后胳膊也伸了出来,就像一个从桥上护栏跌落的人一样。一接触到室外的空气,就让她产生了溺水的预感。一股浓郁的潮湿空气裹住了她,钻进了她的鼻腔,浸入到她的头发里。天没有下雨,但每一盏煤气路灯都在迷雾下发出微弱的光晕。街上没有小马车和马匹了,街道暗沉沉的,马车夫用餐的小吃店的窗户上,蒙着一块窗帘,光影把它投射在道路上,就像是一块脏兮兮的血红色方块补丁。弗洛克太太拖着自己沉重的躯体向那块补丁挪动着,不禁悲从中来,觉得自己真是一个无依无靠的女人。

是的,的确是这样的。在此时她突然急切回想谁算是朋友的时候,她想的唯一一个面孔就是尼尔太太,那个日工女佣。她跟谁都不熟,社会人没人会想起她。不要以为未亡人弗洛克太太此时忘记了她的母亲。那是不可能的。温妮一直是个好闺女,因为她一直是个好姐姐。她的母亲一直都要倚靠她的支持。可是,在母亲那儿,她不会得到任何的安慰或主意。如今,史蒂维已经人鬼殊途,她和母亲的关系似乎也要断了。她不会去告诉母亲那个噩耗,她无法面对那个年迈的女人。何况,她母亲住的地方又那么远。泰晤士河就是自己的丧生之所。弗洛克太太努力地不去想自己的母亲。

每一步的迈出,似乎都耗尽了她人生的最后一点儿意志力。一步一步地,弗洛克太太把自己拖过了小吃店窗户的阴影处。"到桥上去，我去跳。"她内心里固执地重复着。她步履沉重而蹒跚，不得不抓住路边的灯杆儿，站稳了身子。"今天晚上我是走不到桥上了。"她心里想。对死亡的恐惧，让她逃脱绞刑架而作出的努力消失殆尽。她觉得，自己已经在街上踟蹰了好几个小时了。"我走不到那儿了，"她心里想，"大家会发现我一直在街上游荡着。那儿太远了。"她站在那儿，遮着面纱，喘着气。

"绞刑架的落板有十四英寸高。"

一想到这儿，她猛地推开灯杆儿，找回了走路的力量。可马上，又一股绝望的气息如同海浪一般，攫取了她的心智，好像把她的心脏从胸膛里冲了出来一样。"我走不到那儿的。"她喃喃自语，一下子就拘在那儿了，轻轻地晃动着身子。"走不到的。"

她彻底地说服自己了，哪怕是最近的桥，她也不可能走过去了。这时候，她突然想到了远走异国。

简直就是灵光一闪。凶犯都会逃跑，他们都逃到国外去，西班牙或者加利福尼亚，等等。广阔无垠的世界，是男人纵横驰骋的天地，对于弗洛克太太来说，却是一块巨大的认知空白。她不知道该逃向何方。凶犯有亲朋好友，有关系门道，有帮凶同伙——他们还掌握方法和知识。然而她一无所有。她是世上所有凶杀犯里最孤苦伶仃的一个。在伦敦，她孤孤单单的——这座城市充满奇迹和烂泥，街道复杂如迷宫，灯光繁多如星辰，但她深深陷在这样一个无望的夜里，如同沉沦在一个深渊的底部，任何一个无助的女人都别想从中逃脱。

她向前一倾，又开始盲目地向前走了，还极度害怕自己不小心摔倒在地上。但是没有迈出几步，出乎意料地，她觉得自己被一股安稳的力量支持住了。她抬起头来，看着扶住自己的男人的脸，这张脸几乎要紧贴着自己的面纱了。奥西庞同志天生不怵自己不认识的女人,如果遇上醉醺醺的女人,他也不会假正经,而是竭力地去跟她套近乎。奥西庞同志对女人十分感兴趣。他用两只巨大的手掌扶助身边这个女人,一本正经地打量着她,等听到她迷迷糊糊地喊出"奥西庞同志",不禁大惊失色,差点儿让她倒在地上。

"弗洛克太太!"他一声惊喊,"你怎么在这儿!"

在他眼里,她基本上是一个滴酒不沾的人,更不要说喝醉了。但谁知道呢。他没有往深里去想,只是觉得命运眷顾自己,弗洛克同志的未亡人此时竟然靠在自己的身上,他顺势把她拥入自己的怀中。而令他大吃一惊的是,她竟然毫不抗拒,一下子倒入自己的怀中,头还靠在他的胳膊上,过了一会儿,才试着从他的怀中挣脱出来。奥西庞同志在如此美好的天意下,自然也不好太过轻浮,很自然地就把自己的手臂松开了。

"你认出我来了?"她站在奥西庞同志的面前,双腿已经找回了力量。她结结巴巴地说道。

"我当然认得你。"奥西庞立即接上话茬,"我担心你要倒下去。我最近心里一直想着你,不论在什么地方。什么时候,都会把你给认出来的。我心里一直想着你——自从你第一次走入我的视线的时候。"

弗洛克太太似乎根本没有去听他说的话。"你这是要来店里吗?"她紧张地问。

"不错,"奥西庞回答说,"我一看到报纸上说的,就立刻动身往这儿赶。"

事实上,奥西庞同志已经在布雷特街道附近偷偷摸摸地躲藏了差不多一两个小时了,始终没有撞起胆子采取行动。这位身材魁梧的无政府主义者，其实算不得一条勇猛的好汉。他的记忆里，哪怕是他给出的最微弱的引诱眼神，这位弗洛克太太都视若不见，丝毫不为所动。再者，他心里觉得，现在那家店铺估计早已经埋好了警察的眼线，他可不想因为自己同情革命的行为，让那些该死的警察在自己身上大做文章。哪怕现在这个时候，他其实都没想好自己接下来究竟该怎么办。自己在谈情说爱方面的觉察力和果断力，到了这种兹事体大的事情上，却都消失得无影无踪。他意识不到这件事里究竟会有多少道道，意识不到为了紧紧把握住眼前这个要把握住的机会，要付出多大的代价。看上去是一个机会，自己究竟要迈过多少路，他根本意识不到。但处在目前的情境下，他的大脑一片混乱，原先心头里的兴高采烈慢慢开始消淡，他的话语也逐渐开始变得冷静下来。

"请允许我问一下，您这是要去哪儿？"他的声调被自己压抑地低低的。

"不要问我这个问题！"弗洛克太太紧紧压抑着身躯的颤抖，带着哭腔说道。她求死的欲望已经荡然无存，整个人又开始恢复生的活力："不要管我要去哪儿……"

奥西庞听了这话，觉得这个女人的心情正处于激动的状态，但头脑又非常冷静。她一直靠在他的身边站着，默默无语，然后，突然地，她做了他一直想都不会去想的事情。她把自己的手轻轻搭上了他的胳膊，然后慢慢地抚过。他当然对这个意外的举动惊呆了，更被这个举动背后所蕴藏的明白无误的含义给惊呆了。但这件事情让人觉得微妙，奥西庞同志还是小心为妙比较好。他心里是喜欢的，忍不住压住那只抚摸自己的手，把它按在自己强壮的胸膛上。此时，他整个人都开始服从了内心的冲动，情不自禁地跟着向前走去。等走到了布雷特街道的街尾，才意识到自己正在被领着往左走。他一路顺从着。

街角里的水果摊已经把闪闪发光的橘子和柠檬都收拾起来了，整个布雷特广场都全部沉浸在夜色之中，只有几盏昏黄的路灯，在迷雾中发出微弱的光芒，再加上广场中心里那三束聚成一团的灯光，把广场本身三角形的轮廓给影影绰绰地衬托出来。在如此凄凉的夜景中，这个男人和这个女人的幽暗的身影，正沿着广场的墙边悄无声息地慢慢行走着，胳膊挎着胳膊，如同一对无家可归的亡命爱人一般。

"如果我说我刚才是要去找你，你心里会怎么想？"弗洛克太太问，用力抓了一下他的胳膊。

"那我跟你说，当你有麻烦的时候，我会随时恭候你的光临，为你赴汤蹈火。"奥西庞这样子回答道，心里觉得他们的关系真是迈出了巨大的一步。然而事实上，整个事情发展地如此微妙，简直要让他喘不过气来了。

"我有麻烦的时候！"弗洛克太太嘴里慢慢地重复道。

"不错！"

"那你知道我现在的麻烦是什么吗？"她用一种奇怪的紧张语气向他低声耳语道。

奥西庞的心里泛起了一阵热浪，他说道："我刚刚读了晚报，差不多过了十分钟，我就碰到了一个家伙，关于这个人你之前在店里可能打过一两次照面。我们在一块聊了聊，他跟我说的话让我对自己预想到的事情确信无疑。然后我就匆匆往这儿赶，心里想你是不是——我对你的喜爱已经难以用语言来表达,当我第一次遇到你的眼睛的时候,我就喜欢上你了。"他倾诉着,似乎根本控制不住自己的内心情感一样。

奥西庞同志在这方面的判断力是令人惊叹的,没有哪个女人能够对这样的衷心表白无动于衷。但他根本不知道,弗洛克太太之所以不假思索地就接受了自己的爱意,纯粹是出于一个将要溺死之人抓住一根救命稻草一样的绝望心情,她不能松手。现在在弗洛克的未亡人眼里,身边这个健壮魁梧的无政府主义分子如同身披七彩光芒的生命信使一般,可以让自己重获新生。

他们的脚步迈得很慢,一步一步地,"我早就看出来了。"弗洛克太太低声喃喃道。

"你从我的目光中看出来了。"奥西庞非常兴奋地附和着。

"是的。"她对着凑过来的耳朵,轻轻地呼着气,回答他。

"我的爱意对你这样的女人来说,是无法隐藏的。"他一边这样说着甜言蜜语,一边又跟脑子里的众多物欲念头作着斗争。他的念头包括那家店铺的商业价值,包括牺牲的弗洛克在银行里存款的大概数目。他现在想全力以赴地把近在咫尺的感情给确定下来。说实话,他的内心深处,对于自己轻而易举的胜利多少感到一些不可思议。弗洛克曾经是个很好的家伙,任何人都看得出来,他也算得上是一个非常得体的丈夫。然而,奥西庞同志可不想为了一个死人的利益去放弃自己的好运气。天人交战之后,他终于压制住了内心对于弗洛克同志在天之灵的同情,继续跟身边的女人说起情话来。

"我根本掩盖不了自己的感情,我的思绪里全是你的影子。我敢说你肯定能从我的眼神里看出来,但我不敢去猜想你的心意。对我来说,你一直显得那么遥不可及……"

"那时候我还能怎么做呢?"弗洛克太太控制不住情绪,简直要哭诉出来,"我是一个很自重的女人……"

说到这儿,她停了一下,然后用一种极度愤恨的语气,似乎是冲着自己自说自话,她说:"直到他把我弄成了现在这个样子。"

奥西庞没有接上这个话题,顺着自己刚才的话语继续下去。"我始终觉得,他那个人根本配不上你。"他说出了这话,终于把对革命同志的忠心抛到九霄云外去了。"你应该享受一个更加美好的生活。"

听到这话,弗洛克太太忍不住恨恨地打断了:"更美好的生活?这七年的婚姻生活,我一直都活在谎言里。"

"可是你们的生活看起来还是很快乐的。"奥西庞竭力地为自己以往不冷不热的态度来开脱,"正因为看到你们的样子,我所以才胆怯。你看上去是爱他的。我当时又惊奇,又感到嫉妒。"他说道。

"爱他?"弗洛克太太轻轻地哭诉出来,哭腔里满是嘲笑和怒火。"当然爱他!我是他的好妻子。我是一个洁身自好的女人。你觉得我当时爱他!是的,这是你的看法。听着,汤姆……"

一听到弗洛克太太喊出自己的这个名字,奥西庞同志浑身都要激动地发抖了。他的本名叫作亚历山大,只有那些最为亲密的人才会在私底下叫自己汤姆。这是一个亲密的昵称,推心置腹、无话不说的时候才会这么叫。他想不到有谁会在她的面前叫起过这个名字,但很明显的是,她不仅从哪儿听到过这个名字,而且还把这个名字深藏在自己的记忆里,说不定也压在心里珍藏着。

"听着,汤姆!我那时候只是一个小女孩儿。我当时疲惫不堪,累得整个人都要垮掉了。家里有两个人要靠我生活,我当时已经累得感觉无以为继了。两个人啊，我母亲，还有我弟弟。我弟弟看起来更像是我的孩子，而不是我母亲的。在我差不多还是八岁的时候，我就整日整夜地把他放到自己的膝盖上，坐在楼上抱着他。就这样子，我跟你说，他几乎就成了我的孩子。这种事估计你无法理解的。没人能够理解这种事。后面我该怎么办呢？曾经有一个年轻的小伙儿……"

一想起往昔跟那个年轻屠夫的浪漫情事，即使内心还存着对绞刑架的恐惧，还含着对死亡的万般抗拒，但那些曾经与自己擦肩而过的幸福画面，还是让她的脑海里涌起了一丝柔软的美好。

"我后来喜欢上那个年轻的小伙子。"弗洛克的未亡人接着说，"我觉得他也能从我的眼神里看得出来。他当时一个星期只赚二十五先令，而且他父亲还吓唬他，如果他敢违抗自己的心意，心甘情愿地去做一个彻头彻尾的傻瓜，把我这个拖着年迈老母、带着傻弟弟的女孩儿娶进家门，就毫不犹豫地把他给踢出他们的家族事业。尽管如此，他还是愿意整天缠在我的身边，直到有一天晚上，我不知道哪儿来的勇气，直接当着他的面把大门给关上了。没办法，我只能这么做。我的确非常喜欢他。可是他一个星期只赚二十五先令！后来又出现了另外一个男人——这个人是个不错的房客。一个女孩子还能怎么办呢？难不成要我跑到大街上卖笑吗？这个男人看起来很和善的样子。而且，他也很想娶我。为了母亲和那个可怜的孩子，我还能怎么办呢？唉！我就同意了。他那个人看起来本质不坏，而且为人大方慷慨，他不缺钱，而且从来不对我们指手画脚。七年，我给他做了七年的好妻子，他心地善良，他为人和善，他出手大方，他，而且他爱着我。是的。我有时候自我得意地认为他爱着我——七年啊！我们做了七年的夫妻。到头来，作为你最好的一个朋友，你知道他究竟是个什么人吗？你知道他究竟是什么货色吗？他就是一个魔鬼！"

这段控诉的话语语调低沉，但却饱含了激情，这使得奥西庞同志整个人都为止目瞪口呆。温妮·弗洛克说完后，转过身来，伸出双臂抱住了他，在阴暗孤寂的布雷特广场的浓雾下，抬头看着他。他们的周遭，似乎全无了生命的气息，万事万物皆如广场上铺盖的沥青和砖块，皆如黑灯瞎火的房屋和死气沉沉的生硬石头。

"不，我不知道他是这样的人。"面对着身边这个怀着对绞刑架深深恐惧的女人，他感到大脑一片空白，天生的幽默感消失得无影无踪，只好有气无力地这么回复道，"但我现在知道了。我——我理解你的处境。"他胡乱地回应着，大脑里一直在想，在他们平和安静的婚姻生活里，弗洛克究竟干了什么见不得人的缺德事。这真是太耸人听闻了。"我理解你的处境。"他重复了一句，然后心里面突然涌起了一股细腻的怜悯之情，禁不住脱口而出"可怜的女人"，而不是他常常挂在嘴边的那句口头语"可怜的宝贝"。因为这不是一般的情境。他感觉到目下的事情发展得不是太正常，但自己仍不愿意放弃可能存在的大笔收益。"不幸但又勇气可嘉的女人啊！"

他很高兴自己早早地获知了事态的变化，但是除此之外，他都一无所知。

"啊，但是他现在已经死了。"他找到了一句最合适的话茬。他的话说得比较谨慎，里面又掺杂着明显的疾恶如仇的成分。一听到他这么说，弗洛克太太立刻用力地抓住了他的胳膊。

"你猜到他已经死了，"她讷讷地说，似乎整个人都抓了狂，"你！你肯定能猜到我没有别的办法。我必须那么做！"

她的话语让人听起来一头雾水，里面还有一点儿洋洋得意、一丝身心放松，还有一点儿心存感激的意味在里面。这句话表现出来的意味把奥西庞的注意力全给吸引住了，他都没有心思去好好想想究竟是什么意思。他心里纳闷，她身上究竟发生了什么事情，她是如何把自己搞得如此情绪激动的。他甚至开始有些怀疑了，觉得格林尼治公园的那件爆炸案的深层原因，是不是就隐藏在弗洛克这一家实际并不幸福的婚姻生活里。他想得实在太过了，甚至开始怀疑，弗洛克之所以选择那么惊天动地的手段，或许就是为了自杀。啊，天呐！这么说来，为什么整个爆炸案显得那么愚蠢而没脑子，这下子全讲通了。这样子的话，无政府主义者就没必要站出来声明负责，恰恰相反，跟同等地位的革命分子一样，弗洛克也肯定知道这件事的结局。弗洛克这是开了一个多么大的玩笑啊！他玩弄了整个欧洲，愚弄了世界上所有的革命家，那些警察、媒体，甚至那个孤傲的教授，也都被他玩弄了。的确，奥西庞一想到这一点，禁不住有些悚然，看来的确是弗洛克干的那事！这个可怜的人！他又心头一紧，这个两口之家里，那个魔鬼究竟是谁，这还说不定呢！

亚历山大·奥西庞，绰号"医生"，自然而然地首先在心里面要偏袒一下自己的男性朋友们。他看到弗洛克太太正在挽着自己的胳膊。对于自己的女性朋友，他的想法向来实际得很。当他提到弗洛克已经死去的时候，这本身就是一件千真万确的事情，为什么弗洛克太太会叫起来呢，奥西庞没有在意到这一点。女人啊，她们经常疯言疯语。他只是好奇，这个女人究竟是怎么知道的。报纸上根本没有报道详细的信息，只是简单地写了几句：在格林尼治公园被炸得粉身碎骨的那个人目前身份不明。关于自己的企图，不管是什么，如果说弗洛克曾经跟妻子提到过,那简直是不可能的。这个问题可是引起了奥西庞同志的极大兴趣。于是他停下了脚步,他们之前一直沿着布雷特广场的三角边走着,现在又走到了布雷特街道的街尾。

"你最开始是从哪儿打听到那个消息的?"他刻意控制自己的语气,尽量跟身边的这个女人向他陈述的事实的本质所一致,他问道。

她的身子剧烈地颤抖起来,过了好长时间,她才有气无力地回答说:"从警察那儿听到的。一位总督察到店里来了,总督察希特说那个人就是他。他还给我看了看。"

弗洛克太太简直都要喘不过气了:"唉,汤姆,他们拿铁锹一锹一锹地把他从地上收集起来。"

她说着,胸膛起伏着,泪水早已干涸,声音抽搐。过了一会儿,奥西庞终于找回了自己的舌头。

"警察!你是说警察已经去过你们家了?那个总督察希特还亲自跑到你们家里告诉你?"

"是的。"她还是有气无力地答复道,"他来过了。他过来跟我说,我什么都不知道。他拿出一片外套的残片给我看,就这样。你认识这个东西吗?他问我。"

"希特!希特!他后来又干什么了?"

弗洛克太太的头深深地低下去。"没什么,他什么也没做,然后就走了。那个警察跟那个人是一伙的。"她悲伤地讷讷说道,"后来又来了一个人。"

"又——又来了一个巡警,你是说?"奥西庞问道,语气显得无比紧张激动,很像是一个被吓得惊慌失措的小孩子。

"我不知道。他就是来了。看上去就跟一个外国人似的。他可能是大使馆里的人。"

受不了这个新的打击,奥西庞同志几乎都要瘫在地上了。

"大使馆!你知道你是在说什么?哪个大使馆?你说大使馆究竟指的是什么?"

"就是切舍姆广场的那个大使馆。他曾经咒骂那里面的人。我不知道,我也不关心!"

"那后面来的那个人,他干了什么,或者跟你说了什么?"

"我不记得了,什么也不记得了,我也不关心。别问我了。"她筋疲力尽地恳求他说。

"好的,我不问了。"奥西庞赶紧温柔地来平复她的心情。事实上,他也真的不想再问了,这倒不是因为心里被那声疲惫的恳求给感染了,而是感到自己的思绪已经深陷到这桩阴暗事件的漩涡里,连走路都变得跟跟跄跄。警察!大使馆!妈啊!他怕自己再问下去,让自己了解到一些秘密,说不定会把自己引到万劫不复的道路上去,于是,他立刻把脑袋里对这件事的所有推测、假想和其他自己炮制的理论,都统统清理了出去,让自己不再好奇。现在,他和这个女人待在一起,使得她对自己投怀送抱,这才是真正需要自己认真关心的问题。突然间,似乎从一个安宁的梦中苏醒了一般,弗洛克太太开始情绪激动地说他们应该立刻离开这儿,跑到欧洲大陆上去,听到这话,他倒是镇静得很,没有叫出声来。因为大脑接受了前面刚刚说的那些信息后,已经没什么能够再给他刺激了。他只是不动声色地敷衍她,说只有到了早上才会有火车发车。他站在那儿若有所思地看着她。她的脸上依旧蒙着黑色的网状面纱,燃着煤气的路灯光芒稀薄,它也被潮湿的雾气给蒙上了。

她的身体紧靠着他，整个人的黑色身影融入进了夜色之中，如同是在一块黑色巨石上雕刻出来的一个半人形的作品。奥西庞不清楚她到底掌握多少秘密，也不知道她究竟跟警察和大使馆的人牵涉得有多深。但如果她执意要离开这儿，那可不是自己所能反对的。他开始急于早点儿从这件事里脱身出去。他心里觉得，这个买卖，这家店铺，跟总督察和外国大使馆里的人，居然都走得那么近，真是让人摸不着头脑，还真不是所能占为己有的地方。自己必须得放手才是。可是那儿还有一些其他的东西。店里还有不少积蓄。还有不少钱！

"你一定要把我藏到某个地方，一直藏到明天早上。"她的口气里满是慌张。

"可是亲爱的，事实上，我不能把你带到我住的地方去。我跟一个朋友合住一间屋子。"

这时候，他感到自己也有些慌张了。到了明天早上，毫无疑问，那些该死的侦探们会遍布车站。而且如果他们一旦抓住了她，因为各种各样的理由，自己永远都不会得到她了。

"但你一定要把我藏起来。难道你不在乎我吗，一点儿都不在乎吗？你在想什么啊？"

她大声地质问着他，把自己紧握着他的双手失望地松开了。继而，两个人陷入了沉默之中。此时浓雾垂落，无尽的黑暗悄无声息地重新占据了整个布雷特广场。没有一个行人，甚至连那些流浪汉、不法之徒，甚至那些正处于发情期的小猫咪，都没有过来打扰这一对面对面站在一起的男人和女人。

"或许我们也能在某个地方找到这么一处安全的落脚地。"奥西庞终于开口了,"但亲爱的,不得不跟你说实话,要想离开这儿去往别地生活,我可没有足够的钱,我只有几个便士。我们这些革命家向来都是不富裕的。"

他的口袋里其实有十五个先令。他又说道:"我们面前还有一段旅程要走,明天一早起来就得赶路。"

听了这话,她一动也没有动,也没有作声。奥西庞同志的内心不禁往下一沉。显而易见,她没有主动说些什么。突然地,她紧紧地把手揪在心脏位置,好像那儿突发了急痛一般。

"但是我有钱。"她喘息着说,"我有钱,我有足够的钱。汤姆!让我们赶紧离开这儿吧!"

"你身上有多少钱?"他问道,对于她的拉拉扯扯始终不为所动。他是一个稳扎稳打的男人。

"我有那些钱,我跟你说。家里所有的钱。"

"你这么说是什么意思?是说存在银行的所有的钱吗?还是什么?"他有点怀疑地问她,但也做好了心理准备,准备好了迎接一切砸向自己的好运。

"是的,是的。"她紧张兮兮地说,"所有的钱都是我的了。"

"你是怎么把这些钱都弄到自己手里的?"他吃惊地问。

"他给我的。"她喃喃地说道,突然声调开始变得微弱起来,而且里面有些颤音。奥西庞同志一下子身心放松下来了。

"为什么?啊,那么我们就有出路了。"他慢慢地说。

她向前一倾,整个人倒进了他的怀中。他张开双臂欢迎着她。她身上有着所有的钱。她向他倾诉着衷肠,然而她的帽子,还有面纱,此时却成了感情表达的外在障碍。他也恰当地表达了自己的感情，没有说出过分的情话来。她听着这些话，没有拒绝，也没有嫌弃，只是乖乖地听着，似乎整个人处于半知半觉的状态。她只是稍微一示意，就从他那糊弄人的拥抱里挣脱出来。

"你要救救我，汤姆。"她后退一步，发出请求道，手里紧紧抓着他那潮湿大衣的两个外翻的领子，"救救我。把我藏起来。不要让他们抓到我。如果被发现了，你一定要先把我杀了。我自己下不了狠心，我做不到，我做不到，哪怕我自己那么害怕那个东西。"

她真是吓得不轻啊，他对自己说。她的所言所为，愈来愈让他内心里感到一丝不可名状的不安。他的心里还始终考虑着一些重要的事情，于是就没耐住性子，粗鲁地问："你究竟怕什么东西？"

"你难道根本没有猜到我不得不做的那件事吗？"这个女人简直都要哭了出来。一直以来，那些鲜活的恐怖画面，在她的脑海中不停地闪现着，她的耳朵里也时常想起警察执法的铿锵声音，这让她的心理一直处在恐惧崩溃的状态中。而她在这种精神恍惚之中，误以为自己通过毫无逻辑可言的话语已经跟奥西庞讲清楚了。然而实际上，她根本没有意识到，自己说的那些断断续续的话，真正透露出来的信息少得多么可怜。她原本认为自己做了彻底坦白，已经感到身心得到了放松，对于奥西庞同志跟她说的每一句话，她也按照自己的意愿去做了理解，然而事实上，对方说的话，掌握的信息，根本不是她想的那样子。"你难道根本没有猜到我必须要做的那件事吗？"她的声音低沉了下去。"用不了多久，你就会猜到我害怕的是什么。"她低声说着，充满了愤恨和阴郁，"我下不了手。我做不到，我做不到。你必须向我承诺，如果迫不得已，你一定要先杀了我！"她揪住他大衣的外领子，摇晃着："绝不能让我被抓住。"

他敷衍地安慰了她一下，跟她说自己没必要跟她作出这样子的承诺。但他尽量说得小心翼翼，不去直接反驳她说的那些想法，因为在对付情绪激动的女人方面，他还是有一些经验的。每当面对一件特别的事情的时候，他往往选择按照自己的过往经验来指导自己的行为，而不是靠自己的聪明才智来对付。而且这时候，在这件事情上，他的大智慧正被运用在其他的层面上。女人说话从来不会深思熟虑，要逃走的话，光是火车时刻表就是一个大问题。大不列颠孤悬大海的地理形势，真是让他感到十分的郁闷。"这跟每天都被锁起来没啥区别。"他躁动地想，心里又发愁，感觉自己就像要背一个女人翻越高墙一样。突然间，他拿手拍了一下自己的前额。脑子灵光一闪，他刚刚想到从南安普顿到圣马洛之间有一趟客轮可以搭乘。那艘船在子夜时分起航。现在还有一趟10：30的火车可以乘坐过去。一想到这儿，他心里敞亮了，准备开始行动。

"我们去滑铁卢车站坐车。还有充足的时间。什么都会好起来了，现在是怎么回事？这不是去那儿的路。"他提出异议。

弗洛克太太挽着他的胳膊，用尽力气把他又拉回了布雷特街道。

"我刚才出门的时候，忘了把店铺的大门给关上。"她悄声说着，显得极为不安。

那家店铺，以及店里的所有家当，目前都不在奥西庞同志的兴趣之内了。但他知道如何压抑住自己的欲望。他本来想脱口而出："那又怎么样？开着就是了。"但他克制住了。他不想为了鸡毛蒜皮的事情发生争执。一想到她可能还在抽屉里放着现金，他甚至不假思索地加快了步伐。但比起她那迫不及待的情绪，他的内心多多少少还是有些不在乎的。

他们赶回去的时候，整个店铺显得漆黑一片。大门半开着。弗洛克太太一下子倚在前门上，气喘吁吁地说："没人来过。看！那灯光，客厅里的灯光还亮着。"

奥西庞把脑袋往里面凑了凑，在黑咕隆咚的店里面瞅到了一丝模糊的光亮。

"还真是。"他说。

"我忘了关灯了。"弗洛克太太微弱的声音透过面纱发了出来。就在他站着、等她先进去的时候，她在一旁大声说："快进去，把灯给灭了，那会把我搞疯的。"

一听到这个命令，他没有立时提出反对意见，只是觉得这句话怪怪的。"那些钱都在哪儿？"他问。

"在我身上！快去，汤姆。赶紧的！快把它给熄灭了，快进去啊！"她简直都要哭出来了，在他身后用力地抓住他的双肩。

她在后面用力一推，可怜的奥西庞同志根本没想到她会有那么大的力气，直接一下子跄到店里的深处了。这个女人的力气大得简直让人惊叹，但这个举动让他内心里十分讨厌。他不想再走出去跑到大街上跟她理论一番，因为她那一些乖张的举动的确让人不怎么舒服。而且现在也不是迁怒她的时候。奥西庞同志的身形还算灵敏，轻而易举地就绕过了柜台的尽头，镇静自若地走到了客厅的玻璃门那儿。门窗上的帘子稍微拉开了一些，禁不住天性中的一点儿冲动，他就在自己正准备要把门把手给带上的时候，顺便往客厅里面瞅了一眼。他的观望并不是有意地，没有什么企图，也算不得什么好奇。他之所以要去看，就是因为自己忍不住要去看而已。他往里面瞅了一眼，安静地躺在沙发上长眠的弗洛克就这样子进入了他的眼帘。

一声呼叫差点从他的胸腔的最深处喷涌而出,万幸被压抑住了,接着化成了某种黏糊糊地、稠乎乎的东西,糊住了他的双唇。此时此刻,奥西庞同志的精神世界一下子遭到了沉重的打击,低沉了一大块。但他的身体,虽然失去了头脑意识的指引,但还是出自本能地紧紧把着门把手。这个强壮的无政府主义者这时候甚至连个踉跄都打一下。他站在那儿,脸紧靠着门上的玻璃,紧盯着里面,那双眼睛似乎要从脑袋里飞出去。他本来应该不顾一切地撒腿就跑,但他的理智这时候回来了,他告诉自己这时候不能松开门把手。

这究竟是什么事情,是我精神错乱了,还是一场噩梦,还是自己落入了一个残酷又奸诈的诱捕陷阱?为什么,他们这是要干什么?他理不出头绪来。他摸着自己的良心自问,自己没干过什么犯法的事情,跟身边的人也是一直和睦相处,至于弗洛克一家为了什么见不得人的秘密合谋杀死自己的想法,在他脑中也是一闪而过,但在他心理上引起了一丝不舒服,这点儿不舒服让奥西庞同志难受了那么一会儿,其实是一大会儿。他还是目不转睛地看着。弗洛克还是一直安安静静地躺着,估计是故意作出睡觉的样子,而这时候他那个野蛮的女人正在外面守着那扇大门。她站在那漆黑荒凉的大街上,暗如鬼魅,悄无声息。难道说这或者是警察为了某种意图,给他设下的一个恐怖圈套?一想到这种可能性,他直接吓得浑身发抖了。

好在他终于看到了地上的那顶帽子,这个画面,让奥西庞意识到了事情的真相。这个帽子看上去就是不同寻常,像一个不吉利的东西,像一个符号,黑乎乎的,朝天躺在沙发前面的地上,似乎每一个过来想看正在沙发上酣睡的弗洛克的人,都得往这顶帽子里扔上几个便士。把视线从这顶帽子上挪开,这位健壮的无政府主义者看到了那张凌乱的桌子，盯着那只破碎的盘子看了一会，然后眼睛里闪过了一丝光亮，似乎这个闪光是那个躺在沙发上的人的半睁半闭的眼睛发出来的。弗洛克现在看起来并没有睡着，他的头往下垂着，似乎是在看自己的左胸的地方。接着，奥西庞同志注意到了那束光是来自那把刀子的刀柄。他忍不住了，从玻璃门那边转身跑掉了，开始猛烈地呕吐起来。

这时候，店铺的大门咣的一声被关上了，一下子把他吓得魂飞魄散。这间房子的男主人虽然现在无害了，但仍然看起来像是一个陷阱——一个恐怖的陷阱。奥西庞同志不知道接下来自己要碰上什么糟心事。他的大腿撞上了柜台的拐角，那撕心裂肺的疼，让他原地打着转。这时候，叫魂一般地响了起来一阵铃声，让人心里惴惴。他的两只胳膊被人紧紧地抱住了，这个人浑身筛糠一样抖着。一双冰冷的嘴唇靠近了他的耳边，紧张不安地跟他吐出几个字来："是警察！他肯定看见我了！"

听到这话，他不挣扎了。她也丝毫没有撒手。她的十指紧紧地扣在他强壮的背部。脚步声慢慢地靠近了，他们两个人的呼吸加速，胸贴着胸，喘着粗气，似乎要在一起做殊死搏斗，然而实际上，他们不过是处于吓得要死的状态。时间过得无比煎熬。

正在大街上巡逻的那名警察事实上注意到了弗洛克太太影影绰绰的身影。他看到她的身影从灯光明亮的布雷特街道的那边尽头走到店铺这儿，整个人的身形在夜色中，像鬼魅一样飘过。甚至他自己内心也嘀咕，到底自己是不是真的看到了人影。他不紧不慢地走过来。当来到这家店铺路对面的时候，他发现这家店居然早早地就关门歇业了。这在平时可不是常见的。这个值班的巡警曾经接到过上级的指示：除非发生重大扰乱秩序的事情，否则在巡逻的时候不必对这家店铺过多干涉，但只要一有风吹草到，就必须及时全面地作出汇报。现在没看到什么值得向上汇报的事情。但是出于一种责任感和内心的良知，同时自己的内心里对那个鬼魅的身影感到一丝怀疑，这名巡警就穿过道路，试着按了下门铃。弹簧锁一如既往地牢固地把着大门，开锁的钥匙放在已然长眠的弗洛克的马甲口袋里，再也用不着它了。当那位尽职尽责的巡警用力摇晃着门把手的时候，那个女人冰冷的双唇打着战凑到了奥西庞的耳朵边上："如果他闯进来，你就杀了我，杀了我，汤姆。"

终于，那个巡警走开了，在离开的时候，还出于形式，用自己拎着的暗淡的提灯，在店铺的窗户上朝里照了一下。巡警走后好大一会儿，这一男一女还是面对面、一动不动地站着，喘着粗气。慢慢地，她把自己紧紧锁住的手指松开了，慢慢地垂下了自己的双臂。奥西庞把身子倚在柜台上。这位坚强的无政府主义者强烈地需要一个支点依靠一下。这一切都太吓人了。整个人都糟得说不出话了。然而，他还是痛苦地把自己的内心想法给说了出来，这说明他至少还能认识到自己的处境。

"你要是再晚进来一两分钟，就会害得我撞上那个提着该死的夜灯在这儿巡查的家伙！"

弗洛克的未亡人，站在店铺中央一动也不动，突然大叫起来："快过去把那个灯给熄灭了，汤姆。它都要让我抓狂了。"

她隐约地觉察到他有一种十分坚决的拒绝态度。现在世界上没什么东西，能够引诱奥西庞走进那个客厅里。他是一个唯物主义的人，但地板上的确有太多血渍了。那顶帽子周围汇聚了一大摊血。他觉得自己现在离那具尸体实在太近了，让自己平和的心神受惊不已。而且，自己的脖子都感到了一丝凉意！

"那你就把煤气表关上！就在那儿，你看，在那个角落里。"

听到这话，奥西庞同志那强健的身形顺从地动了起来，气呼呼地穿过店铺，来到一个角落，蹲了下去。他虽然听了命令，但还是呈现出一副不乐意的样子。他蹲在那儿紧张地摸索着，突然间，响起了一句低沉的诅咒，玻璃门后的灯光终于黯淡消失掉了，那位歇斯底里的女人终于可以长喘一口气了。黑夜，是上帝对男人不辞劳苦工作的天然回报，现在黑夜彻底降临在弗洛克这位劳累一生的革命者身上了。"一位老革命"，这位谦虚谨慎的社会卫士，斯托特·瓦腾海姆男爵手下的无价之宝、顶级间谍'Δ'，法律与秩序的忠实仆人，值得信赖、万无一失、受人景仰，一生可能只存在一个让人可怜的弱点：理想地认为自己受到了全身心的爱慕。

屋里空气燥热得难受，漆黑得如同染了墨汁一样，什么也看不见，奥西庞完成了任务，一路摸索着回到了原点，到了他赖以支撑的柜台边。还站在店铺中央的弗洛克太太，在这一片漆黑中，绝望地向他发出抗议的哭喊。

"我不要被绞死，汤姆。我不要！"

她停住了。靠在柜台上的奥西庞给她提了一个醒："别再喊了。"看上去这句话很管用。"这件事是你一个人干的吗？"他问道，声音很是沉闷，但听起来显得十分镇静，这让弗洛克太太的内心充满了信心，觉得他完全有能力保护自己。

"是的。"她躲在看不见的漆黑里，细语道。

"我简直不敢相信这是真的。"他低声含糊地说着，"没人会相信。"

她听到他来回踱着步子的声音，然后听到客厅门啪嗒一声给锁上了，奥西庞同志把长眠的弗洛克独自锁在里面了。他这么做并不是出自对亡者的尊敬，或者出于其他什么语焉不详的敏感考虑，他之所以这么做，只是因为他始终觉得这间房子里似乎在某个角落里还藏着什么别的人。他不相信那个女人，更确切地说，在这个让人惊奇的世界上，他分辨不出究竟什么是真实的，什么是可能的，或者甚至什么是合理的。他整个人已经吓得魂飞魄散，不知道该信什么，该不信什么。这件不同寻常的事情，是以警察和大使馆开始的，而具体又在哪里结束——也许有人会走上绞刑架——只有上帝才知道了。还有一个可怕的事情就是，自己从晚上七点钟的时候，就一直在布雷特街道上来回走动着，将来被警察问到的话，自己根本说不出个所以然来。他对同处一室的这个野蛮女人也感到害怕，是她把自己带到这儿来，如果自己不小心的话，很可能就会被判上一个合谋杀人的罪名。对于自己被卷进这些危险——被引诱进来——的速度，他也感到非常的恐惧。从他们在街上相遇到现在，总共也才过去了差不多二十分钟，最多二十分钟。

弗洛克太太压低了自己的声调，凄凉地向奥西庞请求道："千万不要让他们绞死我，汤姆！带我离开这个国家吧。我会给你干活儿的。我给你做牛做马都行。我会全心全意地爱你。我已经一个亲人都没有了，除了你，也没有谁会在乎我的！"说完后，她安静了一会儿。那把凶器的刀柄上还在流着血滴，这不再让她多么害怕了，只是把她带进了无尽的孤寂之中，然后这个曾经在贝尔格莱维亚区大厦里受人尊敬的女孩儿，弗洛克那忠诚可敬的妻子，一下子从心底冒出了一句可怕的话语。"我不会让你娶我的。"她的话里尽是羞愧的声调。

在黑暗中,她朝前迈了一步,但对方明显还是有点怵她。如果她的手里突然变出了一把刀子,直接刺向他的胸膛,他也不会感觉到意外的。而且他也不会作出任何的抵抗。这时候,他甚至没有足够的勇气让她退回去。但是他还是瓮声瓮气地问了一个奇怪的问题:"他是睡了吗?"

"不是。"听到这个问题,她哭出来了,然后继续说,"他不是睡了。不是。他曾经跟我说,没人敢动他一指头。他在我的眼皮底下把那个孩子带出去,然后害死了他——那可是个可爱的、无辜的、从不害人的小家伙啊。他是我的心肝,我跟你说。害死了那个孩子以后——我的那个孩子——他居然还能心安理得地躺在沙发上。我本来想要跑到大街上去,再也不想看到他。但他却跟我说,是我帮着他害死了那个孩子,然后还让我去他身边。你明白吗,汤姆?在他把我的心粉碎成尘埃之后,他就这样子跟我说:'过来。'"

她停了一下,然后又梦呓般地重复说着:"血肉模糊。血肉模糊。"听到这话,奥西庞同志才恍然间明白了。在公园里粉身碎骨的原来是那个有点儿弱智的小家伙。这么一来可真是把周围所有的人都给彻底蒙骗过去了,这可真是一个天大的奇招。虽然内心里惊讶得不行,他还是文绉绉地叫道:"原来是那个退化的孩子,上帝啊!"

"过来。"弗洛克太太的这句呓语又响起来了,"他难道以为我是一个铁石心肠的人吗?告诉我,汤姆。过来!他跟我说!就这么跟我说!我当时正好看到了那把刀子,我心里就想,如果他实在想让我过去,那我就过去。嗯,是的!我过去——最后一次去他身边,拿着那把刀子。"

他现在真是要被她给吓死了——这个退化儿的姐姐自己也是一

个谋杀犯类型的变态者，或者是个撒谎成精的变态者。除了其他各式各样的恐惧元素之外，奥西庞同志可以说内心里又产生了对科学论断的恐惧。这是一种没法衡量的复杂的惊恐感，而这种过度的惊恐让他在这个黑夜里，居然呈现出一副镇静自若、指挥若定的假象来。他的一行一止、一言一语，都困难重重，似乎他的意志和思想都已经被冻僵了，好在没人能够看到他那张苍白的面容。他感觉自己已经半死不活了。

不经意间，弗洛克太太发出了一声凄厉的尖叫，一下子把房子里的一直保持的静谧给打破了，吓得他蹦起来有一英尺多高。

"帮帮我，汤姆！救救我。我真的不想被绞死！"

他向前冲了过去，在黑咕隆咚中找到了她的嘴唇，拿自己的手指堵上去，才把这尖叫声给压了下去。可是他在冲过去的时候，不小心把她给撞倒了。他感觉到她紧紧地环抱着自己的两条大腿，而自己的恐惧感此时已经达到了极致，居然有一种醉醺醺、陶陶然的错觉，呈现出一种震颤性谵妄的症状来。他确信自己眼中呈现出了蛇的景象。他看到那个女人就像一条蛇一样缠绕着他，无法甩开。她不是要害人性命，她本身就是死亡——生命的忠实伴侣。

自从爆发出那一声尖叫后，弗洛克太太再也没有闹出任何的声响来。她的样子让人觉得同情。

"汤姆，你现在不能把我丢下不管。"她面向着地板，喃喃地说，"哪怕你拿鞋跟踹烂我的头，我也不会离开你。"

"你起来。"奥西庞跟她说。

他那张苍白的脸，在店铺里那一片漆黑中，居然可以看得清清楚楚。而弗洛克太太依然戴着面纱，深藏着自己的面容，整个人连个轮廓都看不出来。只有一朵小小的白花,是插在她的帽子上的,颤抖着,标识出她的位置和动作来。

这朵白色小花在黑暗之中颤颤巍巍地升了起来。在她从地板上爬起来的时候,奥西庞有点儿懊悔自己为什么当时没有直接冲到大街上去。但自己立刻意识到了自己这么想是错的。就不应该那么做。她会跟着跑出去,会一边追着他,一边往死里嚎叫,最终会把所有听到声音的警察都引过来。只有上帝知道她会怎么跟警察说与自己的关系。他想到这儿,心里不禁打了一个寒战,甚至大脑里都闪过把她掐死的疯狂念头。他自己从来没有这么害怕过!现在自己成了她的人质了!他想到自己以后会在意大利或西班牙的某个荒凉的角落里,整日胆战心惊地生活着。直到某天,在一个阳光明媚的早上,他被发现死在家里,胸膛上插着一把明晃晃的刀子——跟弗洛克一样的下场。他深深地叹着气,一动也不敢动。而此时,弗洛克太太静静地站在一旁,在自己的大救星那沉思的神态中,找到了一丝安慰。

突然间,他用一种几乎很自然的语气说起话来,看来他的沉思已经结束了。

"我们现在快点儿出去吧,否则就赶不上那趟火车了。"

"我们去哪儿,汤姆?"她胆小地问道。此时的弗洛克太太已经不再是一个自由的女人了。

"我们首先去巴黎,那是最佳的路线。先出去吧,看看外面有没有人。"

她很听话,一边小心翼翼地打开房门,一边压低了声音说:"外面没有人。"

奥西庞走了出去,他竭尽全力地保持着自己的风度。关上门后,那神经错乱一般的门铃在门后咔哒咔哒地响个不停,似乎用尽全力去提醒那正在休息的弗洛克,他的妻子正要跟这个地方永别了,而且是跟他的好朋友一起。

他们搭上了一辆双座小马车,一坐好,这个强壮的无政府主义者就开始解释起自己的安排来。他的脸上依然毫无血色,一副紧张兮兮的神情,一双眼珠陷进去几乎有半英寸深。但一旦说起来,似乎对所有的事情都作了万全的考虑和安排。

"我们到了车站以后。"他说话的语调很怪异,又很单调,"你要走在我的前面,先进到车站里面,要作出一副我们互不认识的样子。我去买票,然后我会经过你的身边,把票塞到你的手里。接着,你要进到头等女士候车室里,一直坐在里面,然后在火车发车前十分钟走出来。我那时候会在外面。也是你先自己走到站台上去,也要装作不认识我的样子。那儿会有很多双眼睛正在观望着一切。你孑然一身,他们就觉得你只是一个独自乘车的女人而已。他们认识我。如果你跟我在一起的话,他们就会意识到弗洛克太太正要跑路。你明白吗,亲爱的?"他用力地问了一句。

"嗯。"弗洛克太太回答道。在小马车里,她紧挨着他坐在那儿,脑子里还满是对绞刑架和死亡的恐惧感。"是的,汤姆。"然后内心里对自己说了一句话,就像一句恐怖的咒语:"下落板离地面十四英尺高。"

奥西庞,没有拿眼看她,整张脸就像大病初愈后刚刚涂上了一层石膏,面无表情,"好的,我现在需要钱去买票了"。

弗洛克太太把自己的紧身上衣解开了几个挂钩,两眼直直地盯着马车的挡泥板,然后把那个崭新的猪皮钱包递给他。他一言不发地接过去，然后用力地把它塞进自己的胸前。塞进去以后，用力地拍了拍自己的外套。

所有的这些动作，都没有任何目光的交流。他们两个人的样子，好像都要抢着去第一个找到渴望的目标。一路无言，直到双轮马车绕过街角，奔向大桥，奥西庞才再次张口说话。

"你知道这个钱包里究竟有多少钱吗？"他问道，那缓慢的语气，就像是马头上坐着的一个小淘气鬼发出来的。

"不知道。"弗洛克太太说，"他只是给了我。我也没有仔细数。那时候我根本没心思想去数。毕竟……"

她稍微了抬了一下右臂。这个动作让人禁不住吸了一口气，就在不到一小时前，这只右手把一柄刀子干净利索地送入了一个男人的心脏里。奥西庞打了一个寒战。然后他故意又打了个寒战，自言自语道："好冷。我都要被冻僵了。"

坐在马车上，弗洛克太太凝视着前方这条自己正在逃亡的道路。时不时地，她紧张的视线中会飘出一条暗淡的蒸汽烟雾，里面模糊地显出几个字来："下落板离地面有十四英尺高。"透过黑色的面纱，她的大眼睛闪出明亮的光芒，就像是一个假面具上女人的眼睛一样。

奥西庞的严肃表情，有点商人的感觉，还带着一丝奇怪的官员模样。突然间，他故意咳嗽了一声，然后张口说话了。

"听我说！你知道不知道你那位——他在银行里使用自己的真名开的账户，还是用别的名字？"

弗洛克太太带着那张面具一般的脸，看着他。双眼的眼白很大，十分迷茫的样子。

"别的名字？"她若有所思地问道。

"你一定要准确地说出来。"奥西庞随着小马车的飞速前行,严肃地说,"这件事非常重要。我会跟你解释。银行都记录着这些存款单的号码。如果他们是以他的名字开的存款单的话,那么,当他的——他的死讯传开了的话,如果我们去银行使用这些单子,警察就会追查到我们。你身上还有其他的钱没有?"

她摇了摇头,表示否定。

"一个子儿都没有吗?"他没有放弃。

"只有几个硬币。"

"这样子的话,我们就比较危险了。那些钱,我们用的时候务必得小心。非常小心。在巴黎,我知道有这么一个安全的地方可以兑换现金出来,但估计得让我们损失掉一半以上的钱。我说的另外一种情况,就是如果他开账户和取钱的时候,用的都是别的名字的话——比如史密斯——那我们用的时候就可以放心了。你明白吗?那样子的话,银行根本就不知道弗洛克和那个用来举例的史密斯是同一个人。你现在明白里面的蹊跷了吧,所以你要明白无误地好好回答我那个问题。你能不能回答我的问题呢?不大可能,呃?"

这时候,她很沉着地说:"我现在想起来了!他不是用自己的名字开的账户。他有一次曾经跟说,他是用普罗佐尔这个名字在银行办理的存款。"

"你确定无疑?"

"确定。"

"你不觉得银行知道他的真名吗?或者银行里的某个人知道,或者……"

她耸了耸肩膀。

"这我怎么知道?这可能吗,汤姆?"

"不,我觉得可能性不大。这就让人感觉放心多了……我们到了。你先下去吧,直接往里面走就行。见机行事。"

他过了一会儿才下来,从他自己那个瘪瘪的钱包里掏出钱付给了马车夫。他万无一失的计划开始争分夺秒地执行起来了。弗洛克太太手里攥着前往圣马洛的车票,走进了女士候车室。此时,奥西庞同志走进了一间酒吧,不到七分钟,三杯热辣的掺水白兰地进了他的肚子。

"热酒驱寒啊!"他朝着酒吧女招待友好地点了点头,扮了个鬼脸。然后他走出酒吧,一副节日里在"悲伤之泉"畅饮之后的喜气面相。他抬头看了看钟表。到时间了,他站在那儿等着。

弗洛克太太很准时地走了出来,还是垂着她的面纱,一身黑——像死亡一样的黑色,帽子上缀着几朵便宜苍白的小花。她经过一堆欢声笑语的男人,他们的笑话只需要一个词就能使其戛然而止。她的步伐缓慢,但上身挺直,奥西庞同志在后面看着,不禁心里产生了一股寒意,然后自己也行动起来。

火车开到了站台,每一节车厢的门都开着,几乎看不到任何人上车。这正是一年里的坏季节,天气简直糟糕透了,所以几乎没有什么乘客。弗洛克太太沿着空荡荡的车厢慢慢地向前走,直到奥西庞从后面碰了一下她的肘部。

"进去吧。"

她进了车厢,他还在站台上,警惕地观察着。她向前一弯腰,然后低声问:"出了什么事,汤姆?有危险吗?"

"稍等一下,有个列车员过来了。"

她看到他跟那个穿制服的人打了个招呼，两个人在一块聊了会儿。他听到那个列车员说"没问题，先生"，还看到他拿手碰了碰自己的帽檐。然后奥西庞转身又走了回来，在车窗外跟她说："我跟他说，不要让别人到我们这节车厢里来。"

她坐在座位上，向前倾着。"你真是考虑周到……你会把我救出去的，对吗，汤姆？"她的话里带着一股苦涩的味道。她突然摘下自己的面纱，凝视着自己的救命恩人。

她的面容像石块一样僵硬，了无生气。那一双直视的大眼睛，干枯而又无神，如同雪白光亮的白色球体上烧出了两个黑洞。

"现在没事了。"弗洛克太太的心神刚刚从绞刑架的恐怖中恢复过来，他用一种真挚的、几乎全身心投入的目光回看着她，里面满是力量和柔情。这种奉献和付出深深地感动了她——让她那张僵硬如石头般的面容也变得不再那么吓人了。奥西庞同志紧紧地盯着自己情人的面孔，他的神情是任何一个爱人都无法与之相比的。亚历山大·奥西庞，无政府主义者，绰号"医生"，一本医学手册（漏洞百出）的作者，最近在工人俱乐部里发表过社会卫生状况的演讲。他本人脱离了世俗社会的旧道德束缚——但还是相当认同科学规律。他信奉科学主义，而且正在科学地观察着身边这个女人——那个退化人的姐姐、自甘堕落的人，是个谋杀犯类型。他注视着她。他信奉隆布罗梭的理论，就像一个意大利农民崇拜他的圣人一样。他带着科学精神注视着她。他看着她的面颊、她的鼻子、她的眼睛、她的耳朵……糟糕！这是命中注定！弗洛克太太苍白的双唇张开，在他热情的目光下，微微放松起来。他又看到她的牙齿，毫无疑问的确是一副谋杀犯类型的面相。奥西庞同志其实并没有彻底地用隆布罗梭学说来分解自己的恐惧,因为从科学的角度来说,他并不认同人有灵魂这一说法。但是本着科学的精神,在这个火车站的车台上,他紧张地结结巴巴地说道:"您的那位弟弟,的确是一个不同寻常的小家伙。研究他的性情是很有趣的。他是很典型的那种人,很典型!"

他尽力掩藏着自己的害怕,客观地作着评论。这一番对于亲爱亡弟的褒扬话语,进入了弗洛克太太的耳朵,使她那双忧郁的眼睛刹那间增添了一点儿亮光,就像狂风暴雨来临前的那一丝预示性的光线。

"他的确是那样的。"她双唇颤抖着,悄声细语说着,"原来你很关注他,汤姆。我很爱你这点。"

"你们俩简直就是一模一样,真是让人难以置信。"奥西庞继续说着,借以舒缓自己内心里不灭的恐惧,来掩盖神经质的、近乎病态的焦虑感,为什么火车还不赶紧发动。"是的,他很像你。"

这些话听起来并不是那么地动人,也不显得多么有同情心。可是,仅仅他提到两个人的相像,就足以在她的内心里掀起一阵波澜了。她轻轻地哭了一声,把胳膊伸了出去,终于忍不住,眼泪哗哗地流下来。

奥西庞匆匆地走到车厢里,把车厢门关上,不忘了回看一眼车站的大钟表,还剩八分钟了。接下来的三分钟里,弗洛克太太绝望地哭泣着,泪如泉涌,一刻不停。慢慢地,她有些恢复过来了,虽然泪水依然不停,但哭声已经变得低沉起来。她竭尽全力地控制自己,争取好好跟自己的救命恩人,那位生命的信使,说说心里话。

"唉,汤姆!他那么凄惨地离我而去,我怎么又这么会害怕去死呢!我怎么能这样子!我怎么能是这样懦弱的一个人啊!"

她痛苦地抒发着自己对于生命的热爱，尽管自己这一辈子过得既不优雅，也不让人羡慕，几乎没有任何得体可言，但自己的生命中一直坚持着一项高尚的使命，直到自己的挚爱被人谋害。事实上，人们在哀叹自己一生不如意的时候，总是内心煎熬，言语寡少，而真相，真正要控诉的真相，只能在一些东拼西凑的虚情假意里发现它残破不堪的真实外表。

"我怎么会这么害怕死亡！汤姆，我努力过了。但我还是害怕。我本来想自行了断。我做不到。我是不是铁石心肠？或者说这些苦难对于我来说还不够沉重。直到后来你来了……"

说到这儿，她的话断了。似乎很快重拾了信心，并怀着感激的态度，哭着说："我的余生都属于你了，汤姆！"

"你到车厢的那个角落里去，那样子能够离站台远一些。"奥西庞热心肠地跟她说。她乖乖地听了恩人的安排，顺从地坐好。他注意到她马上就要进入下一轮哭泣的状态了，似乎会更加厉害。他用专业医生的目光注视着她的状况，心里焦急地等着时间快点过去。终于，列车看守的哨子响起来了。听到这个声音，他无意识地抽动了一下上唇，露出了自己的一排牙齿，列车启动时发出的阵阵颤抖，让他感觉到一股即将救赎的轻松感。弗洛克太太听到了哨子的响声，却不为所动，她的救命恩人——奥西庞，一动不动地站在原地。他感到火车跑得越来越快了，车轮的滚滚响声同那个女人号啕的哭声融合在一起。这时候，他迈开大腿，只用了两大步就来了车厢门口，用力地打开门，纵身跳了出去。

他这一跳，刚好跌在站台的最边上，他拼劲了全力来执行自己这个绝地求生的计划，居然还造就了一个不小的奇迹，飞身跳下的时候，在半空中，还能用力地把车门给带上了。只是跌下来的时候，他整个人连滚带爬地就像一只被射中的兔子。他被地面戗得不轻，好不容易才爬起来，他浑身哆嗦着，脸色苍白得跟个死人一样，几乎都喘不过气了。但是他立刻镇静下来了，车站里那群扎堆说笑的人们朝他涌了过来，他神色轻松地跟他们招呼着。他的口吻正常而有说服力，他解释道，他妻子这是刚刚要坐火车去布列塔尼看望自己奄奄一息的母亲。当然了，她整个人处于极度的难受之中，他不得不好好安慰她一下。当他尽力想让她振作起来的时候，完全没有注意到火车已经开始发动了。听到这些话后，有人问他："先生，那您为什么不先一直跟着坐到南安普顿再下车呢？"他说那不行的，因为小姨子还一个人待在家里，帮着他们照顾三个小孩子。如果他长时间不回去，她一定会心慌意乱，而且现在电报局也关门了，情急之下，自己就一下子跳下来了。"不过我想自己再也不会这么干了。"他最后总结说，并朝着大家微微一笑。他给大家分散了一些零钱，然后就健步如飞地走出了车站。

走在外面，奥西庞同志脸上洋溢着激动的神情，他怀里揣着可以放心使用的银行票据，这些钱，自己一辈子里见都没见过。一个马车夫过来招呼他，被他拒绝了。

"我自己走路就行。"他朝那个马车夫友好地报以微微一笑。

他能走，而且他也真得走起来了。他走过大桥。修道院的高塔岿然不动，路边的灯光照亮了他的黄色短发。维多利亚的灯光也点亮了他的步伐。他走过斯隆广场，走过海德公园的栏杆。奥西庞同志发现自己又来到一座桥上，桥下的河水幽暗而静谧，奇迹般地将静止的影像和浮动的光芒混合在一起，瞬间抓住了他的注意。他站在那儿，抓着大桥的栏杆，看了好长时间。就在他低头观望的时候，钟楼在头顶发出了一声巨大的鸣响。他抬头看了看钟表的刻度……英吉利海峡里这疯狂的一夜，已经是十二点半了。

接着，奥西庞同志又走了起来。他那健壮的身形在暗夜里行走在这个城市的郊区里，大雾弥漫，似乎整个城市正裹着一张巨大的泥土毯子昏昏迷睡着。大街小巷，空空如也，看不到任何的生物，也听不到任何的声音，他的身形消失在无穷无尽的一排排阴沉沉的房屋里，这些房屋营造出一条条空荡荡的道路，这些道路的两边，无数只煤气灯默默地发着亮光。他穿过广场，穿过十字路口，穿过运动场和公共活动区，还走过许多条无名的街道，这些街道里生活着的，都是主流社会之外的社会渣滓。他不停地走着。然后他突然转身走进一片肮脏草地的小园圃里，来到一间小小的肮脏的小房子面前，从自己的口袋里把钥匙掏了出来。

他没有脱衣服，就一下子把自己扔到了床上，一动不动地在那儿躺了差不多一刻钟的时间，然后一下子直挺挺坐起来，双手抱膝，盘着腿。直到天际发白，他还是一直睁着双眼，保持着那个姿势不动。这个男人可以毫无目的地步行那么长时间，那么远路途，还一点儿都没感到疲惫。那他也必然能够一动不动，连眼皮也不带眨地，坐在那儿待上几个小时。但当太阳将光芒投进屋里，他还是放开了双手，又倒在枕头上。他的眼睛紧盯着天花板。突然，那双眼睛也闭上了。在阳光的沐浴下，奥西庞同志终于睡去了。

第十三章

　　整间屋子里的物件，不仅外表看起来粗陋得很，做工和材质也都没法恭维。只有锁住壁橱门的那把大铁锁，看上去还稍微顺眼一些。这种一眼望去就让人肃然起敬的东西，一般是很难买到的，这还是教授在伦敦的一个船货销售商那儿寻觅到的，他就花了几个便士，就轻而易举地买下了。屋里的空间很宽敞，一尘不染，让人赞赏，但是家徒四壁的情形也让人觉得这家主人似乎只能吃得起几片面包。墙上只是简单地贴着几张报纸，报纸上染了一摊摊的深绿色彩，还到处点缀着无法拭除的污点，就跟一张描绘着荒无人烟的大陆的褪色地图一样。

　　窗边的牌桌上，奥西庞同志一个人坐在那儿，双拳托着自己的脑袋。教授穿着他那身仅有的劣质粗花呢西装，脚上套着一双破旧得无法想象的拖鞋，双手深深地插入到绷得紧紧的外套口袋里。他正在向自己面前这位魁梧健壮的客人，讲述自己最近一次拜访传道士米凯利斯的情形。这位彻头彻尾的无政府主义分子说起话来，向来都是无拘无束的。

"那个伙计对于弗洛克的死讯一点儿都不知道。这当然了!他从来都不看报纸的。他曾经说,报纸上的东西让他感到伤心。但知不知道都无所谓了。我去他住的地方,那儿真是冷清得要死,连只鬼都没有。我站在那儿连着吼叫了六七声,他才回应我。我还以为他当时正在床上睡大觉。但其实没有。他已经趴在桌上写了四个小时的东西了。他就坐在那个小笼子里,身边全是手稿。旁边的桌子上还放着一根吃了一半的胡萝卜。那是他的早餐。他现在每天就靠一些生胡萝卜和一点儿牛奶活着。"

"那他怎么看待这件事情?"奥西庞同志无精打采地问。

"他很超脱,我从地板上拿起了他的几页手稿,看了一下,里面的逻辑混乱得令人发指。他已经丧失思维了,不能连贯性地去考虑事情了。不过,这不算什么。他把自己的个人传记分成三个部分,分别命名为信仰、希望、博爱。在书里面,他细致入微地把理想的未来世界描绘成一个巨大美好的医院,里面全是花园和鲜花,强壮的人们在里面奉献出自己的力量,努力维护着弱者的权益。"

教授顿了一下。

"奥西庞,你能想象出这么愚蠢的事情吗?那些弱者!他们正是这个世界上所有邪恶的本源!"他用残酷的口气继续说道,"我跟他说,我想象的世界是一个巨大的屠宰场,在这个屠宰场里,那些弱者被揪出来一个一个地接受检验。"

"你明白我的意思吗,奥西庞?弱者是所有邪恶的本源!那些软弱的、优柔的、病态的、懦夫般的,那些内心恍惚的、卑颜屈膝的,他们是这个世界上邪恶的统治阶级。他们掌握着力量,他们占据着大多数。地球是他们为所欲为的王国。要彻底消灭!彻底消灭!

这是推动历史进步的唯一办法。必须这样！听我说，奥西庞。首先，得把大多数的弱者都消灭掉，然后留下相对强势的人。你明白吗？首先把瞎子消灭掉，然后是聋子和哑巴，再之后是瘸子和跛子，等等。所有的污点，所有的恶习，所有的传统世俗，都统统去见鬼。"

"那最后还能剩下什么？"奥西庞的声音简直都要窒息了。

"我还会在，如果我足够强势的话。"面黄肌瘦的小个子教授斩钉截铁地说。他那两只招风耳朵，表皮薄得只剩下了细胞膜，一下子从那个脆弱的脑袋上直挺起来，染上了兴奋的深红色。

"我在这些弱者的手里吃的苦还不够吗？"他铿锵有力地控诉道。然后他拿手拍了拍自己外套的上衣口袋："我现在是力量。"他继续说。"但是，我要时间啊！时间！再给我一些时间！唉！那些乌合之众们，都蠢得够呛，感受不到同情或害怕。有时候，我想这些人真是拥有一切。一切——包括死亡——那可是我的武器。"

说完了，这位真正的无政府主义分子拖着自己的拖鞋，在房子里啪啪地来回走着。两个人陷入了沉默之中，过了一会儿，身强力壮的奥西庞忍不住了，"走，跟我一起去西勒诺斯喝点儿啤酒吧！"这个提议被接受了。教授觉得今天真是好极了，他拍了一下奥西庞的肩膀。

"啤酒！就是它了！让我们痛快地大喝一场，为我们都是强者去喝一杯，为我们都将明天死去喝一杯！"

他一边忙着穿自己的靴子，一边尖刻又坚定地说。

"你究竟是怎么了，奥西庞？你看起来今天格外忧郁，居然会过来找我谈心。我听说，你经常会去酒馆里喝酒，那儿的人一旦灌下几杯酒就会胡话连篇。你究竟是怎么了？你已经对女人失去兴趣了吗？她们是填补强者心灵的弱者，嗯？"

他好不容易塞进去一只脚，拿过另外一只绑了带子的靴子。这双鞋子很沉重，鞋跟很厚，很久没有做过保养，看起来修补过好多次了。他狞笑了一下。

"跟我说，奥西庞，你这个糟糕的人，是不是曾有女人为你自杀过，或者说你的伎俩还不够高明，因为只有以血明志的爱情才算是伟大的？鲜血。死亡。看看历史上那些典故。"

"你这个混蛋。"奥西庞头也没回，骂道。

"怎么了？弱者不就是这么想的吗？他们给强者发明了地狱一样的东西。奥西庞，我对你有一种真诚的猜测，我猜你连一只苍蝇都不敢杀死。"

但是在奔赴酒吧的路上，当身处公共汽车的顶部，教授就没那么兴高采烈了。大街上人山人海的情景，让他此前那斩钉截铁的自信心顿然黯淡下来，让他不禁对自己的想法产生了疑虑和不安。当他待在自己的房间里、整日只有那个被大铁锁把守的壁橱为伴时，他是根本不会有这种疑虑和不安的。

"这么说……"坐在他后面的奥西庞同志，越过他的肩膀，跟他说，"这么说，米凯利斯希望这个世界是一个美丽甜蜜的医院。"

"就是这样。一个巨大的慈善机构，用来给那些弱者疗养身心。"教授讽刺地说。

"这个想法真是很蠢。"奥西庞不得不承认，"你没法去治愈弱者。但是，你也不能说米凯利斯的想法都是错的。估计两百年后，医生会是这个世界的主人。现在科学统治着一切。它可能是在背后支配着一切，但它现在的确是主人。到最后，所有的科学都会发展到以治疗为中心的极致,不是去治疗弱者,而是医治强者。人类需要存续下去,存续下去。"

"人类……"教授那双金属边眼镜后闪过一丝自信的光芒,断言道,"根本不知道自己想要什么。"

"但是你不是知道吗?"奥西庞忍不住咆哮起来,"你刚才不是一直哭着喊着要更多的时间——时间吗?好啊。如果你是一个强者,医生会延续你的生命。你自称属于强者,是因为你自己的口袋里塞着足够的东西,能够把你自己,还有二十多个其他的人,一起送进永恒。但永恒是一个该死的窟窿。你需要的是足够的时间。你……如果你遇上一个能够再给你十年生命的人,你会乖乖地认他做主人。"

"我的理念是:不要上帝!不要主人!"教授简洁地回复说。他站起身来,准备下车。

奥西庞也站起身来。他跟着教授从踏板上跳了下去,反驳他说:"那你就等着吧,一直等到你油枯灯尽,一个人孤零零地仰卧在那儿等死,心里念想着自己这卑鄙污秽又猥琐的短暂一生。"他一边说着,一边穿过道路,跳到了马路牙子上。

"奥西庞,我真觉得你是一个大骗子。"教授回复他说,然后熟练地推开了大名鼎鼎的西勒诺斯的大门。他们找到了一张小桌子坐下,刚一坐好,教授就开始阐述自己意味深长的思想认识。"你都不算是个真正意义上的医生。但你很有趣。你以为自己走南闯北,遇到一两个郑重其事的小丑,让他们伸出舌头来,给他们吃几粒药片,就觉得自己称得上先知的名号。要先知有何用!想象未来对我们毫无意义!"他举起酒杯,"让我们为打破这个现有的世界而干杯。"他的神色庄重。

一饮而尽后,教授又恢复到了往日里一贯的沉默状态。一想到人类数量的无穷无尽,如同海滩上的沙砾,你既无法彻底消灭,也很难对付,这念头重重地压在了他的心头之上。那么多次爆炸事件的声响,早已经被这群整日茫茫然的人海给遗忘掉了,连声回响都没有。就拿弗洛克这么近的事件来说,现在还有谁记得呢?

似乎被一种神秘的力量所驱使着,奥西庞伸手从他的口袋里掏出一份皱皱巴巴的报纸。教授听到沙沙的声音,禁不住抬起头来看。

"那是什么报纸?都有什么新闻?"他问。

奥西庞一副失魂落魄的梦游患者的样子。

"没什么。什么都没有。都是十天前的新闻了。估计是以前放在口袋里忘记了。"

但他没有把这份旧报纸给扔掉。在他把报纸塞回口袋之前,还偷偷地瞄了一眼一张图片的最后几行配字。配字是这么说的:"一种根深蒂固的神秘力量命中注定要永远附着在这绝望或疯狂的举动上。"

这些话是整条新闻的最后几个字,而这条新闻的标题则是:"一名女乘客在海峡轮渡上跳海自杀。"奥西庞同志对于这份报纸优美的报道风格十分熟悉。"一种根深蒂固的神秘力量命中注定要永远附着在……"他心里清楚这里面每一个字的意思,"一种根深蒂固的神秘力量……"看到这儿,这位强壮的无政府主义者,耷拉下脑袋,陷入了长时间的深思之中。

他特有的生活方式,受到了这条新闻的极大威胁。他再也不能理直气壮地去幽会自己各式各样的情人了。而这些情人,有的是在肯辛顿公园勾搭上的,有的是在附近地区的那些栏杆那儿撩上的,跟她们勾勾搭搭的时候,根本不用讨论到什么"一种根深蒂固的神秘力量命中注定要永远附着在……"这种话题。他开始从科学上害怕自己会因为这几行字患上精神错乱。"永远附着"，如同鬼魅，折磨着他。最近好几次和情人的约会，他都未能如约前往。而他以前即使在写情书的时候，字里行间都充满了肆意汪洋的可信任感和男人气度。正因为此，他的情人们虽然来自各个不同的阶层，但都倾心于他外露的感情，给他各式各样的利益上的好处，满足他的一己之欲。这是他赖以生存的伎俩，是自己的本事。但是如果自己以后再也没法施展这个才能了，那他就只能承担牺牲自己理想和肉体的风险了，"绝望或疯狂的举动"。

对所有人来说，这件事当然是受"一种根深蒂固的神秘力量命中注定要永远附着"的。可是，所有的其他人都不知道这件深受命运诅咒的事情的始末，唯有他自己清楚，那该怎么办？就像新闻记者所撰写的这则新闻——从文章的开始到最后的结尾"神秘力量命中注定要永远附着……"奥西庞同志什么都一清二楚。

奥西庞同志心里明明白白。对于轮船舷梯处水手描述的情景，他心里很明白："一位身着黑裙、头戴黑纱的女士，半夜里独自一人在码头处来回徘徊。'您要搭乘这艘船吗，女士？'他鼓起勇气过去问她，'那请您这边走。'她的样子看起来不知道自己下一步该做什么。他帮助她登上了船。她看起来很是虚弱。"

而且，轮渡里的女服务员所描述的内容，他也能想象得到：一位穿着一身黑的女士，面色苍白，站在空荡荡的女士休息舱中间。服务员跟她说可以躺下来休息会儿。这位女士看起来很不想说话，似乎整个人陷入了巨大的麻烦中。后来，那位服务员看到她走出女士休息舱。服务员就跑到甲板上去找她。奥西庞同志在报道中看到，这位好心人发现那位忧郁的女士正躺在船篷下的椅子上。她双眼睁着，但别人跟她说话，她根本就听不见。她看上去病得厉害。服务员把总管事找了过去。这两个人站在一边，商量着如何帮助这位悲伤的特别乘客。他们悄声说着话，音量虽小但也不怕她听到（因为她看起来已经没有听力了）。他们说到圣马洛和那儿的英国领事馆，可以联系到她在英格兰的家人。然后他们就离开了，找人来把她安排到下面去，因为从她的面相上来看，她已经是奄奄一息的样子了。但是，奥西庞同志知道，在她那苍白的外表下，内心里还有一丝活下去的念头，正在跟恐惧和绝望作着殊死的斗争。这一丝生的欲望，拼力抵抗着内心极度的苦痛挣扎，而这苦痛挣扎，正是引诱她谋杀亲夫，并让她对绞刑架产生盲目疯狂的恐惧的罪魁祸首。他了解她。但是那位服务员和总管事根本不明白，当他们过了不到五分钟，再回到原地的时候，那位一身黑装的女士已经不在那儿了。她不见了，她消失了。那时候正是早上五点钟，什么事故都没有发生。过了一个小时，有一位水手在船篷座椅那儿发现了一个结婚戒指。它嵌在甲板的湿木板里，在太阳下闪着光，引起了水手的注意。戒指上面刻着日期，是 1879 年 6 月 24 日。"一种根深蒂固的神秘力量命中注定要永远附着……"

最后，奥西庞同志终于抬起了自己的头。他那一头蓬松的头发，照在阳光里，就跟太阳神一样风采奕奕，不愧是深受英伦三岛万千妇女热爱的男人啊！

教授已经坐不下去了。他站起身来。

"别走。"奥西庞急忙说，"听我说，你对疯狂和绝望有什么见解没有？"

教授用自己的舌尖舔了舔干裂的薄嘴唇，卖弄学识道："这两种东西已经根本不存在了。世间早已无激情可言。现在的世界充斥着平庸和软弱，失去了力量。而疯狂和绝望却是力量。在那些统治世界的傻瓜、弱者和变态看来，力量是犯罪的来源。你是个平庸之辈。弗洛克也是平庸之辈，他搞的大动作被警察轻而易举地就遮过去了。他被警察给杀死了。警察也是平庸之辈。人人都是平庸之辈。疯狂和绝望啊！把它们给我，让我拿来作为一个支点，我就能撬动整个地球。奥西庞，在这方面，我要很真诚地鄙视你，那些整日里大腹便便的人们所说的犯罪，你连想都不敢去想。你一点儿力量都没有。"他顿了一下，透过自己厚厚的玻璃镜片，浮现出一丝冷笑。

"大家都说你最近获得了一笔小小的遗产，让我说，这笔遗产并没有让你变得更聪明些。你跟那杯啤酒靠在一起，就跟一个木偶似的。再见了！"

"你想要它吗？"奥西庞说。他仰起头来，露出了傻瓜一般的笑容。

"要什么？"

"那份遗产。遗产的全部。"

从不为金钱所动的教授听到这话，只是微微笑了下。他整个人衣衫褴褛，他的一双靴子经过修修补补，已经变了模样，穿在脚上沉重得像铅块一样，每走一步都要渗出水来。他说："我明天要订购一批化学品，会把这批货的账单寄给你。这批货是我急需的。你明白吗？"

奥西庞慢慢地垂下头。他现在孤身一人了。"一种根深蒂固的神秘力量……"他眼前似乎浮现出这样一幕，自己的大脑飘在空中，在一种根深蒂固的神秘力量支配下，有节奏地跳动着。这无疑是犯了精神病了……"疯狂或绝望的举动"。

大门附近那台自动钢琴厚颜无耻地弹了一会儿华尔兹舞曲，然后一下子戛然而止，似乎在生闷气。

人称"医生"的奥西庞同志，随后也走出了塞勒诺斯的啤酒厅。出了大门，他在那儿犹豫不决，在并不太耀眼的阳光下眨巴着自己的双眼——那份刊载着自杀女士事件的报纸还塞在他的口袋里。自己那颗怦怦跳动的心不停地敲打着这份报纸。一位女士投海自杀，这出自疯狂或绝望的举动。

他径直地朝前走着，丝毫没有注意脚下的路面。他往前走着，不是为了赶往某个地方跟另一位女士幽会（一名比他大的家庭教师深深爱上了他那阿波罗一样的脑袋）。他正在朝别的方向走去。他现在没脸见任何女人。一切都毁了。他整个人没法思考，没法工作，没法休息，连饭都吃不下去了。但是，他开始喝酒，在酒精里找到了快乐、期盼和一点点儿希望。一切都毁了。他从事的伟大革命事业，被众多女士的爱情和信赖所支撑和维系着，如今在一种顽固而神秘的力量的胁迫下，岌岌可危了，这种神秘的力量可以让一个人的大脑随着报道文本的韵律而跳动。"要永远附着在这举动上，将人引向深深的沟壑，出自疯狂或绝望的。"

"我真是病得不轻啊。"在作了科学的自我审视后，他喃喃自语道。他拖着自己魁梧强健的身躯，口袋里揣着大使馆秘密活动的经费（从弗洛克那儿攫取过来的），正行走在人生的沟壑里，似乎在训练自己，为迎接未来不可推脱的任务做准备。他垂着自己宽阔的肩膀，弯下自己充满吸引力的脑袋，似乎心甘情愿地想要别人给自己套上一个广告牌子。一周多前的那个晚上，奥西庞同志走在路上，也是丝毫没有注意脚下的路，毫不疲倦，心无旁骛，视若无人，两耳清静。而如今，"一种顽固而神秘的力量"，他心地茫茫地走着，"这出自疯狂或绝望的举动"。

  此时，那位视金钱如粪土的教授也走在路上，努力在洪水猛兽一般的人潮中躲闪着。他这个人没有未来可期，当然自己也不在乎。因为他拥有力量。他的头脑里，浮现出无数幅关于毁灭的画面。他虚弱地走在路上，身形渺小，衣衫褴褛，让人看了不禁起怜。但是他内心里却保存着一种可怕而单一的念头，他认为疯狂和绝望是让世界得以重生的根本途径。他走在路上，没人看他一眼。这位危险至极的恐怖分子走在人群中，如同街上人群里的一只害虫，但没人对他产生一丝怀疑。

一九〇六年一月至十月

版权专有　侵权必究

图书在版编目（CIP）数据

间谍／（英）约瑟夫·康拉德著；王燕珍，项泽华译．—北京：北京理工大学出版社，2018.11

（康拉德海洋小说）

ISBN 978-7-5682-6412-9

Ⅰ．①间… Ⅱ．①约… ②王… ③项… Ⅲ．①长篇小说－英国－现代 Ⅳ．① I561.45

中国版本图书馆 CIP 数据核字（2018）第 227332 号

出版发行 /	北京理工大学出版社有限责任公司
社　　址 /	北京市海淀区中关村南大街 5 号
邮　　编 /	100081
电　　话 /	（010）68914775（总编室）
	（010）82562903（教材售后服务热线）
	（010）68948351（其他图书服务热线）
网　　址 /	http://www.bitpress.com.cn
经　　销 /	全国各地新华书店
印　　刷 /	北京通州皇家印刷厂
开　　本 /	850 毫米 ×1168 毫米　1/32
印　　张 /	9.375
字　　数 /	195 千字
版　　次 /	2018 年 11 月第 1 版　2018 年 11 月第 1 次印刷
定　　价 /	42.00 元

责任编辑 /	朱　喜
文案编辑 /	朱　喜
责任校对 /	朱　喜
责任印制 /	李志强

图书出现印装质量问题，请拨打售后服务热线，本社负责调换